何建明文集 卷三

共和国告急

何建明 著

新世界出版社
NEW WORLD PRESS

图书在版编目（CIP）数据

共和国告急 / 何建明著 . -- 北京 : 新世界出版社，2018.3

（何建明文集 ; 3）

ISBN 978-7-5104-6364-8

Ⅰ . ①共… Ⅱ . ①何… Ⅲ . ①报告文学—中国—当代 Ⅳ . ① I25

中国版本图书馆 CIP 数据核字 (2017) 第 197564 号

共和国告急

作　　者：何建明
特邀丛书编辑：韩小群
责任编辑：贾瑞娜
责任校对：宣　慧
责任印制：王宝根　苏爱玲
出版发行：新世界出版社
社　　址：北京西城区百万庄大街 24 号（100037）
发 行 部：（010）6899 5968　（010）6899 8705（传真）
总 编 室：（010）6899 5424　（010）6832 6679（传真）
http://www.nwp.cn
http://www.nwp.com.cn
版 权 部：+8610 6899 6306
版权部电子信箱：nwpcd@sina.com
印　　刷：北京京华虎彩印刷有限公司
经　　销：新华书店
开　　本：710mm × 1000mm　1/16
字　　数：400 千字　　印　　张：27
版　　次：2018 年 3 月第 1 版　2018 年 3 月第 1 次印刷
书　　号：ISBN 978-7-5104-6364-8
定　　价：72.00 元

1978年——中国改革开放启幕

1978年——我的文学生涯开始

庆幸，我的命运与时代、与祖国同行。还有一份安慰：当我离开这个世界时，有人可以从我的文字里触摸到中国今天的脉搏是如何跳动的……

何建明

重要创作历程及个人成就

1978 年	创作第一篇中篇散文《湘西探险记》
1980 年	发表第一篇报告文学《腾飞吧，苍龙》
1982 年	创作第一部军事题材小说《第二道战壕》
1986 年	出版第一部报告文学作品集《缉私大王》
1988 年	出版第一部长篇小说《东方毒蛇》
1989 年	由同名作品改编的电影剧本《西行囚车》被搬上银幕，此片获珠江电影制片厂优秀故事片奖
1990 年	第一次获中华宝石文学奖
1993 年	任文学杂志《新生界》主编
1993 年	发表第一部长篇报告文学《野性的黑潮》
1994 年	第一次成为《青年文学》封面人物
1995 年	《共和国告急》出版，此后获第一届鲁迅文学奖
1995 年	《科学大师的名利场》发表
1998 年	《落泪是金》发表，此后获第二届鲁迅文学奖、第一届徐迟报告文学奖、中国改革开放优秀报告文学奖
2000 年	《中国高考报告》出版，此后获第一届正泰杯全国报告文学奖
2001 年	《中国高考报告》被日本、澳大利亚翻译出版
2002 年	《根本利益》发表，此后获第二届徐迟报告文学奖、人民文学奖特等奖、第六届国家图书奖提名奖、第二届正泰杯全国报告文学奖，入选中宣部推荐的党的十五大献礼书目
2002 年	《国家行动：三峡大移民》出版，此后获中宣部第九届“五个一工程”奖，入选中宣部推荐的党的十六大献礼书目

2003 年　《北京保卫战》发表，获《文汇报》优秀作品奖

2003 年　完成电影剧本《廊桥悠悠》创作（此为与谢晋导演合作项目）

2004 年　由《根本利益》改编的电影《信天游》上映

2004 年　《永远的红树林》发表，此后获第四届正泰杯全国报告文学奖

2005 年　《李琬若：从中国留学生到美国市长》出版，并被美国翻译出版

2005 年　获国务院授予的“全国劳动模范”称号

2005 年　任《中国作家》杂志主编

2006 年　《男人的美丽男人的梦》出版

2007 年　散文《父亲的体温》入选中学课本及教辅资料

2007 年　《部长与国家》获第四届鲁迅文学奖、第三届徐迟报告文学奖荣誉奖

2008 年　《生命第一——5·12 大地震现场纪实》出版，此后获第二届“中华优秀出版物”奖、第四届徐迟报告文学奖

2008 年　任作家出版社社长

2008 年　荣获“全国新闻出版行业领军人才”称号

2008 年　根据《国家行动》改编的同名电视连续剧在央视播出

2009 年　任中国作家协会党组成员、书记处书记，中国作家出版集团党委书记、管委会主任

2009 年　《国家行动》电视连续剧获中宣部第十一届“五个一工程”奖

2009 年　《我的天堂》出版，获中宣部第十一届“五个一工程”奖

2009 年　《永远的红树林》获新中国六十年优秀中短篇报告文学奖

2009 年　获中华全国总工会“时代领跑者——新中国成立以来最具影响的劳动模范”评选活动提名奖

2010 年　根据《部长与国家》改编的电视连续剧《奠基者》在央视黄金时段播出，此后获中宣部第十二届“五个一工程”奖

2010 年　《忠诚与背叛：告诉你一个真实的红岩》出版，此后获中宣部第十二届“五个一工程”奖、第三届中国出版政府奖，入选“2013 年全国青少年推荐阅读的优秀书目”

2010 年　任中国作家协会副主席至今

2011 年　《国家——2011 · 中国外交史上的空前行动》出版，后获人民文学奖特等奖，入选“2012 年中国报告文学优秀作品排行榜”、中宣部推荐的党的十八大献礼书目

2012 年　《三牛风波》出版，荣登北京图书大厦畅销书排行榜

2012 年　任中华文学基金会理事长至今

2012 年　当选中国报告文学学会理事长至今

2014 年　《南京大屠杀全纪实》出版，此后获第四届中国出版政府奖、人民文学奖特等奖

2015 年　获亚洲品牌协会“中国文化品牌新领军人物”荣誉

2015 年　《真假之间》发表

2016 年　《爆炸现场》出版，获中国出版集团优秀销售奖，入选“2016 年中国报告文学优秀作品排行榜”

2017 年　《死亡征战》出版，被英国、法国翻译出版

2017 年　《那山，那水》发表

（截至 2017 年 9 月）

目　录

告别帐篷部落

20 世纪告别愚昧

走过血腥的数字之路

21 世纪初始，贵州六盘水木冲沟煤矿 2000 年“9 · 27”矿难，一次死亡人数 162 人，而在这之前该矿就已有过一次死亡 84 人的大事故。

2000 年 9 月 27 日晚 8 时半左右，贵州省六盘水市水城矿务局属下的木冲沟煤矿（排名江南第四的国家级年产百万吨大矿）井下发生特大瓦斯爆炸，并即时引发煤尘爆炸。当时的井下巷道被炸毁近三分之一，几乎所有的巷道支撑工字钢全部被炸塌，继而无数井下巷道发生大面积冒顶塌方……“不得了啦！快逃命呀！”不知谁第一个绝望地嚎叫了一声，于是整个矿井乱成一片，但一切为时已晚，天崩地裂般的倒塌就在瞬间发生了！

正在上中班的 244 名井下作业工人全部被埋。据当时参与井下抢险的多组工人说，除了事发当天救出的那 85 名幸存工人（其中 3 人入院后因伤重不治身亡）外，他们以后在井下找到的“失踪人员”，没有一个是活着的！此消息被一直参与事故善后医疗救援的六盘水市第一人民医院外科医疗小组证实：他们自 28 日上午赶到事故现场以来，没有收治过一例幸存者……这便是震惊中南海的贵州六盘水“9 · 27”矿难的现场情景。

这是 21 世纪中国的第一个特大矿难，它像一架丧钟敲响了本世纪中国矿难的序曲，从此开始的中国矿难就没有停止过，且呈愈演愈烈之势。

六盘水市的木冲沟煤矿处在大山深处。据矿工说，这里晴天时一路尘土飞扬，雨天时泥水成塘，自然条件极差，治安也很差，常常有歹徒趁乱抢劫，可见矿山地区的管理乱到了什么程度！所以矿上出事，对他们来说并不为奇。

“9·27”矿难发生的第二天，时任国家经贸委主任的盛华仁一行十余人，专程从北京赶到了水城矿务局木冲沟煤矿瓦斯爆炸事故现场，指导抢险救援、善后处理和事故调查工作。9月29日，国务院副秘书长石秀诗等也受朱镕基总理之托，专程抵达木冲沟煤矿亲自组织指挥抢险。然而此时抢救已晚，矿上成立了由几百人组成的抢险队伍，但收获不大。在爆炸发生前不久，木冲沟煤矿巷修工队在井下做了一个瓦斯探向，显示在41116工作面有瓦斯弥散出来；事故发生时，巷修工队大多数人恰好在离井口较近的41114工作面运送中采支架，所幸人员呈散开状，才没有导致“全军覆没”。队长黄绍杰的妻子事后说：“当时我老公要是再偏20米，就没命了！因为那地方就正对主巷道爆炸的冲击波。他和几个队员正好在侧巷道，万幸避开了才保得一条命。”

遇难工人李曹康家就住在矿井附近，他的妻子说那时她想起出事前几天丈夫对她说：“不想下井了，井下这几天好危险，瓦斯浓度太高，矿上一直没人来管。”出事那天矿上终于派人下井排瓦斯去了，但没按安全规定清出所有井下作业工人，结果就是刚刚下去人排瓦斯不久，就发生了瓦斯爆炸！她说要是早知道会发生这样的事，全家不吃不喝也不要丈夫下井啊！

到9月30日晚止，贵州有关方面对外发布的消息说，“9·27”井下瓦斯爆炸惨案发生时，下井的中班当班总人数为244人，死难53人。除了已经救出的伤者、生还者85人（其中3人已证实入院后因伤重死亡）以外，其余的100余名工人暂列为“失踪人员”。在矿难中，我们经常听到这样的“外交辞令”。其实谁都清楚，凡“失踪人员”基本上可以说就是死亡者。矿难总是这样残酷。

应该说，木冲沟煤矿在上级的督促下，后来的抢险工作是全力以赴的，因为有关部门下过一道死命令：凡不下井者，干部就地免职，工人立即开除。所以水城矿务局紧急抽调属下多个煤矿的矿山救护队、井下施工工人、井下专用设备支援木冲沟煤矿。在此次事故中伤亡惨重的木冲沟煤矿巷修工队，当班时共有54人在井下，爆炸发生后33人在事故中死亡，幸存的21人中有2人受伤。其中19名没受伤的幸存者，在返回地面数小时后重新下井，成了事故的救援者。9月29日，有记者守候在事故现场，见到早班抢险队在天近黄昏时才走出矿洞，立即上前进行现场采访。这些浑身布满黑煤尘、已疲惫不堪的工人透露说，这批失踪人员中已有不少于60人的遗体在下班前被找到，其中近30具遗体今天被运送到距洞口很近的地方停放。工人们说，这是上面领导考虑到前一天的“教训”而特意安排的。在前一天即9月28日下午，首批被找到的36具遇难者遗体被运出了矿洞，结果招来数千人围观，由于大多数遗体都被烧成焦炭状，家属哭天喊地，很难确认谁是自己的亲人。所以29日找到的28具遗体就没有再运出洞口，停放在井下离井口不远的地方。有关方面在答复要求辨认亲人的家属时说，将要对遗体进行处理后再行辨认……这是一幕最令人揪心的场面，但按规定必须要做。

30日后半夜，抢救工作基本结束，原本停放在巷井出井口附近的数十具遗体，被通过井下运输大巷秘密转运至距木冲沟煤矿几公里远的甘田坝医院，停放在医院大礼堂中。据当时现场的医护人员说，28日、29日两天在事故接待处，不断有遇难者家属从各地闻讯赶来，数十名遇难者家属因悲愤过度而当场晕倒，那情景人们至今记忆犹新……

矿山救护队工人分析事故原因时说，很有可能就是在排瓦斯时机器产生了火花而导致井下浓度已经很高的瓦斯突然爆炸。他们分析了瓦斯爆炸的三个必要条件：首先瓦斯浓度要达到可以产生爆炸的程度；还要与空气中足够的氧气混合；遇明火、静电火花、撞击产生的火花等才能引发瓦斯爆炸，缺一不可。排瓦斯首先要用通风机送风，这样就有了产生爆炸的两个必要条件——高浓度瓦斯气体加上足够的空气氧分，然后不论井下何处产生火花或是静电、镐锹碰击煤石、金属产生的火星，都足以引发瓦斯爆炸事故！木冲沟煤矿的162条活脱脱的生命就在一声巨响中倒下了，永远地埋在了这块苍凉的土地里。

木冲沟煤矿早在1983年3月20日就发生过一次惨痛的特大瓦斯爆炸事故，导致84名矿工死亡。而钱祥芬就是当年的受害者，她丈夫王明学时年33岁，死于事故。现在又轮到她的另一个亲人了——她抱着已经披麻戴孝的小郭亚，这是她亲姐姐的外孙。钱祥芬说，小郭亚的父亲郭光伟已被证实死于此次事故，他妈妈又早在去年跑去了广东打工，不知下落，一直带他的奶奶又在去年底去世，这下这孩子真成了孤儿了。

2003年7月下旬贵州省高级人民法院对六盘水木冲沟“9·27”瓦斯煤尘爆炸特大事故一案做出终审裁定：维持六盘水市中院的一审判决，6名责任人犯重大责任事故罪，分别领刑2至5年。他们分别是原木冲沟煤矿副总工程师冯平，副矿长徐世松、金世成，安检员张金泉，原大湾煤矿救护中队党支部书记张家文、中队长王佳顺。这几位矿领导，对本矿发生瓦斯煤尘爆炸重特大事故，造成井下作业工人162人死亡，37人受伤（其中重伤14人），给国家造成直接经济损失1227.22万元的责任，还曾几度不承认，使得官司拖了三年之久。这几位矿领导似乎觉得自己有点“冤”，但他们不知想过没有，就在他们的手上，那162条生命就这么不值钱？

新世纪来临的2000年似乎在向中国矿山预示着什么。矿难事故频频在中央电视台曝光。除木冲沟煤矿的一次162条人命被无情夺去之外，这年的9月起，另有几起特大矿难也令人触目惊心，它们分别是：

9月1日的黑龙江省双鸭山矿务局东保卫矿瓦斯爆炸事故，死亡14人；

9月5日的山西省大同煤矿集团公司永定庄矿瓦斯爆炸事故，死亡31人；

11月4日的吉林省辽源矿务局西安矿回采区小井瓦斯爆炸事故，死亡31人；

11月25日的内蒙古自治区大雁煤矿公司第二煤矿瓦斯爆炸事故，死亡51人；

12月3日的山西河津市天龙煤矿瓦斯爆炸事故，死亡48人。

2000年中国煤矿企业事故死亡人数达5798人，另加 4000余其他矿山事故的死亡者，总数超过万人。

悲惨事件的记忆总是痛苦的，但痛苦的记忆又怎能忘却?

这是笔者了解到的当时“11·25”大雁煤矿公司第二煤矿瓦斯爆炸事故发生后，两名记者记录的矿山幸存者的几个片断：

——48岁的623队采煤段段长姜志林是救护队12月1日在井下泵站位置发现的第一位遇难者，也是这次爆炸事故中51名遇难矿工里工龄最长、职位最高的。昨天中午，在姜志林简朴的家里，记者再一次体味了生离死别的人世悲情。家庭“支柱”倒了，经济来源断了，姜志林家中的“天”也塌了。17岁的姜青元、19岁的姜青颜，这一双儿女早已欲哭无泪，而姜志林的老伴自从知道了这个噩耗后，就一直卧床不起。

——38岁的矿工胡树海现在还埋在井下，在胡家门口，记者遇到刚刚外出回来的胡树海的二哥，他从照相馆回来，手中抱着弟弟的大幅遗像。他说：“虽说人还没找到，可我当过矿工，我知道没希望了，还是提前准备吧。现在大部分家属都是这么想的。”

踏着厚厚的积雪，顶着刺骨的寒风，想着井下的遇难矿工和他们的家属，记者的心觉得好冷，好冷……

——11 岁的周新宇看上去没有一点笑脸。最近几天，早晨起来，他总是呆呆地在炕上坐上几分钟，好像在等待着什么。从小，早晨起来，新宇的爸爸总要与儿子“疯”玩一会儿，然后再去上班。可现在已经 8 天了，小新宇却一直没能再见上爸爸一面。事实上，自从 11 月 25 日内蒙古自治区大雁煤矿公司第二煤矿发生井下特大爆炸事故后，小新宇的这个生活习惯将不得不彻底改变。爆炸中，二矿 623 采煤队 1 班 33 人全部被困在井下，其中就有小新宇的父亲周士军。他们几乎没有生还的希望。人们仍然在等待，希望奇迹的出现，然而奇迹却没有出现。

——623 采煤队办公室墙上贴的出勤登记表上，1 班工人的出勤日期被延后了两天，好像他们还在干活。小新宇在日记中写道：“我的爸爸在井下带了焙子，一天吃一口，不会有事的。”出事那天是星期六，周士军摁住了要起来给他做饭的妻子，想让她“多睡一会儿”。自己从家里拿了一点儿钱，说上街买一个焙子就行了。“那天早晨，我要是能给他做上一顿早饭就好了。”周士军的妻子李淑贤总是哭着对别人这样说。11 月 25 日，是 623 队在井下采煤的最后一天。早晨 6 时，2 班班长钱兴平就起了床。刚刚做完人工流产的妻子白玉莲劝他请个假，陪陪自己。可钱兴平说：“过了今天，我们这些弟兄还不知道去哪儿呢。我得带好最后的一班岗。”在家里“少言寡语”的钱兴平，在班上也干得多、说得少。在那张还贴在墙上的出勤表上，显示出他 11 月的工作量是 3639 分，排在全班的第二。白玉莲从小壁柜中拿出一个旧公文包，翻开一个证书，上面写着：“在九八年度采煤技术比武中荣获第一名”。“这几天，我一晚上醒来好几次，总觉得他推门回来了。”白玉莲说这话的时候，她 11 岁的女儿钱丹躲在妈妈的身后抹起了眼泪，没哭出声来。

——每一个被困工人的家里，都挤满了闻讯远路赶来的亲戚。在一天天的等待过去之后，他们“心虚”了起来，开始担心自己的姐妹、晚辈及其子女，今后的路将怎么走。矿工张志福的舅舅流着眼泪对记者说“可怜志福这孩子，结婚还不到两年……”25 日，27 岁的张志福吃了早点，高高兴兴地去上班了。“那天，矿里说要发工资。我们家境一直不是太好，去年，我小弟盖新房借了亲戚朋友不少钱，他总想能多挣点儿钱，把借别人的钱早点儿还上。”张志福的大哥张志国说。大雁煤矿采煤工人的家里，大多仅有一个人挣钱养家糊口。失去丈夫的家庭，就像“天塌了”一样。在此次事故中，张志国的两个弟弟都被困在井下，等于张家一下失去了两个儿子。技校毕业的张志福，最初在服务队工作。可为了多挣点儿钱，他调到了 623 队。“我这个小兄弟平时也就好看个书。他总想多懂点知识，在岗位上干得更好一些。”张志国含着眼泪对记者说。就在去年，张志福盖起了新房，成了家。可这新房，两层玻璃的窗户只安了一层玻璃；两间屋子隔墙上部的玻璃窗，也没有安上玻璃。“他说了，等今年过年就把这些全部收拾好。我还等着他和 7 个月的女儿照一张父女像呢。”他的妻子揉着眼睛对记者说。

37 位被困工人的家属，也在这样无望地等待着。

2000 年，这样失去亲人而在苦苦等待又无望的矿工家属仅煤矿企业就有上万个，因为这年全国煤矿企业的事故死亡人数就达 5798 人，另加 4000 余其他矿山事故的死亡者，总数超过万人……

这一年，还有几组震惊全国的死亡事故数字：

河南洛阳东都商厦火灾，死亡 309 人；

四川合江县榕山建筑公司“榕建号”沉船，死亡 130 人；

广西柳州一公共汽车翻车，死亡 79 人；

河南焦作一影院火灾，死亡 74 人；

新疆一车辆爆炸，死亡 73 人；

武航 3479“运 7”飞机坠落，死亡 42 人……

总理刚刚签署“严办”命令，得到的一份“见面礼”竟是又一起死亡 48 人的事故报告。2001 年，广西南丹“7 · 17”矿难死亡 81 人，仅隔几天徐州“7 · 23”矿难死亡 92 人……本年度，中国工矿企业共发生伤亡事故 11402 起，死亡人数总计 12554 人！

2001 年到来了，这是 21 世纪的第一年，人们期待喜事多一些，但在中国的矿山，其死亡的噩耗却丝毫没有减少，反而更加惨烈。

我手里有一份国家安全生产《2001 年 1—2 月国内矿山事故》通报，上面这样记录着：

1 月 5 日，广西来宾县三五乡泡水煤矿透水事故失踪 21 人；

2 月 3 日，河北邯郸峰峰矿务局二矿瓦斯爆炸死亡 4 人；

2 月 5 日，贵州毕节地区宏兴煤矿瓦斯爆炸死亡 10 人；

2 月 7 日，贵州黔南全达煤矿瓦斯爆炸死亡 4 人；

2 月 9 日，贵州毕节地区黄泥田煤矿瓦斯爆炸死亡 18 人；

2 月 12 日，湖南郴州山门水煤矿瓦斯爆炸死亡 5 人；

2 月 15 日，内蒙古风水沟矿冒顶死亡 3 人；

2 月 16 日，新疆阜康四工河煤矿瓦斯爆炸死亡 4 人；

2 月 17 日，贵州黔西南麻地沟煤矿瓦斯爆炸死亡 6 人；

2 月 18 日，陕西安康个体煤矿透水死亡 6 人；

2 月 22 日，贵州安顺肖家村煤矿瓦斯爆炸死亡 10 人；

2 月 22 日，湖南涟源斗笠山煤矿瓦斯爆炸死亡 21 人；

2月22日，新疆阜康立井煤矿顶板冒落死亡11人；

2月28日，湖北赤壁叶家岭煤矿瓦斯爆炸死亡8人。

诸君会发现，这份“死亡名单”中有同一地区的矿区连续出现死亡事故的，也有同一天里发生多起死亡事故的，而且据我所知，像这样的官方统计数字里还不包括大量的个体煤矿和其他矿山事故。那么据此推理，中国的矿山事故每天都有、每天都在流血这样的结论并非骇人听闻。

共和国开始告急。

在一年一度的全国人民代表大会会议上，人民代表议论“矿难”的事与议论经济发展和“三农问题”出现了同样的激烈与热烈的场面。2001年4月21日，国务院总理朱镕基签署命令，发出了国务院第302号令——《国务院关于特大安全事故行政责任追究的规定》（以下简称《规定》）。这项国务院令的目的就是“为了有效地防范特大安全事故的发生，严肃追究特大安全事故的行政责任，保障人民群众生命、财产安全”而制定的。明确规定了地方人民政府主要领导人和政府有关部门正职负责人要对特大安全事故的防范、发生负责，依照法律、行政法规和本规定的规定有失职、渎职情形或者负有领导责任的，将依照本规定给予行政处分；构成玩忽职守罪或者其他罪的，依法追究刑事责任。这些特大安全事故中“第五条”就是针对“煤矿和其他矿山特大安全事故”的。该《规定》第一次把重大安全事故的责任落实到了“责任追究制”。其中有两条规定特别引人注目：一条是对“市（地、州）、县（市、区）人民政府依照本规定应当履行职责而未履行，或者未按照规定的职责和程序履行，本地区发生特大安全事故的，对政府主要领导人，根据情节轻重，给予降级或者撤职的行政处分；构成玩忽职守罪的，依法追究刑事责任”。另一条是对“发生特大安全事故，社会影响特别恶劣或者性质特别严重的，由国务院对负有领导责任的省长、自治区主席、直辖市市长和国务院有关部门正职负责人给予行政处分”。同时《规定》指出了特大安全事故发生后，有关县（市、区）、市（地、州）和省、自治区、直辖市人民政府及政府有关部门应当按照国家规定的程序和时限立即上报，不得隐瞒不报、谎报或者拖延报告，并应当配合、协助事故调查，不得以任何方式阻碍、干涉事故调查。如果“特大安全事故发生后，有关地方人民政府及政府有关部门违反前款规定的，对政府主要领导人和政府部门正职负责人给予降级的行政处分”。该《规定》自公布之日起施行。

这是铁腕总理朱镕基的作风。但朱总理也许不曾想到，就在他签署命令的同一时间，又一份来自陕西省的特大矿难事故报告送到了他的办公桌。

上午十时许，当秘书小心翼翼地将“事故报告”递到他手里时，这位铁腕总理脸色铁青，双手微微颤抖地说了一句：“这是怎么回事？”

总理的眼睛潮湿了，因为在他的面前出现了一个令人伤心的数字：死亡 48 人！

“事故报告”这样报告：4 月 21 日凌晨 0 时 40 分，陕西韩城下峪口煤矿多种经营公司下属二号井位、一个私人承包的小矿井发生特大瓦斯爆炸事故，一声巨响，48 个正在井下挖煤的矿工全部遇难……

朱镕基总理的浓眉一挑，对秘书说：“拿笔来！”看得出，他是在强压心头之愤。

秘书迅速递过笔。只见朱总理在“事故报告”上重重写下一行字：查清事故原因，严肃处理责任！

陕西韩城的矿难到底是怎么回事？如果不是总理、副总理一个又一个“严办”的批示，也许真相至今人们仍然不一定全部知晓。因为中国的矿山漫山遍野都是，而出了事、死了人的矿难能让外界知道的其实并不容易，除了交通不便外，几乎多数的矿主都不愿将这样的“晦气事”告诉别人，当然他们更不愿因为死了人而承担赔款和偿命的责任。

找到出事矿井并不容易。一名中央媒体的记者于 4 月 24 日上午 8 时 30 分从西安出发，经过近 5 个小时后才到达 200 多公里外的韩城。下峪口尚在 20 多分钟车程之外的龙门镇，但出事的矿井还在离镇七八公里的山沟里。下面是这位记者的采访实录：

……当我提出要去出事的矿井看看时，一位摩托车手脱口而出：“那不是吴秀东的井嘛！我送你上去。”摩托车手告诉记者，当地挖煤盛行，前几年私人煤矿有 100 多家，这几年经过整治，只剩下 50 来家有证的，但无证开采屡禁不止。吴秀东是其中论得上号的实力人物，进出都坐帕萨特。

车转了不少弯，记者才看到了二号井。崖下停着矿区的两辆黄色救护车，井口旁的小屋里有个现场指挥部，有人正通过电话汇报着瓦斯含量和一些记者听不懂的名词。屋里屋外有 20 来名救护队员吃着馍，屋旁还停着一辆蓝十字面包车。大约是接到了上面的指令，救护队员都不愿与记者说些什么，连被问这儿是不是出事矿井都不肯说。几分钟后，队员装备整齐地集合，随后五个一拨五个一拨地下井了，据说他们是去出事煤层勘察、采集数据，以便认定事故原因。

出煤井口用小树干封着，记者原以为是出事后封的，后来才知道这是为了往外运煤时，上面好站人往上拉。井口旁厚厚的煤几乎没到了井沿，一旁是陡陡的两条窄铁轨，只是没了往日的喧闹，横七竖八堆着的树干、铁器显得有些败落凌乱。最近的矿工宿舍在出煤井旁不到 10 米，记者往上爬时，一位矿工指着崖下告诉记者，第一个被救上井的矿工就在崖下的宿舍里，他叫吴治安。

“我的命大。”毕竟才22岁，虽然死里逃生，但吴治安提起当时的事还有些满不在乎。吴治安是山阳县漫川镇人，去年就在吴秀东的矿井上干活了，同伴大多是来自山阳县的，有300来人。

21日零时左右，吴治安刚接班下井。他们下井并没有什么安全措施，就戴着一顶安全帽，有的连帽子都不戴。事发时，吴治安正拉着煤车往外走，并没有觉得周围有什么异常，只听得“砰”的一声巨响，紧接着起了黑烟，眼前什么都看不见了。“我知道不好，就拼命往外跑，也只跑了几步，就摔在地上，什么也不知道了。”

吴治安醒来时已经在救护车上了。有人告诉他，矿上出了大事，死了不少人，他还傻愣愣地不知说什么才好。吴治安身体恢复得也很快，只在医院待了两天就出院了。同伴说吴治安刚救上来时脸肿得很大，但记者在吴治安的脸上已找不到任何痕迹。吴治安说，其他都好，就是头还时不时地犯晕。

记者没有找到其他3个幸存者。据吴治安说，有一个烫伤了还在医院，另一个虽然捡回了条命，但他的弟弟这次死在矿下，他去韩城处理后事去了。第3个他也不知道在哪儿，有的说出院后留在了韩城，也有的说是给吓得跑回家了。

子夜的一声巨响地动山摇，惊醒了正在睡梦中的矿工。

梁世虎是最早冲出屋子的一个，他告诉记者，那时也不知道害怕，大家就往井口跑，井口满是滚滚黑烟，连井架也给遮住了。空气中有股怪味，熏得人难受。大约过了半小时，烟才慢慢散尽。几个人一试，升降机还能用，就急着下去救人，先后下去的矿工有100多人。

“当时下去也没有啥东西，就拿湿毛巾把嘴、鼻子一捂。”下去，第一个感觉就是热，坑道里到处是热烘烘的，借着矿灯的亮光，人们很快发现了在矿下作业的伙伴。每个坑道里都倒着七八个人，就像一阵风把人都给吹倒了，大家冲着一个方向倒着，脸朝下。走近了，才发现他们的脸几乎都不成形了，穿着棉线衣的还好些，穿腈纶衣服的早化了。一摸这些人的头，头发就沾在手上往下掉。灾难来得太快，这些人大多是来不及动弹就给毁了，并没有挣扎、扭曲的痕迹。尸首也保持得很完整，只有一个人的脚板飞了，并没有外头传说的那种惨状。

“我们下去不去管那些死的，只找有口气的往外抬。”梁世虎说，在井下都能听见还活着的人的呼气声，那声音特别粗。他记得，当时抬上去的有 9 个人，但活下来的只有 4 个。

可能是几天的时间冲淡了记忆，也可能是年轻不知愁滋味，梁世虎和同伴们向记者讲述当时的情景并没有哀伤，相反还有一丝兴奋。他们现在唯一担心的是，矿工头跑了，还没有拿到生活费咋办。

……48 条生命走了，可在他们活着的伙伴眼里，一切似乎都挺正常。死去的伙伴就像一缕青烟飘过，没有一丝丝的分量。活着的小伙子们说：“哪有啥法子？活着不就是为了吃饭挣钱？明天我们还去挖煤！”

这就是我们的人民！他们确实要活命，要养家糊口。而一个月六七百元的下矿井工资对他们来说是一份蛮有诱惑的工作。

这就是让那些黑心的矿主们任意将矿工不当人对待的理由了。

韩城“4·21”矿难的矿主出事后因为听到上面要抓他的风声紧，于是在得知消息不妙后立即拔腿跑了。陕西省公安厅为此发出通缉令，公开悬赏两万元捉拿吴秀东。这位驾驶一辆黑色帕萨特轿车潜逃的小个子没过多久就被公安人员抓了回来。

5 月 28 日上午，在韩城市新城体育中心召开了声势浩大的公捕公判大会，与此矿难有关的 62 人被公开逮捕，25 人被判处死刑和有期徒刑。韩城市各界群众和中小学生 3 万余人参加了此次大会，会场盛况空前。

而事后有陕西朋友告诉我，其实韩城“矿难”被抓被毙的人“很冤”。我问为什么？他们悄悄说，韩城矿难并不是他们那儿最大的矿难，你们查出来的和没有查出来的矿难比这厉害得多的有的是！

证据何在？有人立即告诉我，就4月6日，陕西铜川陈家山煤矿发生瓦斯爆炸，当班作业的76人中死亡38人，伤16人。“这起矿难事故处理得就不如韩城厉害嘛！”

可不是。我默然无言。

总理愤怒后的不久，中国又冒出了一起矿难，而这起矿难让国人真正看到了矿难背后的黑暗和无耻。这就是举国震惊的广西南丹“7·17”透水特大矿难事故。

广西南丹“7·17”矿难终于使中国矿难走到了一个极致。此次矿难死亡81人，并非是矿难中遇难者最多的一次悲剧，但在此次矿难中暴露出的干部腐败却是空前的。其中最著名的要数原南丹县委书记万瑞忠了。这位南丹“矿难”的总导演因为隐瞒矿难事实，瞒报灾情并在事故发生后仍“用麻袋装钱”而最后被判死刑。与其事件受牵连的广西壮族自治区副主席王汉民受到国务院行政记过处分，原河池地委书记莫振汉、专员晏支华等十几名官员也受到相应的党纪国法处理，这是中国矿难中影响最大、牵涉人员最多的一次大惨剧。

原因只有一个：某些官员太不把人民的生命当回事了！

而且其景况令人发指！

广西南丹“7·17”矿难之所以引起举国上下的关注，就在于这一本该早早披露的矿难因为当地官员的瞒报而一时成了媒体集中追根究底的大新闻。那些日子，国人在电视上几乎天天可以看到记者们在不断揭开“南丹矿难”的冰山一角，它的神秘内幕随之成为人们茶余饭后的议论话题。南丹矿难的复杂性和事故背后的丑陋，让人不敢相信，但却又不得不相信。

媒体在此立了大功。坚如冰山的腐败分子被一层层地扒皮，暴露在国人面前——而这过程是那样的艰难……

一个新华社记者的“广西南丹特大透水事故亲历采访纪实”便可让我们知之冰山一角：

……国务院调查组对广西南丹特大透水事故长期隐瞒不报的调查，目前已经取得阶段性开展。从7月27日至今，作为新华社记者，我们直接参与这一事件的调查，亲身经历了事件从扑朔迷离到日渐明朗。20个难忘的日日夜夜，几多艰辛，几多坎坷。

7月27日中午，新华社广西分社负责人接到匿名电话举报：南丹县大厂矿区发生了严重透水事件，有200多人丧生。这个消息引起了分社领导的高度重视，立即打电话向各方求证，得到的消息均是“没有此事”。尽管如此，分社领导认为事关重大，决定派出由文字、摄影、音像、网络等部门共6人组成的小分队连夜赶往被举报的南丹大厂矿区调查。23时，小分队从分社出发，连夜赶往离分社480公里以外的事故现场。

2001年7号台风裹云挟雨横扫着桂西北大地。顶着暴雨，三菱越野车在盘山险路上颠簸了5个多小时，我们终于在7月28日凌晨4时26分赶到广西南丹县龙泉矿冶总厂所属的拉甲坡矿。拉甲坡矿在桂西北的崇山峻岭之中，夜幕下黑黝黝的，只有几盏矿灯和车灯在夜空中闪烁。

一根横杆挡住去路，几个身着迷彩服的保安从栏杆边闪了出来。

几分钟后，来了位自称是队长的人。我们告诉他调查拉甲坡矿有无事故的来意。队长哈哈一笑：“哪里有什么事故，这里蚯蚓都没死过一条。”又过了30多分钟，才有一辆轿车下山，引导我们到矿部办公室。此刻是7月28日凌晨5时9分。

紧张的采访随着天亮开始。

龙泉矿拉甲坡矿矿长黎家西30来岁，高瘦，讲话明显带壮语口音。他一脸的大惑不解："到处都说我这里死了许多人，网上讲有好几百，真奇怪！我怎么不知道啊？你们看看，这里像死过人的样子吗？"放眼望去，拉甲坡矿看似平静。女子们站在门前刷牙，下班的矿工赤裸着黑污的身子低头快步走过，斗车向矿窿里隆隆开去，工房里有人撩起窗帘又放下……

龙泉矿总厂办公室副主任韦俊强出场。他对记者的发问很随意地摊开手："没有呀，这里平静得很嘛！"黎家西补了一句："水涨了两米多，哪里淹得死人？"

记者请黎家西和韦俊强到窿口。他俩对着摄像机信誓旦旦："这里一年多来没有死过任何一个人，我们可以用脑袋担保。"

记者看到，一面墙上有张落款为7月22日的布告很是蹊跷：要求重新查验身份证，重新登记矿工名单。莫非里面藏有玄机？电视记者准备用摄像机拍摄，布告竟已被撕碎。记者将残片又拼又贴，勉强拍了下来。

进入矿区，矿办公室负责人陈洪彪便热情地递烟、送水，天一亮就送来热腾腾的早餐。他没有想到，我们会要求查看职工花名册。他更没想到，我们用摄像机把10多本花名册逐页录了下来。

一位记者特别细心，他从隔壁办公室大堆废物中翻出一本本发黄发黑印着水迹的交班记录。数一数，从春节到6月30日的，一天不少。问那位韦副主任为什么独缺7月份的，韦副主任又是哈哈一笑：下半年我们发现这个项目太烦琐，取消了。

记者又发现：二楼职工饭堂上记职工开饭的名单是旧的，也逐一拍了下来。

陈洪彪看着我们又是拍照片又是记资料，脸色变得越来越难看。

到下午1时，办公室的材料被我们查了个底朝天。该记录的，记了；该拍照的，拍了；该录像的，录了。黎家西这会儿神色紧张，坐立不安，一个劲地上来敬烟、打哈哈。

矿部外围调查疑窦丛生。我们问了60多名矿工和家属，他们大都回答："没有此事。""我们刚来几天，什么都不知道。"一批批下班的矿工从我们面前走过，脚步匆匆，神情或紧张或漠然，有的似有迟疑，欲言又止。

路边一溜儿小摊小店，我们一靠上去，人就走了。电话一概不通。

一个矿工紧张地告诉记者，他叫韦桂忠，宜州市三岔镇人。前几天确实听说这里死了很多人，但是这两天说这话的人却不见了。

10时到12时间，中新社记者、广西电视台记者、南宁晚报记者、八桂都市报记者及南国早报一名记者也陆续赶到矿区采访。

14时50分，远在铜坑矿的一位朋友说有重要信息。我们直奔铜坑，那朋友也说死了很多人。

总算有了突破口。我们和以上几家新闻单位赶到16公里以外的铜坑矿了解核实情况。一位矿工在家里告诉我们，他也听说死了很多人。我们感到情况复杂，和其他新闻单位记者一起到大厂矿区一家饭店碰头并商量对策。我们向大家提议，兵分几路，避开跟踪。29日凌晨，小分队回到分社，向分社党组做了详细汇报。分社党组向总社有关编辑部做了汇报。总社要求，继续调查，掌握确凿证据。

31日，为了彻底调查清楚此事，分社派出由分社副社长带队的报道小分队再赴南丹。

此时，各方传言已引起了广西壮族自治区的高度重视，自治区调查组也在我们之后到达。

当晚22时15分，南丹县第一招待所二楼会议室里。

自治区经贸委和专程赶来核实情况的国家安全生产监督管理局有关负责同志，还有地、县有关部门的领导端坐会议桌前。

会上通报了国务院有关领导和自治区党委、政府负责人的指示。

调查组决定：立即传讯龙泉矿冶总厂有关人员，包括总经理黎东明、副总经理潘乃宏、韦家农和王国亮，以及拉甲坡矿矿长黎家西、副矿长韦肯格、矿长助理苏锦和龙山矿矿长韦启乐、副矿长韦国任、黄振峰等20人，同时封存该总厂及所属部门的资料和银行账号。

南丹县公安局调集百余警力，从县城、车河镇、大厂镇三路出击。

记者随同前往龙泉矿冶总厂总部，和门卫一番交涉，总算让我们进了宽敞的大院。

大铁门“咣当”一声打开，一个瘦小个子步出大门。这就是有近10亿元家身、富甲一方的黎东明。

2时33分，公安局办公室，黎东明谈了一个多小时，总结起来的意思是：他身体不好，不管矿井的事。平时矿井死一两个人，根本不告诉他，就处理了。7月17日的事，矿长黎家西报告说矿井进水了，至今不知道有没有死人。互联网上的报道，厂里都下载让他看了。他不相信有这回事，是不是有人造谣害他。

黎东明这些话，7月28日，记者采访拉甲坡矿矿长黎家西时，他也这样讲过；28日下午采访总厂办公室副主任韦俊强时，他也这样讲过；8月1日、2日、3日听政府一些有关人士汇报时，他们也如是说。

凌晨4时25分，南丹县公安局派出的三路人马汇报，要求控制的20人全部传到，无一遗漏。

8月1日，我们再进拉甲坡矿。

与上次不同的是，一是自治区组成了阵容强大的工作组，制订了周密的调查方案，多路出击，务求突破。二是国家安全生产监督管理局派来了经验丰富的专家组。三是公安部门昨晚控制了有关人员，封存了有关资料，与同时到达的国家安全生产监督管理局一起，开始对已经控制的拉甲坡矿的矿工和管理人员进行调查。

拉甲坡的调查主要是分头问话，这里，我们想重点介绍亲历的七大疑点：

一、10 时 25 分，管生产的副矿长助理黎启能在介绍 17 日当班井下人数时，数字缩小了许多倍。他说：正常的每班有 30 多人工作，17 日凌晨那班，因为停产整顿，全部只有 10 多人干活。

二、黎启能介绍涨水情况时，说的水位比他们顶头上司、矿长黎家西昨天所讲的只涨了两米多有所不同。他说，淹到斜井，体积约有（高）2.4 米 ×（宽）2 米 ×（长）40 米。

三、听说调来的矿山救护队正在途中，调查组叫他们准备用具也要下井调查。有的矿负责人和一些曾来此地调查过的地、县、有关人员却反复强调，井下温度极高，平均有 40 摄氏度至 50 摄氏度，去不得的，要被煮熟的。例子是去年有个工程师不听话，才下去一会儿，上来抢救不及死了。

四、自治区经贸委主任冯祖华询问陈洪彪，要他拿出本矿所有员工名单时，陈只拿出两本管理人员花名册。冯祖华问他还有没有民工名册，陈洪彪先是说发回工头手里去了，接着说放在楼上。公安人员陪他去找，15 分钟后他拿来一袋东西，正是昨天的那批民工名册。此刻，陈洪彪额上、脸上汗水亮晶晶的。

五、地、县矿山整顿部门有些人士表白：7 月 19 日听说矿山出了事故，马上派人来调查，查明龙启辉、卢振、韦绍柏等 6 个矿工见涨水，都上来了，没有死人。调查的人不相信，又在矿井周围的山上埋伏了三个晚上，看他们趁夜搞什么名堂，也没有异常情况。他们已把调查情况向分管的副书记和副县长做了汇报。

次日，记者找到了他们的调查汇报，这个汇报明确宣布：拉甲坡矿没有死人。

六、调查组让矿长助理苏锦拿来矿区地质图，苏拖了许久，总算拿来了。展开地图时，面对国家安全生产监督管理局的专家，他手抖个不停。

七、12时12分，矿山救护队来到。记者在车上听救护队布置工作时，看到陈洪彪在车门前转来转去，还朝车里面偷听。

我们采访了一些人，都说矿上中旬曾发生过涌水事件，否认曾发生有人员伤亡。

15时，为了寻找疑点，新华社3名记者与调查组一起进入拉甲坡矿矿道。大家在二三十厘米深的泥水中艰难行进，到约2500米处，仍未发现伤亡人员。当晚，我们通过内部渠道向中央领导报告了调查情况。

8月2日，记者随同矿山救护队进入拉甲坡矿。晚上20时30分，矿山救护队从井下搜索回到窿口，他们悄悄地告诉记者，井下深处的工作面已全部被水淹没，确实发生了透水事件，但未见到尸体。

晚上20时40分，调查获得重大突破。随同事故外围调查组的记者了解到：拉甲坡矿大约有59人遇难，龙山矿有13人遇难，遇难者家属分别获得5万~10万元不等的赔偿金。与此同时，我们的电视记者也随公安部门到宜州市德胜镇找到并采访拍摄了4名遇难矿工的家属，连夜将录像带送往总社。

晚上22时40分，我们赶到自治区事故调查领导小组所在的河池市，并从事故调查领导小组主要领导处获悉，初步证实此次事故有72人遇难。

24时，我们通过内部渠道向中央领导报告了“南丹事故初步调查有72人遇难”的情况。

8月3日，我们通过各种途径独家采访了已被公安部门监控的拉甲坡矿矿长黎家西、龙山矿矿长黎启乐及安全科长苏乃康等有关事故责任人，并从他们手上得到遇难者的名单、住址和赔偿金额，从他们口中查明有76人失踪。

当天，我们将了解到的情况再次向中央领导作了反映。

8月4日，国家经贸委主任李荣融率领的中央调查组在大厂矿区查看了拉甲坡矿矿窿后，点名要听取三方面的汇报：一是自治区事故调查领导小组领导的汇报；二是公安部门侦查取证的汇报；三是新华社记者调查采访的汇报。

8月2日至4日，我们在调查采访的途中，先后3次被桂粤G、桂M车牌的三菱越野、佳美轿车长时间跟踪，我们中途采访住地被盯梢。

8月5日，我们通过有关人员和事故调查领导小组采访调查，独家了解到“7·17”事故隐瞒不报一事涉及当地党政领导干部，系南丹县委、县政府主要领导。我们立即将这一情况向中央领导作了反映。

8月7日，我们经过多方采访，独家播发了经初步查证“7·17”事故有81人失踪、估计全部遇难的消息和比较翔实的长篇调查日记《金钱炮制的弥天大谎是怎样破灭的？》。

8月9日，由国家安全生产监督管理局局长张宝明为组长的国务院调查组抵达南丹，对事故进行全面调查。

为加强报道力量，新华社总社派出记者到达广西。

这起事件的真相虽已揭开，但仍只是冰山一角。我们关于这一事件的报道仍将继续……

看过这位新华社记者的采访纪实后，我们知道了一些当时披露南丹矿难的艰难。而另一位“新华视点”记者所采写的“弥天大谎是怎样破灭的——广西南丹‘7·17’透水事故调查日记”，则让我们知道了事故进程中的另一个“冰山一角”——

……7月17日凌晨3点30分，广西南丹县龙泉矿冶总厂拉甲坡矿、龙山矿海拔负150米的巷道里，几十名矿工瞬间在一场并非偶然的透水事故中丧生。当死难者含冤躺在黑暗的矿洞深处时，地面上，漠视安全生产的个体矿主，迅速开始了一场黑暗的交易，他们用金钱炮制出一个弥天大谎，试图逃过法律的惩罚。

但是，几十名矿工的生命岂能用金钱一抹了之？在党中央、国务院和广西壮族自治区党委、政府的高度重视下，经过中央、广西组成的事故调查组的调查，现已初步查证有81人在这次事故中失踪，估计已全部遇难。金钱炮制的弥天大谎终被戳破，撒谎者即将受到法律的严惩！

在调查这一事故的日日夜夜里，本社记者目睹了谎言炮制者的狡诈，死难者家属的悲愤和调查，抢险者的艰辛、智慧和无畏。

8月1日

一场大雨将南丹县大厂镇拉甲坡的林木洗得一片苍翠，在张着黑色大口的矿窿周围，一片平静。

记者随调查组深入到拉甲坡矿矿道2000多米处，没有发现什么异常，这里温度高达40多摄氏度，氧气稀薄，调查组无法继续深入。记者又就这里有无发生事故采访了拉甲坡矿的众多矿工，矿工众口一词：我们不知道，我们都是刚来的。

“没有死人，也没人受伤。如果发生了事故，矿工家属早就围在矿窿前了，哪会有这么平静？”拉甲坡矿矿长黎家西信誓旦旦。

除黎家西外，拉甲坡矿的几名管理人员：副矿长韦肯格、办公室负责人陈洪彪、安检科长苏锦等，面对调查人员的问讯，都矢口否认矿上曾经发生伤亡事故，他们说，自从全国开展整顿市场经济秩序以来，矿山从5月下旬就已经停工了。身为安检科长的苏锦更是一问三不知，连半个月前发生的事情都说“记不清了”。他告诉调查人员：“我这个安检科长是口头任命的，不管事。”然而就在问讯室对面的墙上的“安全生产”宣传栏上，还赫然写着“安检科在苏锦科长的领导和广大员工的共同努力下，展开了卓有成效的工作，取得了良好的成绩……”

尽管拉甲坡矿管理人员表示愿对自己的话“负法律责任”，但是调查人员还是发现了诸多疑点：找事故相关人谈话，总是不在，电话被掐掉，被讯问者手微微发抖，紧张得连连喝水，矿方在调查组、记者索要矿工名单问题上闪烁其词、转移目标。陈洪彪一口咬定名单仅此一份，但是调查组当场揭穿他：名单明显是复印件！陈洪彪哑口无语，满脸汗水。

下午，广西壮族自治区党委书记曹伯纯，自治区党委常委、自治区副主席王汉民，自治区党委常委、秘书长邱石元等来到拉甲坡矿，听取汇报，实地调查。随即以王汉民为组长的调查领导小组成立，曹伯纯要求，一定要查个水落石出，活要见人，死要见尸！他强调：“对有关责任人要严肃处理，隐瞒不报者，依法严惩！”

当晚8时，自治区调查领导小组召开第一次会议，紧急部署下一步的调查工作。

23时，负责外围调查的公安人员消失在夜幕中。

8月2日

黎家西第一个承认发生事故。

经过一天半时间的智斗，到今天下午5时50分，在公安人员凌厉的心理攻势前，昨天还拍胸脯保证没有死人的黎家西败下阵来，承认了“7·17”事故的经过，并交出了失踪者及赔偿名单、住址：7月17日凌晨3时30分左右，拉甲坡矿海拔负150米水平以下的3号工作面、8号工作面以及9号工作面的3号面突然涨水，迅速淹到海拔负110米水平，当晚拉甲坡矿的260名矿工分别在8个工作面作业，其中约有80名矿工在被淹的3个工作面作业，除部分管理人员和9号工作面部分未下到工作面的矿工外，其余均失踪。

交代完后，他叹了一口气："说出来，就轻松多了。"

同时，公安人员也成功地找到了失踪人员家属。

记者随外围调查组来到宜州市德胜镇都街村，村里有4人在这次事故中失踪：韦海生和他的儿子韦灿军、姐夫韦振平以及覃文体。

幸存者韦海鸥是死者韦海生的弟弟，他给记者讲述了死里逃生的一幕：

"我们同在龙山矿（龙山矿毗邻拉甲坡矿，同隶属龙泉矿冶总厂，两矿的矿道在山底相通）打工，同一个班组。7月17日凌晨3点50分，我看到有大量的水涌入，水是从拉甲坡矿方向涌来的，不到一分钟，第二工作面已经灌满了水，并顺着斜道向第二平台涌上来，我想去救下面平台的亲属，已经来不及了，就和同在第二平台的两位工友拼命往外跑……"

逃生的韦海鸥于7月18日下午回到家，把噩耗告诉了嫂子韦美丹；20日，龙泉矿冶总厂黎东明派小舅子黄国亮等把死者的家属接到金城江河池中学对面的华林酒店，分别协商抚恤金问题，当天韦美丹得到13万元，韦振平的妻子得到51500元，覃文体家属得到5万元，并被告诉说回去后不许乱讲。7月30日，龙山矿几人来到村里，拿了苹果、烟酒，并对死者家属说："有什么要求，可以向矿里反映，千万不要跟记者说，如果曝光出去，矿井被封了，你们就找不到尸骨了！"

在韦海生简陋的家里，记者看到了龙山矿送来的6瓶已被喝干了的"沙河王"酒。韦美丹捧着丈夫、儿子的相片，与年迈的婆婆抱头痛哭。

韦美丹向调查组拿出了韦海生与龙山矿2001年5月24日签订的协议书，协议书上注明“如果矿工因公死亡的，龙山矿一次性补贴死者家属2万元，龙山矿不再承担任何经济和法律责任。”

今天自治区调查组紧急从合山矿务局调来了矿山抢险救护队，15名抢险队员在下午3时分成两组分别进入下拉甲井口和下拉甲排水井口侦查，20点出到地面，由于井下气温太高，抢险队员未能进入水底最深处。

从下拉甲井出来的抢险队长陈尤添对记者说：“井下曾发生了透水事故，虽没发现遇难者遗体，但疑点很多，有掩盖事故的迹象。”他还说，矿井不像矿方所说的那样，根本没有停产。

8月3日

天空下起小雨，40多名武警战士荷枪对发生透水事故的矿井及其周围7个矿井实行封锁；调查组又紧急从红茂矿务局调来抢险队，与合山矿务局的抢险队员一起，分批进入8个矿井搜索；鼓风机轰鸣着向矿井压风；抽水也开始紧张进行。

外围调查组对集中控制的龙泉矿冶总厂管理人员包括总经理、矿长、负责安全生产的安全科长在内的共20人进行了讯问，他们供认矿井中发生了透水事故，淹得很厉害，从负150米到负160米一直淹到了负100米左右。被控制人员交代，他们给每个失踪人员家属赔偿5万至6.5万元不等，总计赔付了392万元。

龙山矿矿长黎启乐这枚“钉子”终被拔掉，上午，他仍企图避重就轻，只承认这个矿死了4人，到下午3时，他终于顶不住了，交代了龙山矿死亡人数为17人，并交出名单。至此，“7·17”事故矿方交代失踪人员为76人。

黎启乐说：“隐瞒不报，是害怕政府封矿，封了矿井，就无利可图了。只要给了家属抚恤金，就可以堵住家属的嘴。”

对被讯问者提供的76名失踪人员，公安人员火速通知失踪人员所在县的公安局，全力进行核查。

下午，国家安全生产监督管理局副局长王德学从江西赶到南丹指导调查工作。他说，对于这次事故的调查，广西壮族自治区的行动是快的，组织、措施得力，在短时间里，对众说纷纭、缺乏说服力的无头事故调查取得了很大的突破，目前初步向党中央、国务院进行了汇报，向社会作了交代。下一步要集中精力、强化组织、抓紧时间，尽快解决问题，关键是找到失踪人员，无论是死是活，必须要有物证。

8月4日

今天外围调查工作取得明显进展，据负责外围调查的公安部门查证，矿方提供的76名失踪人员名单中，已查证62名失踪人员家属获得了赔偿金。

井下调查工作受阻：事故现场位于矿底深处，地形复杂，积水多，水温高，抢险队仍未能找到一具尸体。

拉甲坡矿道长约4200米，矿道内分8级斜坡；龙山矿矿道长约1600多米，分为7级斜坡。两个矿的矿道最低处均为海拔负150米左右。据负责抽水、抢险、搜索的井下调查组组长、广西壮族自治区煤炭工业行业管理办公室主任郑兆安介绍，抢险人员只能到达海拔负100米的水面，距离遇难者尸体可能所在的负150米处矿道底部，尚有100米左右的淹满水的斜坡巷道。矿内水面水温高达40多摄氏度，抢险队员根本无法抵达海拔负150米处。只有把矿道的水抽干，才有可能找到遗体。

据测算，矿道内全部积水约30万立方米，现在是雨季，每天约有1万立方米的水涌入。由于巷道狭窄，摆放不了太多的抽水设备，8个窿口现在加起来每小时只能抽出1046立方米，今天凌晨零时到下午5点，共抽了17782立方米，目前水位已降70厘米。

按这个进度，要把水抽干，大约需要15天；现在还不知道矿井下是否有地下暗河，如果有，抽水将更艰难。

记者看到，8个窿口都在日夜不停地抽水；南丹县抽调了45名干部负责抽水，24小时坚守窿口值班。调查组正在加紧研究更快的抽水方案，把现有的抽水设备全部用上，再多调剂一些抽水设备，集中人力、财力、物力，想方设法加快抽水进度。

由国家经贸委主任李荣融率领的中央调查组今天来到南丹察看了发生透水事故的拉甲坡矿，听取了王汉民的事故调查汇报。李荣融说，党中央、国务院时刻关注此次事故，事故调查工作要以秒计算，要不惜代价，尽快把水抽干，一定要把事故弄个水落石出，要对党中央、对人民负责。

从区外出差回来的广西壮族自治区主席李兆焯今天也赶到南丹调查事故现场，他拍案说："7·17"事故被长时间隐瞒不报，是非常严重、非常恶劣的行为！他要求事故调查组，一是要想尽一切办法，尽快把水抽干；二是要对已掌握的失踪人员名单加快核查、取证；三是要对事故发生原因加快调查清楚，此事不管涉及什么人、什么单位，一律要排除干扰，对隐情不报者，一定要查清，并依法严惩。

8月5日

龙泉矿冶总厂总经理黎东明、副总经理韦家农、拉甲坡矿矿长黎家西、龙山矿矿长黎启乐、拉甲坡矿安检科长苏锦等14人被刑事拘留。

记者采访了韦家农，他交代，7月30日，他赶到龙山矿召开管理人员会议，20多人参加，韦家农在会上安排任务，统一口径，会后管理人员按韦家农的布置，分头去做矿工的工作，威胁说：从企业和南丹的利益，也从个人的饭碗考虑，谁也不准说出去！

在拉甲坡矿办公室，记者看到墙上悬挂着"龙泉人准则"，其中第四条是“要实事求是，不要弄虚作假”。真是莫大的嘲讽！

到今天为止，公安人员已经与70名死者家属面对面查实，他们收到了矿山的赔偿金。查证工作异常艰难，连日来，公安干警克服警力不足、失踪人员居住分散等困难，发扬连续作战精神，夜以继日地奔波调查核实。失踪人员多数来自广西、贵州的大山之中，公安干警有时在贵州独山县、荔波县的大山中走上两天两夜，才找得到一个失踪人员的家属。

8月6日

广西壮族自治区党委常委召开紧急会议，曹伯纯书记、李兆焯主席愤怒了，他们斩钉截铁地说：南丹事故非常严重，要尽快查清事故真相，查清死伤人数，尽快查清隐瞒不报的真相，对有关责任人要严惩不贷！

经过两天时间的抽水，下午4时，抽水工人在龙山矿海拔负116米处，发现一个颅骨，这是南丹发生透水事故以来首次发现失踪人员的尸体。下午8时，抽水工人又发现一具骨架。因为矿井温度过高，浸泡时间过长，尸体已经腐烂，面目无法辨认。

记者看到，龙山矿旁搭起了一个灵棚，人们正按照壮家习俗祭奠死者。逝者已不能复生，留给生者的，是无尽的悲痛……

有报载，当时当地对消息的封锁极厉害，一个记者想进南丹出事矿区，得像地下工作者一样，而且开拖拉机的一伸手就要“700块买路钱”，可谓空前绝后。其实事故本身在这起举世瞩目的矿难中确实仅仅是冰山一角，因为让国人感到悲愤的是一些干部的腐败行径。

后来我们知道，与往常的重大事故不同，发生在网络时代的南丹”7·17”特大矿井事故，首先传闻于最具现代传播手段的互联网上。网上最早的简单报道称：据传南丹拉甲坡矿和龙山矿发生重大透水事故，有众多矿工死难！

这是7月下旬即27日前后的事情。此时，后来被证实确属“惊天大案”的这个特大事故已被掩捂了整整10天之久！而按照国家规定，凡特大安全事故必须在24小时内上报国务院。

但最早获知信息的不是权力机关而是新闻媒体。在网上传播的前两天，南宁多家新闻单位就接到了同一内容的电话举报。很快，富有责任感、正义感而又具有职业敏感的新闻记者包括中央驻桂和南宁一些地方传媒的记者，以最快的速度赶赴距南宁480公里外的南丹展开实地查证。

正是记者们深入、艰辛甚至不避凶险的查证，才揭开了这起震惊中外的矿难大事故的黑幕。

8月2日，人民日报社关于南丹“7·17”特大事故的紧急报告以“信息专报”的形式上送中央，国务院总理朱镕基阅后当即严厉批示：如此重大事故，必须查个水落石出！后来有几位高级干部对我讲过，一向严厉的朱总理为了广西南丹“7·17”矿难，曾在8月份的几次会议上把瞒报的广西方面几位主要干部骂得“抬不起头来”。

“总理就这么骂，竟然还有人敢瞒报！不是找死嘛！”有位部长如此说。

广西南丹矿难之所以有人敢瞒报，是因为这事故背后的黑幕太黑！那些当事者以为靠瞒能瞒个密不透风。

难怪已与矿山事故打了几十年交道的国家安全生产监督管理局局长、国务院调查组组长张宝明，经实地查证后愤怒地说如此特大事故还敢官商勾结隐瞒不报，实在令人发指，全国罕见！

经过国务院调查组先后50天的调查，这起被隐瞒的特大事故终于现出了它的本来面目：

——事发当天即7月17日，拉甲坡矿矿长黎家西、龙山矿代理矿长黎启乐就从井下内线电话得知矿井被淹，并于早上7时左右报告了龙泉矿业总厂总经理黎东明。

——同日17时，黎东明向县委副书记莫壮龙报告了拉甲坡矿井死亡40多人的情况。20时，莫壮龙和副县长韦学光（分管矿山生产、安全兼县安委会主任）在大厂宾馆听取龙泉矿冶总厂副总经理王国亮的事故报告，并将此消息报告给县委书记万瑞忠。同时，王国亮用电话向南丹县安全生产管理局副局长韦海联做了汇报，称事故就此为止，不要外传，也没有采取措施进行抢救。

——18日上午10时，莫壮龙、韦学光在大厂矿管分局会议室召集6个矿矿主开会，没有向与会者通报事故实情。下午，县长唐毓盛用电话催促莫壮龙要尽快找到黎东明。莫壮龙、韦学光于19时与黎东明在车河镇桥头会面，黎东明说，这次事故死了70多人，已安排赔偿资金了，准备通知死者家属来。韦学光说："这事如果上报，你们企业的人肯定挨劳改，我们也挨调动和降职。"

——当晚8时左右，在县长唐毓盛的建议下，万瑞忠决定在自己的办公室召开万、唐、莫、韦碰头会。莫壮龙汇报了白天的事情后说，企业不报告，由企业处理，现场绝对看不出什么问题。韦学光说，出事的巷道淹水很深，尸体浮不上来。经过一番议论，最后订立攻守同盟，万瑞忠说，企业没有正式报告，由企业处理，我们可以不理，以后万一有事企业自己负责，由黎东明负责，这事只限于我们4个领导知道，不要扩散。

——19日上午，莫壮龙、韦学光、赵桂华（自治区矿山整顿领导小组副组长）等人以接到有关事故的消息后，安排人员进行假"调查"，并要求以做好记录和按手印的形式确定没有发生重大透水事故。23日下午3时，自治区矿山安全整顿工作组在县委6楼会议室召开通报会，工作组负责人赵桂华说，接到举报后曾派人调查过，没有证据能证明存在"7月17日事故"。

——28日凌晨1时，万、唐在县委6楼会议室召开紧急会议，没有如实通报“7·17”事故，并由唐签发了给地区行署的“没有事实证明有伤亡事故”的明传电报。31日上午8时20分，唐再次签发了给地区行署的明传电报，称“5月20日开始我县所有的矿山企业均停业整顿，没有人员在井下作业，所谓‘造成重大人员伤亡事故’的传闻没有事实依据。”

——8月1日，自治区党委曹伯纯书记一行到南丹调查此事时，万、唐和在场的地区党政领导都没有如实汇报事实真相，而且把大量的会议记录、笔记等相关资料销毁。

直到8月6日，纪检监察部门对万瑞忠等人采取措施后，才逐步交代了与黎东明等人恶意串通、瞒案不报的问题。

8月20日，随着矿难井下抽干水，查明死难矿工81人，一批涉案矿老板、党政责任人被逮捕、被审讯，真相逐渐显露出来。“水落尸出”之后，便是案件初步“水落石出”之时。（以上引自相关新闻材料）

国人以前并不知道南丹矿是个什么样的矿，但到过这儿的人无不为这个矿区的富有大为惊叹。其储量之大，品位之高，早已闻名于世。这里锡的储量居全国之首，锡矿年产量占全国总产量的60%、世界总产量的20%，南丹因而有“锡都”之称；稀贵金属铟的储量居世界第一，锑、铅、锌等多种金属均有丰富储量。南丹矿产资源的潜在价值达700亿元。专家说，这种大储量、高品位而又有多种金属共生的特富矿田，国内绝无仅有，国外也极少见。此次出事的105号矿体，更是世界罕见的含锡富矿体，最高品位含锡量高达65%。行家说，这确是比金矿还要值钱得多的稀有矿床！

然而，就是这样一个极为珍贵的国家特富矿田，已被长达10多年的严重非法违规而又大量的狂挖乱采破坏得令人痛心了。调查表明，整个矿区只有国营[①]华锡集团（即原大厂矿务局）具有合法的采矿权，包括这次发生特大事故的龙泉矿冶总厂所属的两个矿井在内的数百个民采矿窿，都属无证（采矿证）开采。同样，包括这次事故的矿主即富甲一方、鼎鼎大名、据传超过10亿元身家的黎东明在内，也没有合法的采矿权。这些民采矿主，既违法，又违规，打井采矿时一概没有图纸，没有在紧急情况下可兼作逃生用的排气口，没有必备的通风换气设备，中毒、工伤、崩塌死亡等时有发生。整个矿区在这种不择手段的狂挖滥采和惊人的糟蹋、浪费下，已变得险象丛生。

然而黑手却特别的多——挖矿人的手黑，开矿的人手更黑，那些管矿和管着这块土地的行政官员更是黑上加黑。

南丹在出“7·17”矿难之前的前一年共死了200人，当地官员只向上面报了38人。瞒报死人事故是他们一向的做法。国家的明文规定对这儿来说也只是空头文件而已。“有钱就能摆平一切。”矿主们都知道这个理。

“7·17”矿难发生后，矿主黎东明就是利用矿上的保安和社会的恶势力威胁知情者和遇难者家属，不准他们透露事故消息，甚至不惜重金，并用16万元给一位知情者封口。出事时，这位知情人梁某是管工的小工头，发水时他侥幸逃脱，他的弟弟在井下遇难。事故发生后，黎东明一次给了他16万元巨款，让他“闭口”。但这位姓梁的矿工良心发现，还是对记者说出实情，这才使这起特大矿难的冰山露出水面。

南丹“7·17”矿难最终以一位自治区副主席记大过处分、一位县委书记被枪毙、几十名官员落马及矿主被送进监狱而画上句号。但它给广西南丹人的伤痛将是永恒的。

---

① 国营现称国有，为尊重历史本书保留当时的称谓。

中国人能记得“南丹”这个地名是从它的流血的矿难事件中获得的。

我清楚地记得广西南丹“7·17”矿难仍在人们的关切之中，电视新闻里突然又冒出一起比南丹矿难死亡人数更多的矿难，这就是“7·22”徐州岗子村煤矿爆炸事故。此次矿难92人遇难。

92人哪！而且发生在我的江苏老家！我真有点不敢相信，同时内心有种极大的担心，担心我的老家的那些省市领导别也像广西南丹干部们一样当反面典型。好在这里的干部们的法制意识强，在事故发生之后迅速采取了措施，进行了全力的抢救。有记者记录了徐州“7·22”特大矿难的抢救过程：

7月22日上午，江苏徐州市贾汪区贾汪镇岗子村一小煤矿发生井下爆炸事故，105名矿工被困井下。事故发生后，江苏省及徐州市有关部门立即组织实施抢险救援，下午3点30分，首批13名遇险矿工被解救出井。目前，对其余被困矿工的救援工作仍在紧张进行……

记者在抢险现场看到，10余支由9到10人一组组成的抢险小队正不停地交替下井，尽最大努力抢救被困矿工。由于井底严重缺氧，营救人员除携带必要的安全装备和仪器外，还额外配备了氧气瓶。从现场情况看，爆炸造成的破坏相当严重，连用于固定井架的厚钢板都被爆炸产生的巨大冲击力掀翻、扭曲，所幸井架尚未倒塌。据徐州矿务集团抢险大队副大队长介绍，抢险工作至今基本顺利，除了在爆炸发生4小时后，成功地营救出的13名被困者外，已经打开了被困105人所散布的10个工作面中的7个，但由于剩下的3个工作面塌方相当严重，接下去的抢险工作难度将很大，目前很难估计完成全部抢险工作所需时间。

据介绍，事故发生时井下人员为105人，另有一人报到后未下井，幸免于难。抢险队员已将能够进入的巷道全部探遍，未发现有幸存者的线索。估计其余遇难者或被塌方土石掩埋，或被浓烈瓦斯熏倒。爆炸原因估计是煤层爆炸或瓦斯爆炸再引起煤层爆炸。

此前获救的 13 名工人已被送入徐州市贾汪区医院救治，目前情况良好。对遇难者家属的慰问安抚工作也在有条不紊地进行中。

江苏省领导和徐州市委领导对此次矿难做出的反应是快捷和迅速的，与同类事故相比透明度也是较高的，并对责任人及时进行了司法程序。

这个消息给我们一个启示是：江苏和徐州方面的领导能够在出事后把人民的生命放在第一位。矿山事故如瓦斯爆炸一般说是很难控制的，但事故出来后能够认真对待，而且在徐州矿难背后我们没有听说和看到有什么官员在开矿中拣什么好处，这使得徐州“7·22”矿难的“知名度”要比南丹矿难低得多，而且事情也很快平息了下来。

这表现出了不同干部对问题的不同处理方式所带来的不同效果。但无论如何今天让我来评说徐州“7·22”矿难时我也高兴不起来，我虽然没有理由责难我的老家江苏的干部们，但我无法有丝毫好心情表扬他们，因为毕竟一声“轰隆”92 条人命就没有了。虽然聪明的江苏干部们在出事后做出的反应是迅速及时的，但据我所知，徐州发生这起矿难的所在矿也是个早有问题的矿，为什么事先对他们在管理上那么松懈？出了事表现一番能起什么作用？对那 92 条人命你们该负什么责任——我的江苏干部们？

2001 年，中国的矿难以广西南丹“7·17”和徐州“7·22”事故成为了创纪录的高峰。国人的一句“矿难如吃人的虎口”非常形象地成了大家的口头禅。

21 世纪的开埠第一年，中国的矿山事故可谓猛于虎也。

国家有份统计表：这一年，全国工矿企业共发生伤亡事故11402起，死亡 12554人，同比增加672起，增加789人，分别上升6.3%和6.7%。其中，一次死亡3～9人的重大事故609起，死亡2655人，同比增加37起，增加154人，分别上升6.5%和6.2%；一次死亡10人以上特大事故65起，死亡1341人；一次死亡30人以上的特大事故10起，死亡490人，同比增加2起，增加52人，分别上升25.0%和11.9%。

其中煤矿企业共发生死亡事故3082起，死亡5670人，同比增加361起，上升13.3%。其中，一次死亡3～9人的重大事故336起，死亡1587人；一次死亡10人以上的特大事故49起，死亡1015人；一次死亡30人以上的特大事故8起，死亡373人。

其中非煤矿企业共发生伤亡事故1313起，死亡1932人，同比增加604起，增加978人，分别上升85.2%和102.5%。其中，一次死亡3～9人的重大事故114起，死亡479人，同比增加48起，增加218人，分别上升72.7%和83.5%；一次死亡10人以上的特大事故9起，死亡214人，同比增加5起，增加139人，分别上升125.0%和185.3%；一次死亡30人以上的特大事故1起，死亡81人。

读者不知注意到没有：上面的数字在“同比”时都上升了多少？这说明了什么？说明了中国矿难事故正在时时往上蹿升！

蹿什么？蹿出的是喷涌的血！喷涌于山野的血……

2002年，山西与黑龙江两个采煤大省比着发矿难！第一大新闻：西金矿矿难尸体横遍荒野，竟有十几名记者在此发矿难财！而黑龙江鸡西“6·20”矿难一次死亡高达124人！

触目惊心。血与泪、悲与愤一起流淌！

矿难的回忆总是痛苦的。21世纪到来的第二年春天，全国人大代表聚集北京参加一年一度的代表大会。会上有不少代表对频频发生的矿难事故向政府和有关部门提出了严厉的批评和建议。国土资源部和国家安全生产管理部门的领导一次次出面说明，但却无法平息代表的质问。因为电视新闻中的一幅幅矿难留下的惨景，实在让人民代表悲愤与心痛。政府总理和主管副总理谈起此事，也只有长叹。

"矿难矿难，真是国之难啊！"

"无论如何必须刹住矿难事故的进一步上升！"

国家领导人心急如焚，然而这并不能制止如猛虎般的矿难之势、之锐、之疯狂！

矿难真的成了中国经济建设和社会生活中一个无法扼制的流血伤口。有人告诉我，在人大代表大会期间，国家领导人在出席代表分组讨论时，在山西省和黑龙江两个省的分组会上，领导们曾经不无忧心地告诫：你们是采煤大省，可千万别出大矿难啊！

山西和黑龙江两省的领导连连点头，并慷慨激昂地表示，一定尽全力制止矿难事故。

可是回到房间，山西和黑龙江的领导们发现自己的内衣湿漉漉的。为啥？紧张的呗！

谁能保证不出矿难？没有人！为啥？矿山开采早已失控了呗！

你管得了一级级的干部，你管得了一个个早已被私分了的矿山吗？利欲熏心的矿主们才不管你当官的乌纱帽呢！他们为了钱可以把别人的生命完全不当回事。当回事又怎么样？能变钱吗？不能。唯有采出的黑金才可以换取人间一切甜美的东西。矿主们比谁都清楚：挖矿不易，想找挖矿的人有的是，成千上万的人跟在你屁股后面等着呢！中国的劳动力多着呢。死几个人算啥？有的是人来顶着呢！

矿主才不管你国家领导人、地方干部们的紧张心态呢！

为了极端利益，他们继续驱赶着矿难这头“猛虎”在原野上奔跑着……

2002 年 4 月 20 日晚新华社太原电的一则消息拉开了这个煤矿大省的矿难序幕——

4 月 19 日 23 时 30 分，山西省长治市沁源县七一煤矿发生特大瓦斯爆炸事故，造成 12 名工人死亡，2 人受伤。据七一煤矿矿长张清贤介绍，煤矿去年 12 月已经通过小煤矿整顿复产验收，此次事故是由于煤矿放松警惕，疏于管理，违规作业所致。

长治“4·19”矿难给山西省领导敲响了警钟。他们的头脑是清醒的，为了扼制矿难苗头，他们在得知爆炸事故的第一时间里，立即引起高度重视，省长刘振华、省委秘书长申联彬、分管煤炭的副省长王显政分别做出批示，要求有关部门尽快组织抢救，并迅速调查事故原因，严肃处理责任人。4 月 20 日下午，山西省省长助理李振喜、省煤矿安全监察局局长巩安库等赶赴现场组织抢救。同时为了“杀一儆百”，在爆炸事故发生的第三天，山西省和长治市对一起煤矿爆炸事故有关领导做出处理：对沁源县县长马朝中、分管副县长魏爱宪，长治市安监局局长张进敏及副局长张巨魁，沁源县二轻局局长史世勋、沁源县安监局长崔耀世和沁源县国土资源局长韩光忠等 7 人实行停职检查。

紧接着省里召开安全生产会议，省长刘振华在会上大声地向全省管生产的领导们提醒：你们谁要在矿山事故上麻痹大意，就不要怪我不客气！

台下的干部们从没见刘省长发那么大的脾气。小心一点喔！私下里，地市领导们窃窃私语着。他们一个个提着胆回到自己的岗位。然而倒霉的事还是发生了！发生在运城！

运城富源煤矿在“五四青年节”这一天发生了又一起特大透

水事故，一死又是20多条命！

“这是怎么回事？”山西省领导一听这噩耗，就怒吼地问道。

你说怎么回事呀！

富源煤矿发生的事故，绝不是偶然的。据了解，这个富源煤矿发生恶性事故，就是因为“黑心”的矿长不仅违法经营，而且在事故发生后竟久久隐瞒实情不报，使20多条生命无望生还，造成的恶果令人发指。究其根本的原因，还是“有令不行，有禁不止”。运城市富源煤矿就是一个有禁不止的典型。就在事故发生前的3月14日，山西省安监局临汾办事处曾派人检查富源煤矿，检查后临汾办事处人员当即给富源煤矿下达了“未经批准，私自开工，责令立即停止施工”的安全监察意见书，同时还进行了经济处罚。可悲的是，富源煤矿照样偷偷开工。为了一己之利，富源煤矿矿长张顺和不怕铤而走险。他在拘留所里对记者说，干煤矿，大钱来得快。钱，已经完全令张顺和这样的矿长丧失了良知，他们哪里还把民工的生命当回事！而在这背后，还有更深刻的主客观原因。这就是权力，为小煤矿撑起一把保护伞。

运城富源煤矿属于非法私开的基建矿。据了解，这个煤矿的有效证照不全，还是个不符合安全规定的“独眼井”。这样的煤矿本应在关闭之列，但它却躲过了去年底的山西煤矿安全大检查，使21条无辜生命遇难。痛定思痛，人们不禁要问：这个煤矿为何能如此逍遥？监管不力，无疑是重要的因素。然而，富源煤矿到底归谁管辖，至今还没有明确的结论。运城市煤矿安全生产专项整顿工作领导组曾经在2001年12月19日下发过一个“6号文件”，要把富源等4个煤矿交给河津市。但后来出现了不少奇怪的事，使这次移交工作没有进行下去。河津市安全生产监督管理局局长谭降喜介绍了其中一些详情。1995年，原运城地区煤冶局向山西省煤炭资源委员会在乡宁县申请11平方公里的煤资源，注册为运城地区寺塔煤矿，并成立了筹建处，但一直未开办。1996年，运城地区向省煤资委申请，将寺塔煤矿资源一分为四，即建设4个煤矿，富源煤矿就是其中的一个。富源煤矿曾用名是西园煤矿，隶属于原运城地区煤冶局，集体性质，位于乡宁县枣岭乡北桑峪村，1998年取得由山西省煤资委颁发的采矿许可证，同时更名为运城地区富源煤矿，办理了有效期至1999年12月31日的工商营业执照。1998年，富源煤矿向运城煤冶局打报告要求开工建设，未获批准，该矿便于当年私自开工，先打竖井，挖到水后改打斜井。2000年4月18日，富源煤矿筹建组负责人魏守仁将该矿承包给乡宁县枣岭乡西掌坡村的张顺和，承包期限为16年。在矿难事故频频见于报端和电视媒体之后，魏守仁很害怕这样的噩运会降至自己头上，2002年以来，他多次向运城市安监局领导提出，要交给河津市包括富源煤矿在内的4个煤矿，可人家说这矿都是应关闭的煤矿，因而不接收。交与接的矛盾固然一时没解决，但却形成了一个事实：非法的富源煤矿没人管了。管理不严，还常常酿出祸端，而富源煤矿处于管理上的“真空”，悲剧怎么能不上演?!

没人管更好！黑心矿长看到上面你推我、我推你，结果谁也不要的“孩子”变成了疯狂的虎仔。挖！多挖煤，赚大钱！可他把为他挖煤的矿工害惨了，而且还害了那么多无辜受难者的家属。富源矿难中的一位湖北省郧西县籍遇难矿工亲属泣不成声地诉说道：我的亲人就是开黑矿的矿长害死的。黑矿没有安全保障，却让我们的亲人给他干活，下到地狱般的黑矿里卖命啊……

据了解，事故发生后，矿长在隐瞒事故的同时，还私下与遇难矿工家属订协议，愿意出1.8万元私了。一些家属气愤地说，真应该送黑心的矿长下地狱。

黑心矿长没有下地狱，却被关进了监狱。

“我有罪，罪不可恕！”在看守所的铁门内，富源煤矿矿长张顺和对记者杜文峰坦白了他在煤矿发生重大透水瓦斯事故后，将20多个被井下水火吞噬的生命掩盖起来秘而不报的犯罪过程。据张顺和交代，富源煤矿是他于1997年从运城寺塔煤矿筹建组负责人魏守仁手里承包的，承包期16年，双方约定挖到煤后，张顺和每年给魏守仁7000吨。而富源煤矿则是一座证件不全、非法开工建设、非法生产的“独眼井”。

“富源煤矿共有60多名工人，大部分是湖北人，出事那天井下共有23个工人，后来逃出来2个。当天上午就在井口发现了已经被烧死的技术员张建军的尸体。我让司机郑社堂叫了几个人抬出来后，送到了河津铝厂。6日，魏守仁的兄弟打电话叫来了张建军的家人，处理了张建军的后事。当时，矿上刚出了七八百吨煤，有4万多块钱。我给剩下的40多个工人结清了工资，赶快打发他们到了陕西那边，然后又让人清理被烧毁的井口。”张顺和蠕动着厚厚的嘴唇，边说边用两手互相摩擦着。

就在张顺和在山西河津市看守所里“自白”时，黄河西岸的陕西韩城几家小旅馆里，数十名井下矿工家属正哭诉着。他们手捧用泪水写下的亲人名单，一次次悲恸地呼喊着井下的亲人，一次次诅咒着黑心的矿长。

当记者问黑心矿长“你为什么要隐瞒事故真相呢？”张顺和沉默了一会儿，抬起头说：“我不是一个企业家，缺乏井下管理经验。在包煤矿以前，我在乡里当了30年教师，从没有干过煤矿的事。我承包这个矿，主要是对这地方熟悉，魏守仁是运城河津人，他给办证，我请人来干。出事后我没了主意。我是魏守仁雇的，出事那天，我给他打电话，他说，先稳住，先把工人处理好。他的话说得很含糊。7号晚上，魏守仁给我打电话说‘事故有人给举报了，你先到河津方圆宾馆，上边有人下来了，要记住该说的就说，不该说的就别说，咱们见面后再说。’晚上 9 点钟我到了河津，却没见到魏守仁。他的兄弟把我送到了河津市宾馆，我就再也没回去……”说到这儿，张顺和捂住脸大哭起来，一边哭一边说：“我不是人！为了挣几个钱，黑了心，我活该受罚！”

罚，怎么个罚？二十多条人命你一个人死得了二十多回吗？你就是死了二十多回，又怎能抵消那二十多个家庭的悲惨之痛呢？张顺和啊张顺和，你想过这些没有？

张顺和没有死。二十多条生命在他手上白白扔在荒野里，他至今仍然活得好好的，只是在监狱里度日——按照国家的刑法，他还够不上死刑，但二十多条命归天堂的屈死鬼们则饶不了他，他们一定在地狱里会把这个黑心矿长撕得粉身碎骨。然而这又能怎么样呢？那活着的失去了顶梁柱的二十多个家庭又该怎么办呢？

苍天，你回答呀！

苍天不曾回答。因为苍天是公正的，它在说是你们人间有人太贪得无厌，太不把人的生命放在心上。

我们无颜面对苍天。人性有时比虎更歹毒。

山西矿难的黑幕在渐渐拉开——

2002 年 6 月 22 日，山西义兴寨的金矿在之后的几十天里突然名噪一时。它制造的一起矿难之悲惨程度无法再用令人发指这个词描述了。因为开始是在这起特大矿难中到底死了多少人一直处在迷雾之中，数十具遇难矿工遗体不是被抛于荒郊野外，便是被焚尸灭迹……

随着国家安全生产调查组的介入和媒体的一层层拨开迷雾，继运城富源煤矿矿难发生一个多月后，山西省又一起特大矿难隐瞒事件也终于露出了“冰山一角”。

新华社记者后来这样报道：

……6月22日，一起共和国成立以来罕见的金矿爆炸事故在山西省繁峙县境内发生了。9天过去了，事故中明确证实的死亡人数已经达到37人。暂居在繁峙县境内的家属为死不瞑目的矿工悲痛欲绝，他们控诉矿难黑幕，控诉那丧尽天良的焚尸灭迹。

37个矿工被证实遇难。

浓浓的烟雾不断从五台山北麓的一个金矿井下冒出，随着沉闷的爆炸声，井口的巨型井架一下子被炸飞到空中。而此时，在几百米深的井下，正有数十名工人在作业。爆炸产生的大量有毒气体霎时弥漫整个矿井，许多矿工倒了下去……

“6·22”矿难发生后，山西省繁峙县政府于6月23日做出的调查结论是事发当时有40人在井下作业，2死、4伤、另外34人安全撤离。随后，忻州市政府、山西省经贸委等单位也曾派人到事故发生地进行了调查，这一结果一直持续到6月28日。6月29日，山西省义兴寨矿事故协调领导组透露“6·22”事故中遇难人数至少3人。6月30日，官方证实有14人死于矿难。今天，这一数字已经增加到了37个。

6月30日，记者闻讯赶到发现遗体的现场，距事故发生地10公里处——繁峙县柏家庄乡的路边山沟。几具遇难者遗体被埋藏在紧挨一条土路的山沟里。现场情景惨不忍睹，一具矿工遗体的脸部朝下，后背已经露在土外。除了尸体外，就在附近还有几处被焚烧过的痕迹，尽管几天前下过大雨，但是许多黑色的灰烬还是遍布在山坡上。

在另一个距事故发生地10公里左右的繁峙县金山堡乡下浪涧村的现场，记者看到，6具遗体被分作两堆抛在一个废弃砖窑的窑洞里，外面用尼龙袋堵住了洞口。在另一处同样距事故发生地10公里处——繁峙县柏家庄乡的路边山沟里，同样埋着6具遗体。记者采访过的多名矿难目击者称，事发后有数十具遇难者遗体在雨夜被偷偷转移。

6 月 28 日，记者见到了一名叫舒昌红的矿工，他带着我们来到了事故现场。说起当时那一幕幕惨不忍睹的情景，这位瘦小的陕西汉子仍不时地因紧张而颤抖。他说："我当天上夜班，没有下井，中午吃过饭后在井上突然看到从副井口不停向外冒出浓烟。听到有人说，井下出事了。爆炸发生后，矿老板们马上组织抢救，一些人被抬到井上时还有气，而另一些人已经在井下窒息死亡。老板们发现繁峙县的救护人员到达现场，赶快把已经抬上来的 8 具遗体藏在一个工房里，还上了锁。"舒昌红说，他那天在现场曾亲眼看到过 36 具遗体。据在现场参加救人的胡江说，他的两个弟弟和一个舅舅在事故中遇难。他说："那天的雨好大，夜里 12 点多，县里来抢救的人都下山了，这时突然来了 20 个穿迷彩服雨衣的人，他们嚷叫着'盛耀说了，3 个小时要把尸体全部起完拉走'。刘盛耀是出事矿井的股东之一，在这一带很有势力。这些人又从井下起上来 29 具遗体，加上我在工房里看到的 8 具遗体，我那晚共亲眼看到了 37 具遗体。过了一会儿，来了一辆白色的吉普车和一辆黑色的客货车，他们把遗体摞在车里，吉普车的后备厢里还硬塞了两具遗体。"

看到现场的不只舒昌红、胡江两个人，陕西籍矿工田正兵的妻子伍贤明当时也在现场。据伍贤明讲，她在宿舍门口看到井下冒烟，矿井的 3 个管事人员和一个姓石的小老板下井查看情况。浓烟没有引起矿方的高度重视，还要求矿工们继续在井下作业，一车车的金矿石继续被运到井外。伍贤明哽咽着对记者说："事故发生完全是人为的。矿方太残忍了！"

山西省义兴寨金矿"6·22"事故调查协调领导组组长、山西省安监局局长巩安库说，这起事故已转变为一起性质恶劣的重特大事故后隐瞒不报、转移尸体、焚尸灭迹的刑事案件。

谁给了矿主采矿权？

“金老板”是繁峙县人对“淘金”发财老板的称呼。繁峙县虽然是国家级贫困县，但这里却聚集了很多大大小小的“金老板”，砂河镇的农民殷山是其中之一。山西省义兴寨金矿是省属国有金矿，今年3月，义兴寨金矿与殷山签订协议，将“0号脉”以探矿的名义交给他，而实际上从事的是采矿活动。甲方为山西省义兴寨金矿，乙方的受委托人为殷山。奇怪的是，在协议中，始终未提及乙方是哪个单位。据巩安库说，获得探矿权必须要有探矿权人资格，而具有资质的必须是企事业单位。从协议看，其实承包者根本就是殷山个人，作为个人的殷山根本就没有资格取得探矿权。据巩安库介绍，承包金矿即使有资格，也要进行招标，而实际中殷山在承包金矿时根本没有进行招投标。殷山实际是在非法探矿，并且还是以采代探。繁峙县提供的材料说，在确定“0号脉”探矿协议中的委托人时，山西省义兴寨金矿并未给繁峙县黄金中心（中心承担着牵头对全县的黄金产业统一收取税费的职能）打过招呼。在县政府未正式表态之前，金矿就与殷山签了协议。今年4月25日，省金矿擅自同意批准殷山在这片探矿区再多开25个采金洞口，加上原来批准的8个，殷山把这33个洞口转包给了32个人开采，发生爆炸事故的矿井就是其中一个洞口，王全全是该洞口的承包人。此后，王全全又吸收多名股东，因而成了不折不扣的非法转包矿。

据介绍，黄金开采需要大投入，仅一个洞口就需要投资上百万元。殷山掌握33个洞口，可谓是当地的一个大“金老板”，由他这里又分出多个“枝杈”，王全全只是其中“一枝”，是个小“金老板”。

矿难发生后，“金老板”殷山和王全全逃之夭夭，目前公安部门已经发出通缉令，全力进行追捕。“金老板”利欲熏心，不但违反规定承包矿井，更不顾矿工死活，急于淘金。这次事故是由副井中的炸药爆炸引起的。按规定，炸药库本应设在矿井之外，距离井口还要有一定距离，井下的炸药存放一般不能超过一天。然而，这个洞的炸药库竟然设在井下，相当于请来一个“隐形杀手”藏匿在矿井中，出事故是迟早的事。

“黄金万两县”难遏私挖乱采风。繁峙县位于滹沱河源头，五台山北麓，仅境内的山西省义兴寨金矿就年产黄金1.2万两，是个远近闻名的“黄金万两县”。在砂河镇上，一位蹬三轮车的当地人告诉记者，义兴寨村人很富有，他们靠着金矿发了财，不少人家的院子里甚至都打有采金的矿洞。县政府有关人员告诉记者，这里金矿脉络多，有的院子就在金矿脉络附近，确实有人在院中打洞。据山西省黄金公司副总经理陈杰介绍，山西省义兴寨金矿是山西省最大的金矿企业，这里金矿的品位很高，平均每吨矿石中含有9克黄金，属于富矿。1986年，金矿通过国家贷款开始建设，当时共投资3700多万元。1991年初，金矿正式投产，拥有职工800多名。金矿每天可以处理300多吨金矿石，年产黄金1.2万两。从1991年投产到现在，义兴寨金矿没给上级主管部门交过利润，贷款基本没还，金矿只是养活了几百个工人。20世纪80年代初，义兴寨一带发现有丰富的金矿资源，随着“淘金热”的逐渐形成，私挖乱采现象愈演愈烈，逐渐成风。近10年来，当地私挖乱采更加严重，地方政府每年都要进行清理整顿。1998年，山西省地矿厅厅长曾在这里住了一个月，把私挖乱采的小矿井全关了，但在他走后没多久又都死灰复燃。据悉，在近10年间，这种停了又开的大反复近20次。参与事故调查的有关专家告诉记者，私挖乱采不仅造成资源的浪费，也是各种事故发生的根本原因。连当地人都认为，金矿区不发生事故那才怪呢。

记者在“6·22”矿难现场看到，事故井周围井架林立，平均每四五十米就有一个洞口，30多个洞口分布在几个不大的山头上。山上到处建有临时搭建的工房，各种建筑物混乱不堪。在离事故矿井口几十米的地方，就有饭店、菜场、理发店等。而在这个矿区里，到处是外地民工，街上污水横流；附近矿区有不少歌厅、发廊等，治安形势严峻。随着近来金价的上涨，一些金矿的“金老板”连续招工，矿工不断增多。特别是今年3月以来，许多小金矿昼夜开采。

“6·22”矿难的发生，就是私采乱挖酿成的惨痛悲剧。

在这起矿难事故的报道中，有三个记者的名字在当时很常见，他们便是新华社的刘诗平、鄗宝红、谭旭。谁也没有想到这起特大矿难事故中，这些痛斥“黑心矿长”的大记者们，手上竟然也染上了血腥。他们破天荒地参与了与矿长差不多的黑心交易——受贿！

上面的这篇报道，就是这三个新华社记者在《中国青年报》等媒体将“6·22”矿难真相公布于众后，受到压力才重新回到矿难发生地重新写的一篇“补过”之作。这一篇报道应该说是比较真实地反映了“6·22”矿难的过程，可它来得太晚了，而且已经染上了铜臭味，使得中国新闻界出现了共和国成立以来罕见的一起“丑闻”事件。

时隔一年多，2003年9月15日，中国最大的官方新闻通讯社——新华社在报道繁峙矿难的进展时却出人意料地对外宣称：“11名新闻记者在采访事故过程中收受当地有关负责人及非法矿主贿送的现金、金元宝，存在严重的经济违纪行为。”

消息传出，社会上一片哗然：到底是哪个记者收受贿赂？收受多少贿赂？

面对质疑声浪，9月26日，新华社再次详细公布了11名涉案新闻记者名单。分别是：新华社驻山西分社的鄯宝红、安小虎、王东平、谭旭，《山西经济日报》的苏勇、《山西法制报》的刘玉柱、白建芳、阎珍寿，《山西生活晨报》的魏停、樊武杰、郭龙。11 名涉案记者受贿金额合计 7.46 万元人民币。

消息一出，新闻界和社会一片震惊和哗然。这使得“6・22”矿难更加引人注目，非法矿主将遇难矿工遗体乱扔和焚烧后扔至荒野。个别地方党政官员与矿主串通一气，隐瞒事故真相。而新闻记者收受贿赂后跟着隐瞒矿难真情，一出出丑剧跟着被亮相——

据有关媒体报道，事发当晚，涉案非法矿主殷山、杨海龙、杨治兴、王建勇等商定统一了“2 人死亡、4 人受伤”的事故口径，同时几人做了明确分工：王勇负责做繁峙县县长王彦平的工作；杨海龙负责做其他县领导的工作；殷山负责应付领导、记者的调查和遣散民工；杨学兵负责转移、藏匿尸体及与死难矿工家属私了。同时，殷山、杨学兵指使其他矿井的 10 名民工冒充逃生工人，向繁峙县调查人员作伪证。当天晚上 11 时，矿主将遇难矿工遗体陆续转移、掩埋。其后几天，当地政府有关负责人和职能部门置事实于不顾，按照矿主谎报出具了“2 死 4 伤”的事故伤亡材料。

而在此，新闻媒体记者的介入本来应该可以将事故真相见于天下，却不料几个吃惯、拿惯的贪心记者也跟着一起发矿难的不义财。据后来的记者在调查中了解到，其实早在 6 月 24 日，新华社山西分社的鄯宝红、安小虎、王东平、谭旭 4 名记者，已在接到繁峙死难矿工家属举报后赶到繁峙。但他们并未去矿难现场，而是先找上了繁峙县委、县政府，并受到了地方政府的盛情款待。县委书记王建华还专门把忻州市委宣传部的胡某请到繁峙商量对策。胡某出主意说：“这事需要打点打点。”于是，县长王彦平从县财政上提出部分钱来安排。

酒足饭饱、吹捧承诺过后，胡某带吉普车将鄯宝红、安小虎、王东平、谭旭4名记者送往太原。事后新华社披露说，“新华社山西分社记者鄯宝红、安小虎分别收受现金2万元、金元宝1个(价值约2400元)。记者王东平、谭旭各收受金元宝1个（价值约2400元)。”据悉，真相大白后，鄯宝红曾向忻州、繁峙方面打探“如何办”，对方称：“只要我们不说，你们不说，事情不会暴露。”鄯遂放心；但安小虎则没那么大胆，尽管也得到了对方的“承诺”，但他还是于2002年7月10日，向太原市廉政账户上交了花剩的20800元。

“手莫伸，伸手必被捉。”

2003年9月26日，新华社对外公布：根据调查结果，决定给予鄯宝红开除党籍、开除公职处分，给予安小虎开除留用察看处分，分别给予王东平、谭旭党内严重警告处分。

新华社以最严厉的措施处理了这几个败坏国家通讯社的“名记”。据报道，在此次矿难中，被处理的记者共有十几个之多。可见矿难之难啊！当然，可气可恨的还有那些把我们的新闻记者拖下水的当地官员们。他们同样受到了法律和党纪的严厉处分。

2002年的山西矿难使中国的矿难走上了一个外人看不明白、越看越生气和愤怒的怪圈。

这一年，山西疯了。矿难伴着丑闻频频发生，而且都是特大型的。继“6·22”金矿大难后，又有六起特大矿难，它们分别是：

7月15日的阳泉煤矿瓦斯爆炸特大事故，死亡11人；

8月4日的临汾霍州赤峪煤矿火灾，死亡19人；

9月20日的古交屯川联营煤矿透水特大事故，死亡13人；

10月23日的吕梁朱家店煤矿特大瓦斯爆炸事故，死亡44人；

11月8日的阳泉盂县西潘煤矿特大瓦斯爆炸事故，死亡26人；

12月2日的临汾阳泉沟煤矿特大瓦斯爆炸事故，死亡30人。

我在写这些数字时，一边手在发抖，一边心在跟着发颤。我的眼前仿佛看到山西那块黑金遍地的土地上到处在流淌着鲜红鲜红的血……

呵，山西，你是国家的煤炭基地，国家需要你滚滚而出的黑色金子，可我们并不期待它是伴着人民矿工之血的黑色金子呀！而我感到悲哀的是，竟然有山西人无所谓地告诉我，这算什么，你没听说人家黑龙江的矿难更厉害！

是吗?

可不是。

就在山西“6·22“矿难尚未露出冰山时，黑龙江这个采煤大省的矿难其实已经捷足先登了，而且登到了人民共和国建国史上少有的高峰!

124 条人命！鸡西城子河煤矿“6·20”矿难，创造了 21 世纪中国矿难之最。

呵，124 条生命，出事那些天，光为了将这些遗体从井下拖上来，就费了大力。而家属认尸的那个场景让所有人为之悲恸！当遇难的矿工一排排被停放在冰凉的地上让家属们辨认时，当场就有数十个家属几乎在同一时间倒了下去……哭声、撕心裂肺的哭声，震天动地，令百里煤都为之动颜。

十多年前，笔者去过鸡西，这里是中国有名的“煤都”之一，曾是人民共和国第二大煤炭基地，为人民共和国经济建设立过汗马功劳。但进入 20 世纪八九十年代后，这里的管理出现了前所未有的混乱局面，地方性的乱采乱挖现象极其严重，国有矿山受到史无前例的破坏。而作为国有煤矿的鸡西矿务局也在这种风雨飘摇中走过一条极不平常的路，他们时而举着国有大企业旗帜大步前进，时而被多路采煤者全面袭击而步步退却，最后不得不采取多种形式的承包和再承包等形式的采煤机制。加之老煤矿的老设备得不到及时更新，大批离退休职工的负担使这个本已多病缠身的老矿越走越艰难，终于走上了与苍天争饭吃、与地狱争生命的地步。

"6·20"矿难本不该发生的。早在此次矿难之前，国务院安全生产检查部门就来过鸡西城子河煤矿检查，并责令其停产整顿，而且这种"停产整顿令"先后给这个矿下过七次，但他们没有理会。没有理会的原因之一是矿山的成千上万的矿工和他们的家属要吃饭。于是多病缠身的老矿只得继续开采，矿工们冒着随时有倒塌和瓦斯爆炸的危险一次次进矿井，悲剧终于发生了——2002年6月20日9时45分，黑龙江鸡西矿务局城子河煤矿西二采区发生一起瓦斯爆炸事故，当时死亡人数为115人，其中包括正在井下检查工作的鸡西矿业集团总经理赵文林。后来在伤者中又有9人死亡，另有24人重伤。

鸡西矿业集团老总赵文林葬身于煤井，使得这起恶性矿难事故更具悲剧色彩。据说在认赵文林尸体的那天，有成千上万人参加。人们泣不成声地看着自己的"老总"也躺在尸体满地的煤场上，嚎哭着"老天咋不开眼"。是啊，像赵文林这样的好干部在煤矿并不太多，工人说老赵之所以死在矿井中，就是因为他上任后一直想让矿上的职工能有饭吃，而他自己一年中有百分之八十的时间在矿井中……几天后，鸡西煤矿举行了声势浩大的葬礼，其规格空前之高。

有鸡西人告诉我，其实像这样的葬礼，在鸡西经常举行，只是这一次"老总"也死了，所以规格特别。他话里的意思是鸡西煤矿的死亡事故经常发生，几乎可以用一天死一个来形容这一"煤都"的矿难事故之频繁。

鸡西煤矿真的很大，有几万人的采煤队伍。而"6·20"大难也是罕见的，124个人哪，几乎摆满了一个篮球场！就这么一瞬间全死了！而且死得惨不忍睹。

国务院安全生产调查组的赵铁锤在事后发布的新闻会上说，现场勘察和初步分析表明，这是一次重大责任事故。导致事故的直接原因，是由于停电、停风，造成该矿西二采区排水巷瓦斯积聚，并达到爆炸临界；排水电器设备的防爆性能出现问题，在重新启动时引发瓦斯爆炸。赵铁锤指出，事故暴露出该矿在安全生产管理、矿井一通三防方面，存在较多的漏洞和问题。赵铁锤同时指出，鸡西矿难反映出一些煤矿重大安全隐患的监控和整改措施不落实。有些国有煤矿企业特别是老企业，投入不足，设备老化，矿井防灾、抗灾能力持续下降，一通三防隐患严重。更严重的是，企业领导对安全生产思想认识不到位，管理不到位，整改措施不到位。在组织开展安全生产检查中，重形式走过场。前面刚刚查过，后面就发生事故。鸡西矿业集团公司就是一个例子。一段时间以来，煤矿安全监察部门针对该集团公司安全欠账多、隐患严重的情况，先后六次发出监察整改通知，均被以经济困难为由拒绝或推迟整改。在最近的这次大检查期间，国务院检查组第十一组的人员检查了城子河煤矿，发出了停产整改通知。但该矿仍继续生产，以致发生特大瓦斯爆炸事故。

谁之罪？我无法回答。但有一点可以确定：不负责任的开采，不加措施的安全，必定会引发矿难。

采煤固然重要，但谁来关心矿工的生命？

在日益现代化的社会里，经济建设自然一直是支撑着我们文明进步的重要物质基础，然而没有对人的生命的文明认识，再高速的经济发展也必然会带来恶果。

愈演愈烈的矿难便是导致这种恶果的一颗定时炸弹。

黑龙江鸡西“6・20”特大矿难发生才几天，黑龙江鹤岗市南山盘煤矿又出现大矿难，死了44人！

省领导还没有来得及从上面两起特大矿难中回过神，8 月 22 日，鸡西兴垦煤矿再次发生特大瓦斯爆炸，这回死 10 人，1 人失踪。新坟和两个以前埋下的“老坟”挨得并不远。遇难者的亲人成批成批地扑向墓地，给回不来的“家里人”哭诉着自己心头之痛、之悲、之无奈……

2003 年 1 月 20 日，过春节的日子里，鸡西下属的梨树矿又出现特大矿难，这回死了 16 人。

2004 年 2 月 23 日，又是人们过春节才不久的日子，鸡西百兴煤矿再一次发生特大瓦斯爆炸，井下工作的 37 人全部遇难！

鸡西没有了眼泪，只有说不完的悲恸和诉不完的苦水。

就连国务院安全生产办公室副主任王德学在中央电视台的《东方时空》里面对亿万国人也只能叹气：矿难，国之难啊！

山西和黑龙江两省从 2002 年开始的矿难“大比赛”并没有因此停止，时至 2003 年，特别是山西省，其矿难不仅没有因“6·22”金矿丑闻和离奇的富源煤矿爆炸事故收敛，反而更加疯狂和猖獗。

我手中有份 2003 年 1～8 月的山西省煤矿事故通报：至 8 月份，全省已发生的 114 起煤矿安全事故中，死亡 2 人以下的事故 89 起，死亡 3～9 人的事故 17 起，死亡 10 人以上的特大事故 8 起。特大事故分别是：

吕梁地区离石市王文庄煤矿“2·16”特大瓦斯事故，11 人死亡；

吕梁地区交城县岭底乡五七煤矿二坑“2·22”特大断绳运输事故，14 人死亡；

吕梁地区孝义市孟南庄煤矿“3·22”特大瓦斯爆炸事故，72 人死亡；

临汾市古县古阳镇江水坪煤矿“4·17”特大透水事故，14 人死亡；

临汾市安泽县永泰煤矿“5·20”特大瓦斯爆炸事故，25人死亡；

大同市杏儿沟煤矿“8·11”特大瓦斯爆炸事故，42人死亡；

阳泉煤炭集团公司三矿“8·14”特大瓦斯爆炸事故，28人死亡；

晋中市左权县辽阳镇河南村“8·18”特大瓦斯爆炸事故，27人死亡……

不知读者读到此处有什么感觉？我自己真的想哭，可我欲哭无泪。面对如此庞大的一堆数据，不，这哪是数据，是人！是活脱脱的生命！是昨天还活蹦乱跳的生命，可在转眼间他们全都变成了鬼魂！

矿难啊，你比吃人的虎厉害一百倍！

而在这一年除了山西层出不穷的大矿难之外，还有下面这些我并不完全掌握的大矿难，它们是：

江西丰城建新煤矿矿难，死亡49人；

河北蔚县煤矿矿难，死亡16人；

河南平顶山矿难，死亡12人；

吉林远化矿难，死亡15人；

重庆万隆矿难，死亡13人；

陕西韩城矿难，死亡16人；

山东枣庄矿难，死亡15人；

河北邯郸矿难，死亡21人；

内蒙古牙克石矿难，死亡22人；

广东韶关矿难，死亡14人；

河南安阳矿难，死亡15人；

云南丽江矿难，死亡18人；

河南焦作矿难，死亡19人；

辽宁抚顺矿难，死亡 25 人；

湖南娄底矿难，死亡 17 人；

而还有一起触目惊心的大矿难，便是安徽芦岭矿难，一次死亡矿工 86 人！

2003 年，继全国性特大矿难此起彼伏之际，川东北气矿井喷，一喷喷死 234 人！中国矿难达到登峰造极的地步！“12·23”，一个黑色的国难日

这是个灾难日，这是个教训日，这是个国耻日。历史无法忘却它，2003 年 12 月 23 日。重庆开县气矿井像一条吃人的长龙，张着长长的舌头，嘶吼着、狂啸着，漫无边际地吐溅着毒液，使数十平方公里的人畜兴旺的大地，突然间万物窒息……

重庆井喷事件震惊国人。

人民共和国的大地在颤动，在哭泣，在呐喊！而所有这一切都无法拯救 234 个活脱脱的生命！

正如国家安全生产监督管理局新闻发言人黄毅所说，井喷现象在石油天然气开采过程中十分常见，其本身并不是事故，只是一种灾害现象。它并不是我们前面所说的传统矿难或者说是煤矿矿难。但毫无疑问，它确实是另一种矿难。随着开采业的发展，除煤矿外，我们国家还有许多如金矿开采、石油开采，包括水资源开采等，其实都是矿产开发的内容，而矿难本身的范围也很大。一般情况下，其他矿开采的矿难并没有像煤矿的开采事故这样多。然而当重庆井喷事故出来后，我们不由惊呆了！原来还有一种矿难事故更厉害啊！特别是油气井事故，井喷一旦失去控制，造成的财产损失和人员伤亡比煤矿矿难事故要严重得多。像川东北气矿井喷事故，就因为它伴有大量有毒气体的排放，所以使周围几

公里之内，一瞬间成了“无人区”和“死亡地带”。

重庆井喷事故，让中国人再次处在恐惧之中。

毫无疑问，“12·23”事件已成为2003年发生的最大的一起安全生产事故，这场灾害震动了海内外，在社会各界引起极大反响，被新华社评为2003年十大国内新闻之一。而这起特别的矿难，使人们对日益严重的矿难频发事实更加深思。正如专家所言，这是一场发人深省的灾难。实际上，近年来在能源生产战线，频频发生的各类安全生产事故已经给人们敲响了一次次警钟，这一点在煤炭行业表现得尤为明显。

“忽视安全生产是对人民的犯罪！”在总结“12·23”中石油川东北气矿井喷特大安全事故的教训时，重庆市市长沉痛地说。但市长的话并没有引起人们足够的重视，或者说在今天，仍有许多地方的官员们怀着地区利益和掺杂着某些个人利益在内，他们的做法足以让我们认识到什么是矿难频频发生的背后因素。而那些利欲熏心的开矿者，不拿别人的命当命的家伙们，更是为所欲为地干着丧尽天良的事。

国家一次次禁令，地方上一次次打击乱采乱挖，可为什么禁而不止呢？

利益！利益两字在那些拿矿工生命当自己赚钱工具的人眼里，才是最重要的。

矿难，在中国的今天，成了比非典疫情和禽流感还要让人痛恨的“疫情”！

矿难已经让中国人悲愤和悲痛了多少回！可它仍然在疯狂地蔓延着。

笔者从网络上搜索到2004年又有几起特大矿难，它们是：

贵州六盘水尹家地煤矿的“2·11”特大矿难，死亡24人；

黑龙江鸡西百兴煤矿的“2·23”特大矿难，死亡37人；

山西介休金山坡煤矿的“3·2”特大矿难，死亡28人……

欲知中国矿难为什么这么频而不灭，请看本人在十几年前用近三年时间完成的《共和国告急》一文，这部当年被新华社誉为“中国第一部关于矿产资源问题的长篇报告文学”中，详尽记录了中国发生矿难背后的种种黑幕和交易——

共和国告急

引 言

据说，从地球诞生人类起，发展到第一个10亿数时，这时间少说用了500万年。从第一个10亿到第二个10亿，大约花了100多万年。至1987年，全球总人数为50亿，后3个10亿，其增长的总时间竟只有60年！据联合国人口基金组织报告，当1999年的钟声敲响之际，全世界人口已突破60亿。这个10亿只用了12年。

人类的繁殖能力连人类本身都感到不可思议。

为此引起恐慌的不仅是人类自己，被称为“人类摇篮”的地球早已在无言地哭诉着，并用它特有的方式开始报复与惩罚人类：

——不给新鲜洁净的空气，让人们在有毒的环境中染病患癌；

——不给清澈甘甜的水，让人们在枯竭干裂的土地上喘息挣扎。

聪明的人类似乎并不怕这些。污染的空气可以净化，疾病可以医治；当甘甜的淡水失去时，他们开始向大海与地心索取……

然而，人并非万能，他们可以改造地球上的每一寸土地，却无法再生大地母亲躯体内的“乳汁”。这“乳汁”就是当今社会学家、经济学家和未来学家最为发愁的三大问题之一——资源。

人口、资源、环境，未来人类不可逾越的危机，它排列第二。

母亲生下孩子，孩子就要吃奶。母亲只有一个，于是孩子们争先恐后地揪住那对本来丰腴的乳房，拼命地吮吸着。终于有一天，乳房被吸干，孩子们濒临断奶的灭顶之灾了。

人类与资源的关系，就是孩子与母亲乳汁的关系。

孩子太多，食量太大，母亲的双乳已经趋呈干瘪，伤痕斑斑——这就是当今世界的严酷现实。

在中国，作为地球大家庭的一分子，母亲在这里哺育的“孩子”更多，占世界的五分之一，而拥有的土地仅占地球陆地面积的百分之几。吃惯豆腐与咸菜的中华儿女，从“文革”那场噩梦中醒来后，开始以过去无法比拟的勤劳与干劲拼命地创造财富。从20世纪70年代末到90年代初的16年间，人们感到楼房、彩电、空调、汽车和口袋里的钞票一下多了无数倍。可是，与此同时，人们又惊异地发现，冬天取暖的煤比以前少了，吃饭后“拉闸”停电的次数越来越多了，商店里的金银首饰贵得吓人，一只翡翠戒指上万元……

工厂开始出现停产，铁路干线无货可拉，矿山像漏气的气球……

一个劲地朝前赶的东方列车似乎发现了什么。多少年来，以地大物博引以为傲的黄种人开始恐慌起来。他们发现，西方发达国家所面临的资源危机，几乎在一夜之间逼近中国！

用不着再遮遮掩掩了。

“中国矿产资源形势严峻，保护资源刻不容缓！”五年前，中华人民共和国地质矿产部部长就大声疾呼。

这不可能！我们是世界公认的地大物博之国，难道连地球留下的遗产都会贬值和消失？

中国陆地面积960万平方公里，拥有世界第三大国土面积。

中国发现162种矿产，其中探明储量的矿产148种，凡地球上所有的矿产资源，我们几乎都有。

中国有大庆、开滦等世界一流的油田、煤田基地。

中国的钨、铋、钛、稀土、硫铁矿、砷、石棉、石膏……不下十个矿种资源储量居世界之首。

所有这些，不足以证明中国是世界第三矿业大国吗？哪来

“严峻”可言?

于是，新闻舆论界与政府部长展开一次又一次对话：

记者：部长同志，我国的资源形势究竟是怎样一个状况?

部长：从矿产资源总量而言，我们是名副其实的资源大国，仅次于苏联、美国。但世界的资源拥有量是按人均数计算的，这样，我们就一下降到世界的第 80 位，人均资源拥有量不及世界平均水平的一半!

记者：按此水平和国家经济发展的现状，那么我们的近期资源形势怎样呢?

部长：从近期看，已探明储量和国民经济发展的要求相比，形势也是严峻的。钢铁、有色与化学工业的部分大宗矿产包括铁、锰、铝、铅、锌、镍、硫、磷及钠等，虽然总储量现在能基本保证当前建设所需，但由于种种因素的影响，这些矿产的产量并不能满足国家建设的需要，其中一些矿产每年都需要大量进口。

记者：而这些矿产过去一直是我们的“拳头”产品，拥有数一数二的储量呀!

部长：是的。还有石油、天然气、铜、贵金属以及煤炭等重要矿产资源，虽有一定潜力，但目前可供规划开发利用的储量缺口很大。储量的增长已成为生产发展的关键问题……

几十年前为我们社会主义祖国建设立下汗马功劳的大庆、胜利、开滦等主力油田、煤矿，大多进入了中晚期，也就是说，到 2000 年，这些国家能源的顶梁柱将全部或者基本进入开采能力逐步下降的衰老期。铁、铝、锌等矿生产能力将分别消失 10%～40%，大部分有色金属矿山开始枯竭。

资源关乎民族的存亡!

社会主义现代化经济的飞速发展决定了国民经济建设的巨大体量，需要依靠大量资源给予“输血”。谁想停止或者减少一点这种“输血”，便等于置国家与民族于死地。

中国的资源开发事业已被挂载在飞速向前的列车上！

真是屋漏偏遭连阴雨，正当中国面临资源危机的时刻，一股巨大而野蛮的抢矿窃宝风席卷神州大地，从 20 世纪 80 年代中期开始一直延续至今，而且大有越刮越猛、燎原之势！

最初是那些零星、边角的小矿，有人用锄头与铁铲，这儿刨一块，那儿挖一勺，像轻风细雨，矿山无关痛痒；

后来是举足越过矿界线，有人开始肩驮担挑，出现了买卖交易，矿山开始不安，在它的脚边和四周，已是嘈杂的生意场；

再后来，是成千上万的队伍，开着汽车，打着显赫的招牌，漫山遍野地扑来，矿山陷入混乱和被动的退让，直至最后的失控。

开凿、采伐、抽吸！永无满足永无止境地开凿、采伐、抽吸！煤田、钨矿、铜山、汞窑……无数国家重点或非重点的矿产资源基地，都在承受着空前的蹂躏，处于存亡续绝的紧急关头！

于是，久负盛名的开滦惊呼：由于成百上千的小煤井与国家矿井争抢挖煤，大片有生煤田惨遭破坏；号称“世界锡都”的个旧告急：十几个省的民采队进入国营矿区，矿山已呈无政府状态，每天竟有价值数十万元的精锡砂被窃；素有“中国北极”的漠河泣诉：当年的清兵和外国侵略者都没有这么狠，用不了几年，富饶的金矿区将变成一堆废墟……

于是，多少年来雄赳赳、气昂昂地鼎立在神州大地之上，支持着社会主义建设宏伟大厦，启动着人民共和国历史车轮前进的成百成千的国营矿山，似乎在一夜之间出现了全面的崩溃。一份份停产的报告、告急的电文，如同雪片般飞向地矿部、冶金部、煤炭部、石油部、民政部、国务院、人大常委会、中共中央……

每一位珍惜人类资源，珍惜人类生存环境的有血性的中华儿女，当他了解中国矿山的现状时，都会拍案而起，忧心如焚！

据国家矿产管理部门统计：我国 7000 余座国营矿山中，处在被窃、被抢、被占领而造成停产、瘫痪或半瘫痪状态的达半数以上！其中，陷入“水深火热”的热点矿就有 100 多个！

何谓“热点”？可举云南的兰坪铅锌为一例。此矿国家耗资数千万元勘察费，查明了 1400 万吨的储量。这一震惊世界的铅锌大矿正处于筹建阶段，却被人乱采乱挖，在短短几年内，耗费了 500 余万吨高品位的富矿石，留下的是一片百孔千疮，面目全非的荒丘……

苍天，这是怎么啦？难道一心想着发家致富的中国庶民们都疯了，变得连自已最基本的生存条件都不要了？

第一章　走入野性谷

湘西的土匪之多，是中外闻名的。原因只有一个字：穷！穷者则为窃，窃者则为盗，盗者则为匪。

“今天的湘西，又有人在当土匪呢！”在长沙时，有位湖南籍朋友这样对我说。

“现在还有当土匪的？”我睁大了眼睛问。

“这有什么奇怪的？”他说得轻松，就像人们谈论今天广州和上海有“小姐”一样，“开放了，别人都富起来了，现在湘西也通上了火车，一些老百姓家里也有了电视。他们懂得了人不该总贫困。城里人能住洋房、出国……我们也是人，为啥不去住洋房、出国？他们的头脑在开化，观念在改变。他们是新一代的湘西人，有文化、有知识、有头脑。他们没有离开那块祖先留给他们的穷乡僻壤，他们的血管里流着前辈贪欲与野性的血液，他们开始穷则思变。于是，便有良民变成了‘土匪’，有了20世纪末的新‘土匪’……”

为了探究湘西的今天，我不止一次地进行了漫长而又冒险的跋涉。

枯井沟里的“阿里巴巴”

枯井沟村——一个在我记忆里熟悉的村庄。这里是个“滴水贵如油”的穷山乡。方圆十几里没有一条溪流，百姓喝的是老天下雨淤积的泥塘水。天一旱，乡亲们只得翻山越岭到几十里外的地方去担水。民国元年，村上有位出外当了洋学生的人回庄后，左看风水，右看地形，接二连三打了几口井，结果皆不见“龙王爷”出现。后来，又有几帮人卖儿卖女，积攒了些钱在村边和山上掘了无数口井，可口口皆枯，枯井沟永远是贫困村，从 1949 年以来，年年吃国家救济。1979 年，为了帮助枯井沟的老乡解决千年之愁，我当时所在的部队决心在这一带为群众寻找地下水源，这里是个岩溶干旱区，经过几位水文地质工程师的普查探测，我们得出结论：枯井沟一带是有地下水的。部队费了很大的劲，走了一个又一个千年古洞，也始终没有找到地下水。最后，从地形上分析和老乡提供的资料，认为应该还有一个溶洞，结果发现这个溶洞的洞口就在我们所住的村民墨西家后边。第二天，当我们正准备向最后一个洞穴探险进军时，没想到墨西死活不让我们进去。他怒气冲冲地站在洞口说：“我决不让你们进去。这是我祖先发现的洞，决不允许你们冲撞我祖先的神灵。”

这真是怪透了！叫大队干部来劝说也没用，我们只好停止了行动。晚上，墨西把我们几个人的行装从屋里全扔了出来，他是要赶我们走！

枯井沟的老乡含着眼泪送我们走，而我们则带着遗憾和惆怅离开了这个村。

想不到 20 年后的今天，我接受地矿部委派，调查群众采矿风潮的第一个采访对象，竟然又是枯井沟！

去枯井沟，从古丈下火车后，还得走三天。在摇摇摆摆的手扶拖拉机上，我一边望着两边耸入云端的大山，一边想着进村后是否还是锣鼓喧天的“欢迎解放军同志进村”的热烈场面以及大队支书热情得发烫的贺词。当然，最想的还是墨西，他是否还那样壮实，还死守着那个“神洞”？

“嘟嘟！——”拖拉机的急刹车突然打断了我的思路。“到了，下车吧！”车把式对我说。果真，眼前就是我熟悉而陌生的小山村！

"交钱吧！"

"多少？"

"150块。"

"什么，才二十几里路就要150块？"我对这位车老板如此黑的价大为惊讶！

车老板黑着脸，显然很不满意，轻蔑地瞥了我一眼，说："看你没带什么家什，我开的还是便宜价呢！快拿钱吧！不然，就把你手里的皮箱留下也行。"他看着我，露出一丝山民特有的狡黠的笑容。

我简直把肺都快气炸了！可想想要不给，又有什么办法？瞧对方那个虎视眈眈的神色和壮实得能同东北虎比高低的块头，我自知不是他的对手。

"给，把我这半个月的差旅费全给你！"我气呼呼地打开皮包，把三张面值50元的新票扔给了他后，转身朝村里走去。

"哟哟，同志，慢点走！——"他又在后面叫住我。

"怎么，还不够！"我真火了，把皮箱往地上一放，意思是说：干脆你把这东西一起拿走算了。反正里面除了一台旧相机和几件换洗的衣服，几本稿纸之外，没有什么值钱的货！

"同志，别误会，我、我不是这个意思。"车老板一改方才那副生意人的面孔，笑着对我说："你是作家吧？"

我点点头，心想：怎么，对作家就可以多敲竹杠？

"真对不起、对不起，这钱你收回吧！算我顺了你一段路。"他把三张新票还给了我。他不好意思地说："我还以为您是来收货的大老板呢！所以……"

大老板？收货？我听不懂他的话。

"您没听说？哈，咱枯井沟如今是发啦！山内山外，就是连省城的人都往咱这儿跑呢！"车老板越说越来劲："这开春季节还算是闲的呢！一到六七月份，像你这样的外乡人，我每天大概要拉上三四十个。”

“他们是什么人？来这儿干啥？”我好奇地问。

车老板眼睁得溜圆，然后哈哈大笑起来：“怎么，像你们这样的作家都不知道！他们呀，全是到这儿收货的大老板！”

“收什么货？这儿真发现了金子？”虽然在长沙时，省地矿局的同志对我介绍过枯井沟，可我一直不相信这个滴水难找的穷山村怎么可能成为“宝葫芦”。

“那还有假！”车老板得意地说。

“这么说，你和你们村全成万元户了？”我禁不住高兴起来。

车老板眼睛眯着，直摇头：“万元户算个 ×！”

我一乐，想将他一军：“这么说，你是个10万元户！”

他笑笑，顿了一会，说：“这么讲吧，那些外地来收货的阔佬爷们到咱这儿走一趟，一般都在这个数以上。”山民自有山民的狡黠，他把我要得到的回答巧妙地搁到了一边。

“5000！”

他摇摇头，说：“乘10倍！”

我伸了伸舌头。

“你想，他们来一趟捡那么多，进山乘我一趟车，掏个三四百元算个 ×！”

好小子，难怪他收我这么多路费还说少呢！他把我当成了走私黄金的大亨了。可惜他不知道那150元几乎是我半个月工资呢！钱还在我手里。我想了想，说：“虽然我不是大老板，但总归是搭了你的车，多少你得收点！”

“得得得！留着你给老婆孩子买米买油吧……”这小子还贼油。

“喂，朋友，你给我好好说说村里的情况，墨西他还在吗？”我迫不及待地想了解枯井沟的今天和我以前所认识的人。

“喔——对不起，对不起，我可没那闲工夫，你们这些玩墨水的，一聊就没个完，而咱枯井沟这几年的事又非一两个小时能说完的！”小伙子推得干脆。他看我犯难，便说：“这样吧，到我家先歇歇脚，我老爷子在家，你跟他聊准行，反正，他整天歇在家里没事。”

这倒是个好主意，我满怀信心地跟着他来到村头一栋新盖的木阁楼。小伙子把我领进他的客堂。嗬，里面的陈设着实让我吃了一惊。木壁和顶板全都贴着高级墙布，地板上铺着大红地毯。我一摸，是正牌的内蒙古货。一组组合式家具，虽样子有点土，但用料却是城里的组合柜绝对不能相比的。此外，什么电视机、冰箱、空调、组合音响……应有尽有。

“阿爹，您下来一下，这位北京来的作家想跟您老聊聊。”他走出房门，朝阁楼上喊道。

半晌，上面才传来一个瓮声瓮气的声音：“管不了那么多，你看着办吧！”

小伙子朝我摇摇头：“没法，打那年村里出现淘金发财热后，老爷子气得把党支书也辞了，一直待在家里不出门。他看不惯大伙，也看不惯他的儿子。”

“你爹就是老支书？”我忙叫小伙子带我上楼，想听听当了30年村支书的他是怎样看待枯井沟的今天的。

走上阁楼，只见老支书老多了，可他依然穿着我11年前见过的那身装束：一身青布衫，一个旱烟袋，头上戴着一顶草绿色军帽——只是颜色已经变得发白（我记得这帽子是他跟我们连长特意要的）。他仰躺在床上，裹着一条黑乎乎的被子，床头是一幅毛主席的正面画像，旁边贴着一张红纸，上面写着“艰苦奋斗，勤俭建国”八个大字……

“老支书，还记得那年有队解放军进村帮助打井的事儿吗？”

我上前问道。

老人抬了下眼皮，定神把我好好端详了一会儿，眼里顿时闪出一缕光泽，但即刻又阴沉下去。他是想起了20年前的事，也似乎对我有些眼熟。

“老支书，枯井沟比以前富多了，可我感到富得不太对劲呀！你能给我说说这几年的事吗？还有村西头的那个墨西，他还把着那个神洞不放吗？”

老人一听我这话，似乎一下找到了知音，激动得哆嗦起来。“……枯井村的事，我心里的话已经憋了好几年了，可……可就是没人听我的呀！呜呜……”他竟然失声痛哭起来。那副瘦得只剩下骨头架子的肩膀剧烈地颤动着。那哭声，仿佛让我感到悲天怆地一般……

许久，他才抬起头，断断续续地对我说：“那年，也不知刮的什么风，村里的年轻人都背起铺盖往外跑，去广州、深圳的都有，出去几个月，回来时不仅大包小包带着，而且带回来了满脑壳的钱钱钱。村上王贵的儿子小三，过去穿着老爷子的衣服，到深圳的香港老板那里干了一年，回来时两只手上都戴着金疙瘩，逢人就夸耀，多少钱多少钱一克。也不知咋的，向来不合伙的墨西一听这事格外起劲，他缠着小三带他到深圳去。墨西到深圳后一不找活干，二不与小三子合群，独自一个人经常到外国人住的地方转悠。没几天，墨西脸上像挂了彩似地回来了。大伙猜测他一定发了大财，可又不知道他用啥法发的。半年里，他来回二三十趟，也不知搞的什么名堂。这年是个大旱年，大伙过年时连一餐饱饭都吃不上，老老少少围着大队办公室，非要让我们同意把队里的3头黄牛给宰了填肚。这时辰，墨西来了，他打开一个布兜，对大伙儿说：‘拿去吧，过个好年。’大伙儿一看，天！全是一沓沓10元的新票子！大伙哄地一下抢开了，差不多每人都能得三四张，那情景，就像外国有个啥子电影，对，叫阿里巴巴！咱墨西那时就像个阿里巴巴！墨西有钱这山里山外的人都知道。俗话说财大必招祸。那年腊月的十七还是十八,一群外乡人蒙着脸，带着家伙乘黑夜冲进了墨西的家。他们以为墨西在床上睡觉，便举起大刀向床上乱砍。后来发现墨西根本不在家里，这几个蒙面人便开始翻箱倒柜，结果啥都没有找到。正在这个时候，在外面放风的那个人见墨西从屋后的山崖草丛里突然钻出来。放风的赶忙躲在一边。墨西不知他家里的每个角落里都有几双眼睛正盯着他。但是他精明得很，当他点亮蜡烛瞅见屋里的东西跟以前摆的位置不一样了，便马上觉察有人。他鬼得很，顺手从口袋里掏出一样东西放在桌子上，独自出了门，直往村外走。这屋里几个人见墨西放在桌子上的东西闪闪发光，觉得好奇，上前划亮火柴一看，原来是几块金疙瘩！蒙面人一看这宝贝，大打出手。第二天，这事就在村里传开来，墨西的秘密也让外人知道了。后来，乡里的干部找到墨西，问他金子是哪儿来的……”

“墨西是怎么说的？”我问。

“你还记得解放军帮我们找水，想进墨西后宅的那个山洞吗？”老人反问道。

“记得。”

“啥子神洞，原来是个‘宝窟’！”老人瞪大了眼睛告诉我，这个洞里不仅有地下水而且还有金矿。

“这下好了，枯井沟再不愁穷了！”我高兴地说。

听了这话，老人脸上刚刚露出的光彩又熄了下去。“穷倒是不愁了，可后面的事让人更愁！”

“怎么讲？”

“就在我和几个老哥跑进洞后为找到‘龙王爷’高兴得快要昏过去的时候，一帮小年轻却在一边大打出手。你猜为啥子，原来他们找到了墨西发财的宝窟！就在那条地下河的旁边，有一条很长很长的沙沟，从这条沙沟抓一把沙子就能捏出黄豆那么大的金疙瘩来。村里人这下可闹翻了天，抢啊，打啊，折腾了整整一天！到太阳落山时，已有四个人的胳膊、脚被打断、砸伤，可受伤的人还在没命地同那些强壮有力的人拼抢。这枯井沟发现了金宝窟的消息不知是谁传出去的，第二天，墨西家的这个神洞内外足足聚了上千人。大伙儿个个像发了疯，连十几年不起床的80多岁老爷子也拄着拐棍来挖金。也不知是触怒了地宝爷咋的，这天中午，洞内突然一声巨响，随后石头像雨点似地朝挖金人的脑袋砸来。人们不顾一切地往洞外跑，可洞口小，人多拥挤，那些跑得慢，或者还想多挖一些金疙瘩的全都被埋在了石头底下……”

听到这儿，我的心仿佛一下被针钩了起来。“死了多少人？”

“后来点了点，我们枯井沟死了6人，外村的5个，伤的就更多了……”老人从枕头底下掏出一张照片，那上面是一对年轻夫妇和一个孩子。老人指着照片说：“我的小儿子是6个人中的一个。他死后，儿媳妇带着我的小孙子改嫁到了隔县的石门那边。小儿子贪财命里注定，可我想孙儿呀……”

我这时才明白方才老人为什么那样悲怆，他以前可不是这样的。那年我们进村，队里人都说，老支书的骨头跟大山一样硬。而如今……我不由同情起来。

“大叔，那个墨西现在在哪儿？”

老人摇摇头：“那晚他遇到蒙面人出走后，再也没回过枯井沟。后来有人说他在深圳走私黄金疙瘩时，被黑道上的人打断了一条腿，成了疯子。如今是死是活没人知道……”

20年前，墨西这个人就烙在了我的记忆中，如今，这个“中国阿里巴巴”更让我发生兴趣。我非常想了解他从落后的山沟走向现代化城市过程中所经历的金钱梦。我费了好大劲，后来才在深圳公安部门主管的一家精神病医院找到了他。可惜，只仅仅是一张他的病历，一张写得特别的死亡记录：

墨西，男，约32岁。自称湖南湘西人。1984年因走私黄金被人用铁锤重击右腿致残，抢光身上所带大批钱财，故受精神刺激患疯癫痴呆精神病。经三个多月治疗，稍有好转。同年10月15日早，护理人员发现患者卧地不起，已死亡三小时左右。患者鼻腔、口腔内全部是堵塞的泥土。经现场察看，为患者自身行为所致。死亡当日送火葬场火化……

啊，可怜的“中国阿里巴巴”！

湘西的每一座山、每一条路，越走越令我感到神秘。这不仅仅是怀旧和好奇，因为墨西的昨天和今天，使我陷入了一种深深的思索和忧虑。我决定继续往前走……

龙山的黑道英雄们

不知是那部《乌龙山剿匪记》电视剧的缘故，还是龙山那儿的群山本身就具有诱惑力，总之，我喜欢这儿。那山、那高入云霄的山，那苍绿遮着蓝天的山，确实有股令大都市的来客为之倾倒的魅力。龙山给人们印象最深的还是那些怪石奇峰的峻、险、神、奇。一座山，足够组成一个迷宫，组成一个世界。

龙山的风光美。

美，常常与丑恶连在一起，不知是谁这样说过。

我踏入龙山后，听说这里出现了许多因穷困潦倒而参与偷矿抢矿，由良民变成“土匪”的人。于是，我提心吊胆开始了一段不平常的闯荡……

进山的路是条土公路。据说，山里有个新开的大矿，土公路是因此而修建的。公路两边是遮天蔽日的大山，我抬腕看了下表，才下午4点多一点，可天色已暮。好在公路上有接二连三的马队和拖拉机、大解放、大挂斗等各种运输车辆，因而我并不感到害怕。

我走着走着，慢慢发现公路上的车辆蓦地少了，偶尔出现一两辆大车，也开得特别快，并且上面都有持枪的人押着。这让我感到既紧张又兴奋，大概已到了“土匪”的地盘，或者是到他们出山活动的时辰了。说实话，在这陌生的深山里，孤身只影，我的胆是颤着的。我一路走着，满脑子想着绿林小说里的那种主人公走进深山老林，突然从天而降杀出一群土匪强盗，然后将他劫持到一个不知去向之处，断骨碎尸于荒野的场面。过去我自己也曾经写过这类的小说情节，没想到眼下倒是真的身临其境了。

生活比小说更奇特。拐过一个大弯，突然，前面的一个山坳里亮起了一团篝火，那篝火四周隐约可见不少人影。过一会，传来一阵参差不齐而又疯狂的歌声，细细听去，却是一首熟悉的歌：

……阿里！阿里巴巴，
阿里巴巴是个快乐的青年。
芝麻开门！芝麻开门！
哎！哎！哎！

别是山野酒吧？我不由提起精神大步走去。

“喔——”还没等我反应过来，只见公路的两旁闪出几个黑影，动作极其神速地用什么东西将我双眼蒙住，然后连推带搡地将我推下公路。

双脚一高一低地被动地迈着，我感觉到是走在一条杂草丛生的山道上。

“放开我，我抗议你们无故抓人！”不知他们是从什么地方抓来一条旧毛巾蒙在我的眼上，我喘着气，直感到恶心。

“× 的，叫唤么子？老子让你抗议哟！”有人恶狠狠地往我嘴里塞了块硬邦邦的东西，恶心得我差点吐了出来。这帮家伙大概拾了块擦脚布什么的塞在我嘴里了。

“六爷，抓来一个溜子！看样子是外地来的！”

“刮了？”只听一个瓮声瓮气的声音问道，无疑他就是六爷。

“没呢！”

我感觉有人走到我的眼前，大概是在打量我，几秒钟之后，突然，六爷瓮声瓮气地命令道：“刮！”

顿时，有无数只手在我的身上搜开了。

“一个三路货，连抽的烟都不是带把的！”搜身停止了，那些似乎第一次碰到这样晦气的手，报复似的给了我几拳。

“把他的包打开！”

我的包里除了几件换洗衣服和一台旧照相机，就是两三百块差旅费。

“么子油水？还不到半叠！”这句话我懂，意思是说还不够半千。

有人在拨弄照相机。“会不会是老公？”

“嗯？！”我口中的布猛地被抽掉。“说，你是什么人？”

盘问开始了。我思忖片刻，回答：“我是记者！”

“积善？哈哈，头回听说老爷们还有这份善心！”

“瞎放 × 个屁！”那个六爷显然在生他那无知到极点的部下的气。后面的话却是对我所说：“既然是当记者的，不待在城里吃东拿西的，来这儿干么子？”

“你们这儿不是也很好嘛，许多人靠山吃山，大发横财？”我说。

“说话别带弯，谁发横财了？你小子是不是觉得老子是两腿踩着国营矿山，双手尽往家里搬金财宝的那号人？”一把冰凉的刀搁在我的脖子上。

沉默。

“六爷！山上的运输车下来了，动不动手？”正在这时分，有人气喘吁吁地进来报告。

“几辆车？”

六爷瓮声瓮气地问。

“三辆车。”

“前后有没有跟帮的？”

“没有。”

“六爷，下令吧，好几天没得手了，弟兄们的裤腰带都松下来了。”

“对，三车矿石够我们吃一阵子的！下令吧！”

“好吧。不过，敢在这个时候出山的车都有家伙，大伙得小心点！”六爷终于开口了。他的话音刚落，只听众人一边动作起来，一边说着：“不怕，我们的家伙也不是吃素的！”他们也有武器。

“六爷，这人怎么办？”一个家伙搡着我问。

“把他带到洞内，让老孙头看着，回头再处理。”六爷说。

劫车的队伍吵嚷着走了。两个人押着我七绕八绕地走了一段，然后进了一个黑乎乎臭烘烘的山洞。

“老孙头，有个人，是外地的，六爷让你看着。我们去拿活了！”两人说完便出了洞。

“喔……咳咳咳……”一串并不很响的咳嗽声，在洞内却如打雷一般地回荡着。“你把蒙眼的布摘了，怪闷的，咳咳咳……”这人大概就是老孙头吧？

我庆幸碰到了一个好人，因为我能自由了。不过，当我摘下眼上的黑布时，却发现自己多么天真，那个躺在一堆干草上的骨瘦如柴的人手里持着一支土枪，正虎视眈眈地盯着我。

“打哪儿来的？干什么的？”他说话有气无力，口气却像法官。

我没有回答他。心想，跟你们这些蛮不讲理的人有什么好说的。洞很大，只有几盏松子油灯在忽闪着，使人感觉阴森森的，地下有许多类似老孙头躺的干草“床”，看样子这是一个“匪”窝。

“不会是哑巴聋子吧？或、或者咳咳……咳咳……几天没有吃饭？”

我真不愿听这令人作呕的咳嗽。“北京来的，当记者的！”我说。

“啊——你，你是当记者的！”不想老孙头那张死人一般毫无表情的脸蓦然露出一丝兴奋的光芒，随后颇埋怨地说：“唉，老六他们搞么子名堂，不该咳咳……咳咳咳……不该抓你呀！你，你快走吧，他们要是拿不着的话，回来就要拿你出气的。走，走吧！”

半途遇难的我，万没想到到“匪”窝后竟会是这个结局！老孙头越让我快走，我倒越不想走了。我感激而又关切地说：“谢谢你了。我看你病得不轻，大概呼吸道有毛病，得上医院看看，住在洞里又湿又潮，空气又不好，会加重病情的！”

老人收起土枪，苦笑着摇摇头：“山里人，有点病熬一熬就过去了。再说哪来那么多钱上大医院！”

“干你们这一行的不是很……活泛吗？”

“唉，一朝和尚一朝经，朝朝和尚都有难念的经。你不知道啊！”

又一个没想到！都说强盗土匪拉出的都是金豆子，他们就这么可怜？“既然这样，为什么不下山回家好好种地，或者搞点家庭副业，走正儿八经的致富路，干吗要当让人憎恨的——土匪？”

“什么，你也骂我们是土匪？看我咳咳……咳咳……”老孙头重新拿起土枪，欲支撑起来与我拼命，可他怎么也没起得来。“哎，土匪、土匪！可这是谁作的孽？！解放前那阵子，咱这儿十有八九的汉子出家成匪，我没去。没想到，四十年后的今天，我却……呜呜……”

又一个没想到！许久，我才问他："大爷，你刚才的话真让我不懂。为什么解放前你都没有当土匪，可今天你却？……"

老人用干枯的双手像孩子似的抹着泪，说："好后生，其实，我还不到你叫大爷的年龄呢。我满打满算才 55 岁。可你瞅我这样足有七老八十了吧？唉，说句心里话，谁愿干这种造孽的事？可我们心里有气，有气呀！"

看着他那样，我忙蹲下身给他后背垫上一件棉衣。"你能给我说说吗？我该称呼你'大伯'才对吧？"

"说来话长，不过，讲给你们记者听听兴许有点用！"他长叹了一声，说："有几年光景了。上面号召大伙发家致富，咱这儿除了山还是山，种粮没水，有木材可运不出去，日子还是那样紧巴巴的。那年不知是哪个龟孙想出个馊主意，说咱后山就是个聚宝盆，干啥不去呀！村上的人一听就来了瘾，一两天里，全村男男女女都往后山跑了。我就没去。"

"你为什么不去呢？"

"我能去吗？那是国家开的矿！"老人瞪了我一眼，接着说："也不知是为什么，好像矿上没人管似的。咱村上左邻右舍的人大筐大车地往家里背那些宝贝疙瘩，后来就有外乡人来收购，一车石头就能换干半年地里活的收入。这下更了不得了，村上的村干部带头，说要致富就上山。不到半年，好端端的一个国家开的矿山就被糟蹋得不像样。咳……咳咳……那天我上山，碰上了 1956 年与我一起上省开劳模会的矿长。这老哥一见我就扑通跪在地上朝我哭嚎道：'老哥，你村上的人据国营矿为私有，还有没有点王法了？'我出来就管了一下，他们就把我和老伴打成这个样。"他说着，扒开衣服，那背上、腿上尽是让人用藤鞭抽的血印！"丢脸，咱村上的人丢脸呀！我找村干部和村支书说话，没想到这些黑了心的人骂我是吃里爬外，还停发了我的五保户生活费。打那起，我没法儿拦阻他们，又看着这些靠偷抢国家矿石发大财的生气，就有事没事地找他们茬。今天把这辆运输车放掉气，明儿把那辆马车的轴弄坏。心想：你们坑国家，我就不让你们那么痛痛快快。后来，山上又下来人跟我们合伙干，每天趁天黑就堵在公路上，专门截山上下来的运输车和那些外地来的矿贩子……时间长了，慢慢地心狠了。这不，连你也没放过。可你不能怪罪他们，他们原来都是些好人。就说老六吧，他原跟着村干部干活，可村干部当上矿主发了大财后，不但一脚把他给踢了，而且还把他的婆娘也霸占了。老六没活路，就提着刀把那村干部给劈了条胳膊，后来便领着那些被山上的黑心矿主赶下来的人，专干这黑道上的事……”

中国自古有“逼贫为匪”之说，想不到20世纪80年代的中国竟然也有这类事。于是，我说：“干黑道是违法的事，就不怕政府来抓你们？”

“他抓得过来吗？再说，咱在暗处，他们在明处，还不是山高皇帝远！”对此，老孙头很乐观。

“不管怎么说，新中国成立三四十年了，再干烧、杀、抢之类的事是不光彩的。再说，你成天钻山洞睡草窝也不是个事呀！”我好心规劝他。

不想老孙头反倒慷慨激昂起来：“真是倒八辈子霉！你说谁愿意受这份罪，抹一脸黑！可人们只知道咒咱偷抢是不光彩、断子绝孙的事，而他们那些明目张胆到国家开的矿上大抢大偷，反倒是响应党的号召，发家致富，能上报，当劳模！哼！老孙头我打五几年就当劳模，可没见过这些坑国害民的人也能当个劳模！咳咳……咳咳……你们骂我们是土匪，不该干这些作孽的事，可他们呢？要我说，他们才是真正的土匪，大土匪，断子绝孙的土匪！咳咳……咳咳……你，你上山去看看，看看那儿，你就会明白我的话没错。我还要告诉你，只要那些丧天良的人不从山上撤下，我就当一辈子土匪！专门抢他们装矿的汽车、马车！哈哈……咳咳！……”

山洞在震荡，在旋转……

老孙头的话强烈震撼着我的心。是啊，这个世界上谁是真正的土匪，谁是真正毁坏矿山、造成民族生存危机的罪人？

良民——“土匪”，“土匪”——良民，在当代中国，真正对号入座者该用何种经纬？

我的心飞向了矿山——

第二章　矿山大割据

封建土壤上所产生的国家的一大特征便是割据。中华民族忍受割据之苦已太久太深。

新中国成立后，中国共产党曾有效地控制和防止了封建的割据分裂现象在中国大地的复活。然而，中华民族长期形成的病根，并不能一下铲除。当稍有一点湿润的气候时，那种潜藏在民族肌体里的据他物为己有的欲念就会迅速膨胀起来，并形成一股势不可挡的洪水猛兽。

我以为，全民性的抢矿窃宝风中所表露的多种民族心理，不仅仅是一种平均主义思潮的泛滥，而是一种根深蒂固的封建割据潜在意识在人们心灵深处的复苏。

没有"独吾天下为王"的割据意识，抢矿窃宝风就不可能达到一种"无法无天"的疯狂程度。当我们巡视众多矿山发生的一幕幕触目惊心的事件时，结论便将十分清楚。

非法变合法——香花岭锡矿解体记

在湘南大地，躺着一座宝山——湖南香花岭锡矿山，它曾以锡的矿量之富、产量之高、质量之优而享誉全球。

——它的锡产品，畅销国内外，取得同类矿产中为数不多的免检信誉；

——它的锡矿标本，陈列于许多国家和地区博物馆。

——它出产的香花岭石，世上独一无二，堪称"东方绝宝"。

从新中国的工业机器正常运转之日起，香花岭锡矿便以其丰富的矿源底子，雄居全国有数的几个国营大矿山之列。它虽在地方，却直属中央、省委领导。虽只有几公顷面积，却是一个固若金汤的独立王国，四周的高墙、铁网，象征着社会主义国库不可侵犯。在20世纪50年代至70年代，这里的一个普通矿工可以同公社书记平起平坐，一个矿长远比县长气派。那时矿山附近的农民兄弟们，即使被“老大哥”硬拉硬请到矿上待一会，也会激动三天。

全民所有制一统天下的时代，吃皇粮者自高一等。但是，进入20世纪80年代，这种形势发生了变化。这种变化的契机便是农民们对土地所有的重新认识。承包土地，包产到户，几千年来渴望土地使用自主权的日子终于到来了。他们拍手拥护中国共产党的第十一届三中全会。

“哎，听说香花岭上的一块石头就能换一只母鸡的钱，我们去挖几筐怎么样？”一天，农闲在山坡上放牧的临武县农民刘某对一同上山的邻居李某说。

“怎么，你想挖社会主义墙脚？当心高墙把你的脊背骨压扁了！”李某大眼瞪小眼地回答他一起长大的伙伴。

“得啦，什么墙脚不墙脚，我爷爷的爷爷就生长在这块土地上，凭什么让这些吃官粮的人占据我们的宝山？”刘某虽比李某大几岁，但因为家境穷，连小学三年级都没上完就辍学了，如今早已够个扫盲对象了。他望着高墙和铁网里那些与他年龄相仿的人个个都穿得好，吃得饱，打心眼里恨之入骨。刘某指着那一片片虽然属于矿区却从来没有人管理的荒山坡，说：“反正荒着也是荒着，走，咱们试试能不能挖到那种宝贝疙瘩！”

李某被刘某连拉带拖地来到了矿山边缘的一处荒地上。俩人藏在草丛里，提心吊胆地操起铁铲，像蚂蚁啃骨头似地半天才挖出几块石头疙瘩来。怕被矿上的人看到，他俩一直等到太阳落下后才把石头装进筐，悄悄下了山。

“快起来！快起来！”第二天，习惯睡懒觉的李某还未从被窝里醒过来，刘某就来到了他的家，并且从口袋里取出三张“大团结”在李某面前晃动着，然后诡秘地说：“告诉你，今天一早，我将昨天从山上背回来的那几块石头往城里的矿产品收购站一背，卖了这个价！”

“几块石疙瘩就卖了这么多呀！”李某多少有点怀疑。第二天，他也把自己扔在墙角的几块石头背到城里一卖，果真不假。收购站的人还特意问他：“这么好的锡精矿石哪儿捡的？”

李某自然没有公开这个秘密。他比刘某多喝几年墨水，多少知道点处世的哲学。如今事情已证实，那山上的石头可以变钱，而且是变成大钱时，他的那颗“正统”的心开始颤抖了。这一夜，他怎么也睡不着。

第二天一早，刘某还没有醒，李某倒迫不及待地上刘某家催他上山“挖石头”去。乡里乡亲的，消息哪包得住？刘某、李某上山采石发财的事，一传十,十传百，没几天，香花岭四周的百姓全都知道了。这时又正逢农闲，便有成百上千的人来到香花岭矿山的四周边缘地带挖矿采石。那时，农民们使用的是最原始的工具，而且不少人是凑热闹来的。直到几天后，大伙挖出的石头都换成了能买鱼肉能给老婆孩子买新衣的票子时，才真的动心了。

“让他们去挖吧，不就是边角的一点点零星矿石嘛！”有人向锡矿山当时的领导反映情况时，矿长颇不以为然。心想：农民嘛，就是想占点小便宜，成不了什么大气候！当时，不仅是堂堂专区级矿长，就是普通矿工也对此不屑一顾。一位工程师下班见几个浑身汗水淋淋的农民，连半块矿石都没采到，垂头丧气地躺在草丛里抽闷烟，便走过去给这几个人指点道：“找锡矿可不能像拾牛粪似地满坡跑，这得要学老鼠的样，会钻洞才行！”

对，老鼠挖洞！即使是智力最低下者，一经醒悟，便会变得百倍聪明。于是，锡矿山的四周开始了空前的“挖洞”大战。

地穴深处没有铁网，没有界标，有的是越来越厚的锡矿石。乡亲们完全忘记了前面是神圣不可侵犯的国营“王国”。他们看到的是一张张飞舞的“大团结”。没有什么能比金钱更能勾起贫穷者的渴求心理。那些边角的零星的矿石不再是他们所能满足的了，他们开始抬起腿，迈进铁网之内。他们终于伸手去摸“老大哥”的后背了……

同和乡某村这年有 17 户上山挖矿致富了；

坳上乡某村这年有 48 人上山挖矿，人人都成了万元户，最多一人年收入高达 5 万元；

黄沙坪乡这年组织了 3 个采矿队，为集体创 50 万元收入；

香花乡某村有 17 户致富户，被乡政府挂上了大红花；

华塘镇有 48 户万元户，被树为“标兵”“榜样”。

奖励、表彰、宣传……如同给飞轮擦润滑油，“采矿致富”——成了家喻户晓人人皆知的事。第二年春播刚刚结束，临武、郴县、宜章、桂阳等地的农民，丢掉锄头，换上铁锹，扛起铺盖，不约而同地如潮水般地拥向香花岭矿区，而且比潮水来得更凶猛和迅速。

还在议论穿喇叭裤怎样好看，听邓丽君歌曲怎样入迷的锡矿山上的工人“老大哥”们，这才开始感到情况有些不妙。“喂，你们为什么到矿区来挖矿？”“这里是国营矿山，擅自挖矿是违法的！快走吧！”“老大哥”们认为一两句话就能把“农民兄弟”哄走了。但在事实面前，他们终于意识到了自己的威信已大不如前了。“农民兄弟”们根本不搭理他们，照样凿自己的洞，挖自己的矿。

一份份《呼吁采取措施刹住农民进入国营矿区采矿的报告》，送到了省政府、冶金部、国务院。上级很快有了回复：必须制止，违者重罚。

公安局、派出所如秋风扫落叶似地将近千名个体采矿者赶出了国营矿区，但集体的则保留着。照顾关系，得留给地方一些利益——锡矿山第一次做出了让步。

好，你让我进。国营和集体，同属国家所有，我们采矿不犯法。上！某县天南公社成为香花岭上第一个“吃螃蟹”的和敢于向国营矿山挑战的先锋。一夜间，他们成立了10个采矿队，凿了10条隧道，并且个个采矿队都是清一色的“基干民兵连”，条条隧道都像一把尖刀伸向国营富矿区。

锡矿山吃紧了，专员级的矿长亲自下山请公社书记、主任“研究研究”。

“哎呀，我的大矿长，咱们几个土包子能啃得动你们的骨头吗？放心好了，放心好了！”口径统一，友善而又毫不含糊。

话不投机，矿长甩袖离席。回到办公室，一个电话打到郴州地委、临武县委。

天南公社这下吃亏匪浅。地区冶金局、临武县委和香花岭锡矿达成的协议是让他们撤出矿山，并保证“今后不得重新在600米标高以下开矿”。高压之下，公社被迫与矿山签订“天南公社北山坑道移交书”，损失惨重。天南公社的干部们回去后为此骂了一天娘。不行，不能这么便宜了他们。凭什么他们花了国家的钱吃鱼吃肉，我们就守着金山挨饿呢？

1980年6月，天南公社召开三级干部会议做出“秘密决定”——重上香花岭！

当晚，就有一支“飞虎队”突击上山，揭开被封的窿口。第二天，后备军频频进山，并打下一口斜井，行将凿穿大矿301号地探天井。锡矿山矿长们大惊——一旦天井通风混乱，将造成不堪设想的后果，当即被迫停产。受到生命威胁的“老大哥”终于忍无可忍地拿起铁杆与木棒，“农民兄弟”也早有准备，一声铜锣响，近千名手持锄头与木棍的大伯、大嫂们拥上山头……双方怒目而视，一触即发。幸亏省、地工作组及时赶到现场，才避免了一场流血械斗。

7 月，郴州行政公署以行署名义召开调查座谈会，并以行署（1980）121 号文件给省政府打了吁请解决香花岭矿山纠纷的报告。10 月 24 日，孙国治省长亲自主持会议，有刘夫生、曹文举两位副省长和 20 多名省委、厅、局负责人及郴州行署专员参加，专门研究锡矿山问题。不知哪一部门贯彻不力，社办矿数量反而从 10 个增加到 33 个，采矿人数多达 2000 余人！孙国治省长听后大发雷霆——换谁都一样啊！

1982 年 8 月 5 日，省政府又一次召开省长办公会议，决定由副省长周政带头，组织省政府办公厅、省人大、经委、公安厅、检察院、煤炭厅、地矿局、冶金厅、乡镇企业局、郴州行署等组成联合调查组，一下就是 40 多天。如此威势，农民们哪见过？乖乖地卷起铺盖下了山，锡矿山的工人老大哥着实欢呼了一阵。

然而，好景不长。周政副省长他们走了没几个月，“冬眠”了一阵的农民“致富大军”又纷纷重新进入阵地，开始了更大规模的哄抢活动。他们心里非常清楚两个事实：一是省长们不可能长期待在这里，二是既然上面已经开始重视了，再不抓紧挖就晚了。于是“回马枪”比以前打得更激烈。当那些“小萝卜头”（下层干部）再来管他们时，他们根本不予理睬。郴县副县长周儒平上山向采矿者宣传省委关于禁止在香花岭锡矿山乱采乱挖的决定时，竟被打得头破血流。“谁敢再来啰嗦，下场一样！”采矿者气焰十分嚣张。

至此，民采与国营矿山进入相持阶段。大批集体和个体采矿者已经明目张胆地占领属于国营矿山的矿区。虽然双方有时发生冲突，但国营矿仍处优势地位。

1984年下半年开始，形势却发生了急剧变化，香花岭三大矿区61平方公里的面积内，已经全被来自附近的农民插足。临武县的19个乡镇、5个农林场绝大部分都在香花岭锡矿区内办了有色矿，而且出现了前所未有的县办矿。这就使锡矿山的抢矿风暴一下子升了级别，并发生了关键性的转折。1984年至1985年，香花岭矿山之一的香花岭矿区已有民采人员3000余人，在矿山标高480米以上的部位，有30多个坑道是村、乡、县办矿占领着；在矿山标高385米以下的位置，也被麦市等乡镇小矿拦腰截断，国营大矿被限制在385～480米标高，形成一个上有小矿盖顶，中有大矿采矿，下又有小矿掏底的立体采矿局面。富矿区罗卜冲地段，在不到1平方公里内总共有600多个窿口，上千农民挤在那儿争抢矿石。

“咱们也不是吃干饭的！走，讲理去！”国营矿工中那些血气方刚的小伙子们实在咽不下这股窝囊气，跑到农民的矿井想论三分理。可是，未等他们开口，对方却已拔刀相向，“哗”的一下将几名青年职工打得伤的伤，倒的倒，一名青工不仅嘴被撕破，双腿也被打成残废。这一来，国营矿山6000多名职工义愤填膺，集体罢工抗议。

几个乡县的农民采矿队见势不妙，赶紧从山上撤下。但是，国营矿山这次并没有占到什么便宜，他们发现一个正在建设之中的矿井损失约13万元，而更惨的是6000多人的生活用水及全矿生产用水的水源被四周的农民切断，全矿不得不停产4天，而且还得每天用4辆消防车到几十里外的地方运水，以供几千人生活所用。

国营矿山真正尝到了“得罪不起”的滋味了！

无奈，他们违心地做出了最痛心的一次让步：将南吉岭、癞子岭、铁砂坪、甘溪大桥北等地段划给县办、乡办小矿。至此，其划出的范围共计38平方公里，等于该矿自己的生产区的1.7倍！最令人痛心的是世界上唯一的宝石（1957年，地质部矿物原料研究所孟宪民等人发现的香花石）产地癞子岭也被弄得百孔千疮了。香花石仅储存于几十平方米的面积之中，而在60年代初，地矿部、冶金部、公安部及湖南省政府早已明文规定，将此列为国家一级保护范围。

“整个国营矿的老窝都给他们掘走了，还管啥国宝不国宝的！”职工们这样说。

该满足了吧！可再听听农民们怎么说的：“矿山本来就是我们的，凭什么说是他们让我们呢？”你认为你的软弱和让步可以换取他们的同情或宽容吗？你以为你的真诚和忍痛割爱可以赢得他们的感激与敬重吗？那就未免太天真了。农民兄弟们振振有词：土地属于我们！矿山当然也属于我们！——谁说他们没有文化，不懂理论？当他们一旦认为自己是对的时候，一切都将是固执的，不容分辩，毫不含糊。更何况，摆在他们面前的路非常清楚：占领矿山就等于致富，就等于有了老婆与子孙满堂，就等于五谷丰登，洋房小楼。而失去了矿山，就等于重新回到那面朝黄土、背朝天，一年挣不了几块臭汗钱的贫困世界。

傻瓜才愿意过苦日子！“固若金汤”的香花岭矿真正开始了解体！神圣不可侵犯的国营矿山的神话破灭了！

自1984年底开始，香花岭锡矿山完全失去了国营生产的独立形式。农民的采矿队伍也不再是单一的乡办、县办矿了，他们大部分都是以有钱有权有势的“矿主”来承包。这些“矿主”有的是原来的大队支书、村干部，或者是与区县某某头头有直接亲属关系的角色。这些人虽然连个行政24级干部都不是，但堂堂一个锡矿山矿长在他们面前说话时只能称“汇报汇报”。你以为你15级干部了不起吗？他只要叫上十来个人就把你搅得喊娘都来不及。

先说说用水吧。锡矿山上用的水，必经农民的地盘。你今天要是稍对我不客气，瞧着，明天我就让你兜着走。大暑天，我断你三天水，看你脖子还硬不硬？香花岭上万名职工家属生活起居在孤山上，别说断几天水，就是一个做饭时间，没有了水，看你愁不愁？住在香花岭矿区的职工，家家都有一个大水缸，就是为应付“水荒”。矿区原来有个游泳池。小伙子、姑娘们把它当作夏天矿上唯一能去的地方。可是，如今断水了。几个胆大的“疯丫头”穿着游泳衣走出围墙和铁门，跑到山底下的小溪河里戏水。好痛快呀！雪白的大腿、丰满的胸脯、“咯咯咯”的笑声……山上山下的上千名正在凿山挖矿的男人们，不由自主、不约而同地把目光朝小溪河这边聚过来。有人干脆将衣裤一脱，光溜溜地往小溪河里跳，姑娘们吓得差一点连宿舍都回不了！

再说用电。矿山用的电是从几十里外的发电厂通过高压线传输过来的，而各矿区的作业点与生产线上几乎没有哪处能离得开电。工人下坑道要照明，要有通风设施，要有机动运输线，有时一分钟的断电，都可能造成一场吓人的伤亡事故。这一天，一队采民在塘官铺工区将坑道挖到国营坑道的主平窿去了。工人们一见情况不妙，马上组织力量强行将民采坑道堵住。这下可惹火了“太上皇”。几个农民拿来一包炸药，也不打一个招呼，“轰隆”一声巨响，国营主平窿顿时变成了一个塌倒的鸡窝。好在那一天工人提前下班，没有在坑道底下，可是也没有能全部逃过这场厄运，人们发现两名值班工人像黑炭似地倒在了电线旁边——农民们炸断了一根6000伏的高压线……

“啥事干不出来？只要你不让我挖矿，我就让你不得安宁！”采民们的斗争哲学非常清楚而明了。

有一天，几个采民看中了国营坑道的一个富矿点。他们开始派人给坑道下的工人送去1000元钱，好让他们明目张胆地进坑道挖锡精矿。工人们不愿做违良心的事，不但把钱退了回去，而且每天不分日夜地派人把守坑口。采民们看对方不吃软的，就下决心用强攻来夺取坑道。第二天，他们见工人都下坑后，就抱来大捆干柴，又在柴上倒上药剂、辣椒、柴油等，划着火柴，用有毒的烟来熏在井下作业的工人。他们一边在井口使劲拉着风箱，一边大声喊着："快出来吧！再不出来，就让你们统统死在里头！哈哈哈……"工人们被迫从井下撤出，刚一撤，这些采民就"呼啦"一下占领了坑道。等你想再反过来找他们茬时，情况可就不是这个样了。1987年11月，工人夏德庆因为实在看不惯这种野蛮行为，白天与几位采民发生了一些争吵。傍晚他到工区电影院看电影，行至大门口时，突然从黑暗中窜出几条大汉，向夏德庆又是拳打脚踢，又是棍舞刀捅。夏德庆都没来得及哼一声，就倒在了血泊之中……这下好了，谁见了采民的不法行为还敢说三道四吗！"他们是拿工资吃皇粮的，你稍给点颜色看看，他们就甩手不管你了！"一位霸占了六条国营坑道的"矿主"得意地对我说。他讲得一点不错，一些工人们的心理是：你管得了吗？矿山反正是国家的，爱偷爱抢由他们去！老子一个月工资奖金不少就行了。

面对这些贪得无厌的抢矿窃宝者，除非你手中有千军万马，否则就别想直着嗓门说话。部级劳动模范、原香花岭矿矿长陈自强过去就是在省里部里开会，当着那么多大领导的面讲话，也从没放低嗓门。可面对疯狂的采民潮，陈矿长只得雇保镖护身。每逢他家里招待客人时，他总要让矿里的公安干警在房周围认认真真检查几遍，就差没用探雷器。这听起来像是笑话，可在香花岭是太平常的事了。采民们用来报复矿山职工和干部的手段之一，就是在你居住的地方悄悄放上一包炸药，然后像炸碉堡似的叫你血肉横飞，死而有声！

陈自强矿长现已调到长沙市府。他说，再不出香花岭，我和全家人的性命说不准哪天就会被炸飞在了荒山岭上……

说什么残忍，说什么野蛮，采民们坐在窿口的石头上，一边点着大沓大沓的钞票，一边会非常认真地朝你这么说："这叫山地游击战！哈哈哈！百战而百胜！"我真的感到不寒而栗了。

香花岭矿成了全国乱采滥挖名声最大的矿山之一。国务院的领导同志及部长们没有一个不知道这里所发生的事，也几乎都作过一次又一次的"批示"。至于湖南省政府为香花岭而召开的"省长办公会议"从1985年至今的十个年头里，平均每年不下一两次。郴州行署不只下过几次狠心，撤销了郴县和临武县两名县领导职务，但这儿的情况却始终没有好转，相反，情况越来越糟。下面是我们在香花岭矿摄取的几个场面——

荷叶冲工区：一条宽不足4米、长约300米的狭窄地段。像蜂窝似的云集着2000余名采民，共开有窿口13个，建设工棚203个，安装碎矿设备113台，筑洗砂槽346个。采矿者几乎是头顶头，屁股顶屁股。仅此一条沟，自1984年以来，共损失锡矿石30余万吨。如今他们已是第三次"掘地三尺"了。

香花铺工区：这里是全矿创收的拳头。但如今拳头已被割开，绝不会少于3000的采民每天占据着这块宝地，就连离矿山主提升竖井20米处，也有人竖着一块"××矿"的招牌在此，名正言顺地掘井开矿。而五六个"游击队员"则不分昼夜地守在国营坑道的运输线上，一旦瞅见运矿的机车驶过，就一拥而上，将机车上的矿石偷光。这差使省事，故尽管职工们一再采取措施制止，但收效甚微。为此，他们不得不时而开工时而停工……

安源工区：全矿重灾区。1987年5月22日和24日两天之内，20名采民因掘穿窿顶造成大面积矿井漏水而死亡。死亡名单中，男女老少齐全，最小的为一名15岁少女。至此，该工区从未有机会再振雄风。出事当年仅为排水和清理窿路用去6个月时间，经济损失约50万元，也就是说这期间有价值50万元的矿石被人偷走。

不久前，国营矿长办公室在给中国有色金属总公司的一份报告中说：我们企业的领导人一半以上的精力用于对付乱采滥挖。职工埋怨，上级埋怨，可我们也想不通！想不通为什么国营矿山居然成了这个样？想不通为什么共产党的天下居然有这么多人在为非作歹？想不通国家的法为什么在这里不起作用？

“香花岭搞成这个样，我们心疼呀！想想办法吧，能不能有个‘孙悟空’来救一救！”那白纸黑字上，印着滴滴泪渍。

得寸进尺——钨族三角洲的陷落

在金属家族里，有位看起来并不十分漂亮的“黑肤小伙子”，却很受人类厚爱。19世纪中叶，当有人发明了电灯后，这个“黑肤小伙子”一下走俏，成了人们获得光明的不可缺少的伙伴。进入20世纪，尤其是在第一次、第二次世界大战中以及大战后的今天，它简直成了仅次于黄金的“宝贝疙瘩”，被用来制作枪炮、火器、穿甲弹、卫星……它具有3410摄氏度的熔点。灯丝之所以用它，就是因为它有比黄金高3倍的耐熔力。

符号为W的钨，由于它拥有很高的军用与民用价值，故它在国际市场很受青睐。中国是钨业大国，年钨产量占世界的2/3以上，在国际市场具有举足轻重的地位。从20世纪50年代起，钨就是我国出口创汇的拳头产品。在所有出口金属产品中，钨遥遥领先。据说，中国最早的钨矿开采，始于一位专做军火生意的英国商人。他到我国的江西、广东、湖南转了一圈，回去给伊丽莎白女王写了一份报告，声称“如果将南非的金与中国的钨相比较，我会毫不犹豫地选择中国的钨，这里有个相当于我们大不列颠那么大的钨族三角洲”！

普通的中国人都知道自己有两个富饶的产粮三角洲——珠江三角洲和长江三角洲，却不一定知道还有这么一个钨族三角洲。但你要是问问历届的政府总理，也许他们会毫不含糊地告诉你：如果说长江、珠江三角洲是两颗明珠的话，那么钨族三角洲则是一颗更诱人的夜明珠！钨族三角洲使中国人骄傲，使政府首脑们在国际舞台上说话更硬气！

中国在国际钨业市场一直处于垄断地位，曾使多少西方世界的商人们为之眼热！然而，进入20世纪80年代，这种局面却发生了急剧变化，钨砂价格一跌再跌，70年代每吨钨砂在70美元以上，1983年降为65美元，1986年降为62美元，到1989年1月9日公布的国际市价，每吨钨砂仅为59.50美元。由于钨价下跌，中国每年丧失2000万以上的外汇收入。地球上并没有哪个地方新发现能与中国相提并论的钨矿呀！对如此变化的形势，中国政府有关部门特意派出了个钨产品国际市场考察团。因为根据国际市场的预测，中国目前计划生产的钨矿量是处于非饱和状态，这时是价格最稳定并能获得最好效益的时期。可是现在的形势却并非如此，国内计划的钨产量是逐年下降，而国际市场价格却同时在下滑。这种非正常的状态连最著名的市场预测专家也感到困惑。

中国钨矿市场调查专家是抱着要挖出一个“孙猴子”的决心，前往钨产品最集中的国际交易市场的。原以为一定有哪个新发现大钨矿的国家代表远远躲在一边，不料情况并非如此。西方商人们见中国官员到来，蜂拥而至地围上来，笑嘻嘻地伸出大拇指：“谢谢，中国人够朋友！”这是怎么回事？

嗯？难道你们不明白？“老外”感到惊诧：是你们把上等的钨砂大量投入市场，价格一再优惠，使我们大获其利呀！

怪了，中国钨砂出口的国家计划近年丝毫没有增加呀！考察组的中国官员大惑不解。经过“挖地三尺”的调查，原来，除国家正规出口外，通过香港、台湾等地区的非法途径出口的大陆钨砂居然近年成倍流入海外市场，难怪钨价一跌再跌，让西方人大赚便宜。而造成中国这个钨业大国陷入困境的不是别人，正是中国人自己！

中国官员憋了一肚子窝囊气！回国后给冶金部和中央领导写了一份汇报材料。“到实地查实，想法杜绝此类事！”中央领导批示道。调查组原计划用一个星期时间完成此行，没想下去就回不来了！北京方面还以为出了什么事，一个电文下去，第三天就接到调查组负责人回电，上面写了这么一行字：“钨族三角洲陷落，十万火急！调查组请求延长日期。”

其实关于“钨族三角洲”所出现的事，上面不是一点不知道，而是闻而不见，如今才是亲眼所见亲耳所闻了。

写到此处，我们该给中国的钨族三角洲揭秘了。

钨族三角洲指的是湖南、江西、广东三省交界处约 13 万平方公里的那块地方。这里群山起伏，叠嶂嵯峨，在“农业学大寨”那阵子，它一直被视为“穷乡僻壤”。后来人们才慢慢知道原来这是一块得天独厚的宝地。世界 1/5 的钨矿储量就埋在这里。至 1985 年，这里的国营大型钨矿就有 15 座，其中不乏开采了七八十年历史的老矿，也有 80 年代建的新矿。这里本来是个安宁的世界，别称“南国小昆仑”，意思是说很少有人问津此地。但自从人们懂得“一块石头换两只母鸡”之日起，这“南国小昆仑”就一下沸腾了起来。当地人这样描述道：“1980 年成群结队下广州深圳，1985 年车水马龙上瑶岗仙、汝城。”

瑶岗仙、汝城是钨族三角洲中的两个矿。

瑶岗仙位于湘南，虽然用不着七八个小时就能到广州，但前几年忙于同港澳做生意的广东人似乎把它遗忘得一干二净。也许是生意做绝了，突然有一天，一群据说是刚从巴黎回来的港商给这边的几位专玩走私货的“广东仔”提出一张货单，那货单上只有一个字：钨！

走私的“广东仔”瞪大了眼睛：“怎么，你们要佐罗！”

“佐罗？哈哈哈！对，佐罗！它在巴黎国际硬货市场上与家喻户晓的佐罗一样吃香！每个月你们给提供30吨！”港商挺着大肚子，举着高脚酒杯，手上比比画画。

“广东仔”后来才明白：W就是钨矿石。“哪儿去采这玩意儿？”对羊城的大街小巷倒着背的他们却并不知道钨出在何处。

“湖南的瑶岗仙！还有广东、江西的山里，有取之不尽的资源呀！”

几个“广东仔”走一趟瑶岗仙，满载而归，首次出货就是40吨，折合人民币50万元，而他们到山里进货时只花了13万元！轻轻一转手，37万元到了腰包里。“广东仔”赚红了眼，回家抽起一张席子，又奔瑶岗仙而来。

这时候的瑶岗仙上还没有多少采民。但周围的农民目光敏锐，见几个外地人来了一趟，第二次一出手就租了三间民房，安营扎寨，就知道他们在山上弄到的“石头”有大油水！瑶岗仙一带的几个乡都派出了人南下。这些人回来就拍大腿：“发啦！发啦！瑶岗仙要大发啦！”原来他们不仅了解到钨砂矿是海外市场的走俏货，而且直接与几个港商接上了头，价值远高于“二道贩子”。乡干部们从口袋里掏出小电子计算器，用不着费脑筋，上面的数字全告诉了他们：假如……就可以……

“上，这山本来就不是他们国营矿的！”农民们的理论几乎一样，就是有时加点时代气息：“没有小家，哪来大家；没有瑶岗仙，哪有国营！”

谈判桌上，国营矿山的负责人拿出1986年新颁布的《中华人民共和国矿产资源法》，逐条逐句地给乡干部、村干部念。

“好了好了，咱土改那回上的扫盲班，你不用再给我扫了。”农民的首席代表是老乡长，参加革命的时间比矿长早 15 年。他把水烟管往桌上一搁，没说半句多余话：“产量再多，文件再大，我都见过听过，现在只有一句话：你们让不让出一块地给我们乡？”

“嘿嘿。老乡长有话好说，有话好说。咱们边吃边谈，请！请请！”文件搬开了，上来的是烤小猪，烧鳜鱼，还有海参、对虾、锅包肉……

“先别忙乎！我一个人饱了，全乡 23000 人咋办？”老乡长把菜盆、酒杯推到一边去，还是一句话：“痛快些，行还是不行？”

矿山的几位领导面面相觑，不知如何是好。给吧，这等于是将自己的脖子往法律的绳子上套；不给吧，老乡长的脾气可不是好惹的。那年“农业学大寨”，瑶岗仙要造梯田，乡里劳力不够，老乡长拿着 20 世纪 40 年代签发的“中国共产党党员证”跑来找矿党委书记，说道：“天下所有的党员都是为了一个共同的目标，实现共产主义，所以大家要互相关心，互相帮助。眼下本乡响应毛主席号召，学大寨，劳力不够，特来搬贵矿 300 名虎将，请矿上大力支持。”

“这怎么行！我们矿上的任务还重着呢，得保任务呀！”绕来绕去，矿党委书记还是两个字：“不行！”

老乡长二话没说，回过头叫来公社武装部长，下了一道“命令”。当天晚上，国营矿山上一片漆黑，所有电源全部被人切断。

支援不支援？不支援，行——等着点蜡烛吧！所有倒下的电线杆上，都有一个班的民兵守着。无奈，矿党委书记老老实实带着工人下山帮助老乡长义务造梯田，不过这时的人数可不是 300 人，得再加一倍！

吃一堑长一智，这回应以主动为上策，法规暂且放在一边。

国营矿忍痛割下一只“耳朵”。味道不错，第一年的全乡采矿收入，改建了一座乡政府楼，两个中学校舍，另修建大桥一座。

既然已咬下了一只耳朵，留下另一只有何用？瑶岗仙又轻易地得到一只“耳朵”。

“耳朵”吃完，食欲大增。总不能长期这样，光有口福而不胖呀！这下老乡长来了个先斩后奏，派出5个基本采矿队，咬住国营矿山的“后臀肉”——今年指标是80万元，乡干部的一级工资，乡所在镇两条街道的修缮，一个自来水站，一个邮电所，可全指望着山上这份钱哪！想想这些，他能松这口肉吗？

无奈，国营矿恳求县、市出面解围。老乡长心里暗笑：咱乡是县、市致富的模范乡，听说现在正往省里报呢！

放手吧，你少一块地耽误不了一年的生产任务。咱可不一样，今年不创收，明年就得遭骂娘！

OK，谢谢你放行！年底，老乡长带领300人组成一个庞大的鼓乐队，声势非同一般地来到矿长办公室，亲亲热热说了一番赞扬的话，最后敬上锦旗一面，上头写着两行字：工农亲如一家，同庆我富你荣。矿长的笑比哭更难看。

瑶岗仙钨矿是在“和平友好的演变”中失去国营矿山的独尊地位的。相比之下，它比汝城钨矿却要少很多麻烦。

汝城，这个湖南最靠东南角的小县，除本省人，大概没多少人知道它。不过，在采民方面，它可是大名鼎鼎。

汝城虽小，但钨矿开采的历史却不短。早在1916年，几位荷兰人与英国人，雇了当地几十名村民，手挖肩背，开始了挖矿纪元。1949年，中原临时人民政府重工部派军代表王学凤、张春本，从旧政府手中接管此矿。当时的矿区范围东到龙虎洞，西起走马坪，南到杉木洞，北上大偏山，共110平方公里的面积。解放后，国家对此矿进行扩建，成为我国重点钨矿基地之一，上交国家利税超过2240万元，是个创汇功臣。不过，这位“老功臣”

近年再没立过新功。据观察家们认为，“老功臣”也许再也没有可能立新功了，它能保持不“死”就算万幸了！命运如此悲哀？一点不假。

汝城矿面积并不大，但上山非法开采钨矿砂的乡镇小矿和个体采民却不少。目前在矿区持有“合法”开采许可证的乡镇钨矿有20多个，采民近3000人。

瑶岗仙的老乡长虽然打了国营钨矿的主意，但毕竟是“光明正大”和“以理制人”。汝城人则不然，他们一上来就采取了强硬的得寸进尺行动，抢—炸—夺！这是他们的三套进攻手段。

当采民进入国营矿区后，他们非常聪明地发现自己的手工开采方式太原始太落后。他们瞅着国营矿山用大机器开采就眼红。那铁挖手和钻机多厉害，轻轻地一抓就是一两吨矿砂！为什么他们能用我们就不能用？半夜里，一队蒙面人悄悄潜入国营坑道，一条裤衩“呼”地蒙住在坑口值班的工人，后面的人一拥而上，凡能扛能搬的采矿机器，稀里哗啦全被“转移”到自己的防区。第二天，从县农机厂请来几位师傅一安装，马达一响，工效提高20倍！采民们乐得在窿子里跳“迪斯科”！

这是一群从北边来的采民，该占的都给当地人占了，总不能眼瞅着别人发财自己挨饿呀！几个运气不好的后生面朝天背朝地躺在草地上直发愣。突然，他们的脸上、身上不知被谁撒下许多黑石灰子。嗯，谁还有心思跟老子开玩笑！抬头一看，原来是矿井的索道矿斗从他们上面经过。“喂，有了！”一位机灵者猛地从地上跳起来，拍着脑门直叫。他把自己的主意跟大伙儿一说，哥几个抱成一团，高兴得在地上直打滚。这一夜，索道上的矿斗没停过一次运转，而进入矿砂堆料场的却没几个是装货的，国营矿上的人谁也没有发现这个情况。直到第四天，巡道工到矿保卫处报告说，索道中段的山头上发现三具死尸，现场验证，是被一只掉落的矿斗砸死的。护矿队马上感到事出有因，半夜里，他们沿索道巡视一遍，发现在三个山头上有人用木棍和铁棒在翻矿斗。死者是他们的同伙，但没有人替他们收尸。“没空！再说人死了，就是那么回事！”在这一点上，他们可真算得上是彻底的无情无义。据矿山保卫处介绍，类似这样偷矿而被砸死、摔死者，每年均有。密度最高的是两个月中死了 13 人。至今，在汝城钨矿区因偷矿而被抛尸井下的仍有 29 具……

后来有人觉得偷偷摸摸干，说不定还要丢小命，于是干脆来明的。国营矿职工在关键部位和富矿块区寸土不让，采民则发誓要“寸土必争”！

矿区早被非法占领，国营坑道与民采矿相隔的仅一层薄薄的“面纱”，采民们这时也不愿让它留下。有着制造火药传统的山民奋然拿起土制的火药为武器，对凡阻碍他们开采和抢夺富矿地带的国营设施进行爆破。国营矿投资几百万元甚至上千万元的坑道、井口设备以及用九牛二虎之力建起的防范措施，被采民们的几包炸药炸得全面陷入瘫痪。以这个矿的大蒲坑口为例，全坑 11 个中段，有 7 个中段的主要运输巷道被炸毁、堵死，232 个采场所剩无几，损失矿石量 35 万多吨，金属量 924 吨，等于 800 万元。

一位死里逃生的工人这样描述采民野蛮炸毁国营坑口的情景：“……那天，我们正在井下采矿，一队三十来人的当地农民强行霸占了我们的坑口，他们对正在生产作业的我们说：‘老大哥们，你们在这儿干了几年了，现在该轮到我们干了！’说着就将我们一个个强行拉出坑道。这时候，有人就在坑口的富矿部位放上几包自制的炸药，点燃后，只听一声巨响，他们打的坑道与我们作业的坑道的隔墙就被炸穿了。硝烟尚未退却，约百号采民就跑步钻进我们的采场，见钨矿就刨。我们几个工人实在看不惯，对他们说："你们只管采砂，可把我们的设备全部毁了，少说也得三个月才能恢复生产，这样太缺德了！"他们用脚踢踢被毁的电机和通风等设备，若无其事地笑嘻嘻说："要的就是这个样，不然你们采光了我们采什么？至于设备嘛，你们再向上面打个报告，有了钱再装，没钱待在家里更好。反正照发工资。"回来的路上，我们路过一个采场时，一群采民突然高呼道："他们来啦！快放！快放呀！——"我们还没有看清是啥事，只听几声巨响，雨点般的大小石块向我们身上没头没脑地倾泻而来。原来，这些人以为我们是前来制止他们非法挖矿的护矿队员，于是就用爆炸的手段不让我们靠近他们。直到天黑，这些人才停止了放炸药，我们才有路可过。今天的命勉强捡回，还不知明天如何呢……"

"炸药战"使汝城国营钨矿全面陷入瘫痪，它不仅造成了大批坑口安全设施和井下机械设备的埋没与破坏，需要大量财力和时间清理修复，而且许多即使尚未直接被炸被毁的工段，由于配套的其他工段被炸，一场山洪下来，致使全矿受害，淹井、埋坑事故屡发不尽。国营矿唯一能做的是不停地自救自护。由于这种自救自护总处在被动地位，故根本不起半点作用。你想"主动出击"？那情况就更糟。有一次，某坑口党支部书记和保卫科长，高举着"我们是共产党员，我们和人民心连心"的旗子，到民采矿上劝说他们别为了几万元的小利炸掉几百万元的国营设施。"一边待着去吧！"还没说上两句话，对方就把两位共产党员推进了一个又黑又潮的深山洞，一关就是七个多小时，连口水都没给喝。这是对"官方"的态度，至于对矿上的一般职工和那些专找他们茬的护矿队员，情况就不会是这样了，轻则一顿毒打，重则扔到山沟喂野狗，你以为一张状子往法院一送，就可以收拾他们了？"笑话，我们这儿是天高皇帝远，老子坐山为王！"他们这样告诉你。这山上他们有自己的"法律"，即让采矿就好，阻挠采矿就罚。说到做到，决不手软。

汝城的命运是整个钨族三角洲的一个缩影，除瑶岗仙外，江西的大吉山、西华山、岿美山、画眉坳、小龙、高坪、漂塘、下垄、浒坑，湖南的川口、湘东及广东的石头嶂等大型钨矿，得寸进尺的采民们吞食和吞没国营矿区的情况基本相似，其中赣南的大吉山、西华山、画眉坳则有过之而无不及。仅岿美山一座钨矿山上麇集的采民就有 9200 余人。这座矿山在遭受三四年的乱采滥挖之后，寿命已缩短 11 年。

钨族三角洲上发生的国营矿山与民办矿山间的阴盛阳衰，必然导致我国钨业出口创汇的倒流和滑坡。由于国营矿山已无力遏制民办矿的迅猛发展和蔓延，钨族三角洲一带的钨砂经营市场也呈现一片混乱。县政府工业部门和乡政府的、村办的、个体的收购站比比皆是，而且都紧挨着国营矿区。采民们卖掉非法所采钨矿砂就像上街卖蔬菜一样容易，走私者乘机大发横财。湖南桂瑶某精选厂两名工人自 1985 年以来，单从浒坑区小钨矿走私钨砂就达 600 多吨，宁乡县农民任某仅因走私偷税漏税就达 32 万元！据钨族三角洲十几个重点矿区不完全统计，仅 1987 年通过这类非法收购流失的钨砂就达 12000 多吨，占这儿钨砂年产量的 1/3 多。如此巨量的非计划性生产的钨砂流入国际市场，不造成混乱才怪。以 1987 年为例，农民在“三角洲”通过非法采矿所获得的总收入约为 5400 万元，而国家仅此一年在国际市场上钨出口创汇减少 3000 万美元，加之由于这一年供大于求的冲击，造成 1988 年、1989 年钨价的猛跌，实际损失近 1 亿美元。1987 年农民采矿者掠夺式的采矿，使所有钨矿寿命缩短两年，折合损失 4.5 亿元。此外，这一年农民采矿者给国营矿山造成的毁坏坑口和矿山其他设备费折合 3000 万元。三项损失相加，为 7.8 亿元人民币之巨。

农民采矿者所获的实际收入是给国家所造成损失的 1/12！

地球都为之倾斜，钨族三角洲能不因此而陷落吗？

里应外合——铜绿山“孔雀东南飞”

1981 年，意大利艺术家在修复著名画家波提切利的名画《春天》时，奇怪地发现画上的颜色经历了 500 余年的沧桑，仍然翠绿如茵。经化验，方知画家当时所用的颜料乃是孔雀石粉。被称之为“天下一宝”的孔雀石不但可以用来作丹青高手的绝妙颜料，还可用来冶炼制械和做高级饰物。据中国的《中药大辞典》记载，孔雀石还有“明目，去翳利窍”之药用。

大地奉献于人类的宝藏太多，孔雀石为其中之一。

中国的孔雀石出产于长江南岸的湖北大冶境内的铜绿山。据科学测定，这座拥有 2500 多年开采历史的古矿山，其山腹之中埋藏着含铜量达 50%以上的孔雀石。据大冶县志上记载：自秦汉至南宋，历代皇帝都在此掘井取宝，著名爱国将领岳飞也曾在此冶炼制械。1966 年，国家耗费巨资在此正式建立了铜绿山孔雀石矿，直属冶金部领导。虽然“文革”期间基本没有发展生产力，作为矿山，这里却度过了安稳的 10 余年时间。

1979 年，农村政策开放以后，吃了几十年人民公社饭的铜绿山农民第一次感到可以提着菜篮背着竹筐过得“活泛些”。不过，这儿山高路不通，想像广东人那样靠做生意之类的可不行。但山里人自有山里人的办法，俗话说“靠山吃山，靠水吃水”，铜绿山的百姓想到了身后的孔雀石。起初，人们只是到矿山排土场和公路旁的地方捡点零碎矿石而已，孔雀石也不过是少数悠闲人士拿来作桌上的观赏物。后来，不知是哪位灵通人士传出，铜绿山上的孔雀石是稀世之宝，连外国人都愿出高价，于是乎，农民们像黑夜里突然看到了颗划破长空的星星，赶忙修好铁铲子、三轮车，都往山上跑。

铜绿山那么大，到哪儿去采孔雀石？毫无开采知识的农民们不可能上采矿“扫盲班”，于是一双双眼睛盯住了国营矿的露采车间。这个露采车间如同一口巨大的铁锅镶嵌在蓝天之下，由于长期采掘，已经低于海平面80米。站在山巅望“锅底”，但见四壁怪石嶙峋，峭崖直上直下，令人头晕目眩。“铁锅”很快就被刮得精光，有人将从这里挖取的孔雀石卖给外面来的走私者，每斤价格高达20元，而且价格仍在扶摇直上。一斤石头有多大，还不是女人的拳头那么大？捡那么一点点东西，就能顶一个月的拾粪钱，不干才是傻瓜呢！可是，孔雀石不是一般的普通石头，它长在铜绿山上，并不是睁眼就能看到的。从“锅底”走出后，农民们开始了思索，既然面上找不到了，何不挖洞试试！

一位工程兵出身的退伍军人郭某第一个向地球挑战。他娴熟的开山技术令村里的小伙子们敬佩不已，而更敬佩的是他居然真的挖到了孔雀石！

这位姓郭的开拓者一下成为采民中最有权势和最富有的把头。但是他的寿命与他的“光辉业绩”成反比，当他第二次组织“钻山肚”的战斗时，大山腹中一声闷响，郭把头和另外三名同伙从此再也没有钻出地面。

经过采矿现场的人会得出这样一个结论：这里前仆后继的精神绝不亚于战场。1个人埋在地下，会有10个人继续行动。这是为什么？只为一个目的：挖出孔雀石，卖钱！钱，使人的生命一下显得不那么宝贵了。至1989年上半年，为美丽的孔雀石而躺倒了70条生命。

“我家有4个儿子，死了1个还有3个呢！怕啥？”一位靠挖孔雀石发了大财的老汉，当着自己的亲生骨肉对笔者说。

在中国这个贫穷的国家，人们对金钱与财富的追求，仅仅用疯狂两字来形容时常显得不足。当听到这位老汉面对孔雀石的诱惑，慷慨地舍去人性，我想，即使是著名的金融专家魏斯曼博士和精神分析学家弗洛伊德先生都会感到震惊!

自然的富有在人类贪婪心的笼罩下，显得苍白无力，铜绿山很快陷入了采民的汪洋大海之中。巍然高大的山峦经不住上下通力的袭击，不久后，国营矿的生产与安全受到了全面的摧残与破坏，工人不能正常上班，生产月月下降，事故频频发生。

赶走采民，恢复矿山正常秩序，这是国营矿的唯一生路。面对“死亡”的威胁，素有“温和派”之称的矿领导不得不握紧了拳头。他们专程来到县公安局，与局长达成协议，矿山告急时，公安局立即出动。

开始一段，这一招还算管用，漫山的采民一见公安局的警车出现，就像失了魂的散兵到处逃窜，国营矿山得以安宁。但时隔不久，他们发现，见惯了猫的老鼠不再胆怯，采民们一见公安局的警车回城，就马上从草丛里、山沟边走出来，照干不误，就像躲一场雷雨似的。

公安局的警车不能昼夜守在矿山，怎么办?“成立一支护矿队，专司其职!”公安局与国营矿商量后，做出了这样的决定。

1980 年，铜绿山建立了第一支“武装”，由刚刚招募到的 40 多名待业青年组成的护矿队出现在矿山上。这些小年轻，个个血气方刚，手持警棍和木棍（因为没有备齐），排着整齐的队伍，出没在山前山后，很像那么回事。采矿者不摸底，一见护矿队员路过，就赶忙收拾家伙往家里跑，而且一跑就是几天不回来。护矿队不像公安局，他们每天 24 小时在矿山上转来转去。

护矿队成了采矿者的眼中钉肉中刺，尤其是眼瞅着那些带着大捆人民币到村里来收购孔雀石的外地人灰心丧气地离开铜绿山时，他们更是对护矿队恨得咬牙切齿!

“不除掉护矿队就没有发财的机会!”

“是啊，可怎么除呢？他们是专门对付我们的呀！”

在生意上混过几年，又因行贿而受过处理的王某，坐在一旁猛吸着烟。突然，他把半截烟蒂往鞋底上一摁，说：“除护矿队不难，不过，大伙得出点血，凑上1000块钱，这事包在我身上。”

“大哥，只要你能把那帮小子赶跑，别说1000块，就是1万块，我们也情愿！”几名采矿者纷纷掏口袋。

王某带着1000块钱，没有去找护矿队，而是去找“铁哥”梁某。

“梁哥，如今矿上成立了护矿队，把咱兄弟们的财路全给堵住了。现在有一个办法，可以使护矿队不影响我们发财！”“什么办法？”这几天，梁某也正在为这件事伤脑筋呢。

“俗话说，打雁要打领头雁。我们要除护矿队，就得从队长徐北汪这个人身上做文章。”王某拿出1000元交给梁某说：“这事你去合适，我臭名在外，人家会疑心的！”

梁某领得此计后，把六尺大汉徐北汪拉到一家小酒馆。这里，早已准备好一席丰盛酒菜。徐北汪自知当上这护矿队长，那是瞎子撞进了钱眼——碰巧。过去他是一位干力气活的普通工人，谁拿他当回事？如今见梁某这般盛情相待，早已飘飘然了。梁某趁机又塞上几条“阿诗玛”，徐北汪乐不可言。

“徐队长，如今你是有权有势的大贵人哪！护矿时，可得给咱兄弟行个方便啰！”梁某开始探起虚实。

“唔？啊，好说好说，咱头回当领导，有权不用，不是过期作废吗？哈哈哈！”徐北汪嘴里咬着一只山鸡腿，三分酒气三分牛气道：“铜绿山有我在，你们就甭怕，到时候，一有情况，我就通知你们！”

梁某等人做梦也没想到事情竟会如此顺手，随即又给徐北汪送上钱物。护矿队长从此实际上成了护采员队长。一个关键人物的灵魂锈蚀，使得整座铜绿山矿又陷入一片灾难之中。没几天工夫，40 名刚招来的护矿队员纷纷不辞而别。

采民们在一片狂欢中加剧了采凿孔雀石的行动。这时的他们，开始懂得要想长期生存，就必须抱成一团，这样才能有效地抵抗来自矿山的有组织的“武装”。农民们已不再是几年前的散兵游勇了，他们或以自然村或以家族为单位，或自我结盟，结成了一个个只有他们内部才知道的严密组织，什么生产组、后勤组、运输组、情报组等。这些组织非常严密而且各负其责，分工严明。哪个环节上出了问题，轻则罚款，重则从铜绿山上驱逐出去。组与组之间，小矿与小矿之间，也有极为密切的联系。

铜绿山矿地处大冶县城西侧 5 公里，交通方便，盗挖孔雀石的农民以前经常被突然从警车上跑下的公安人员逮住收审或重罚入狱。为了对付这事，采矿者们有组织地凑钱，给负责情报的人员配备一辆辆崭新的摩托车。情报人员骑着摩托车，在仅 5 公里长的公路上，设下了 3 个接力站。公安局刑警队门口的警车一动，他们就驾着飞驰的摩托车往山上报告“警情”。后来，公安局发现了这个问题，采取一项强硬措施，不得在县城通往矿山的公路上驾驶摩托车。

采民们为此还真的惊慌了一阵。可事不过夜，他们又乐哈哈地笑了起来。第二天，情报人员不再骑摩托车了，只是每人身上携带了一个又小又方便的对讲机。他们手拿着这小巧玲珑的洋玩意儿，说：“应该给发明人送一吨孔雀石以示奖励。”采民们有了对讲机，可谓鸟枪换炮了，不但用不着疯一般地开着摩托车往山上跑了，而且还给夜间提供“信息”与“情报”带来了极大方便。现代科学技术为野蛮者提供了文明工具，这些文明工具反过来又刺激和加剧了野蛮者的疯狂行为。正如托马斯所说的，先进的东西有时没有反而更好，因为一旦被落后者用去为落后服务，事情就更糟。铜绿山上发生的事难道不是这样？

公安部门为此伤透了脑筋。堂堂国家公安部门却被采民们牵着鼻子走，这滋味谁受得了！然而，更为可怕的是他们根本没有想到采民们一个又一个“高招”竟是出自公安局内部某些人的“点子”。原来采民们搞垮国营矿第一支武装后，在对方没有采取新招之际，进攻的目标就放在了公安局身上。公安局毕竟不是好对付的，于是，采民中的几位“智者”就设计了一套又一套瓦解公安队伍的方案。自然又是以钱开道。个别佩戴国徽领章的公安干警，站在大街上一个个威武得可以，可一回家就不那么神气了。要彩电没彩电，要冰箱没冰箱——靠几个死工资过日子，自然一副可怜相。面对老婆喋喋不休的唠叨，邻居不冷不热的嘲讽，小孩回来后的愁眉苦脸，信仰再坚定的人心也会颤一下，何况有的人本来就是追求富有与虚荣的不坚定者。采民们瞄准的就是这些人，而这样的目标一打就是一个准！哈哈，公安局还不是我们的！采矿者乐得一边偷偷笑出声。

1987 年的一个夏夜，县公安局接到矿山“告急”电话，立即派出刑警队前往。半途，发现夜幕笼罩的矿山上突然腾起一串红色火球。非年非节，放这玩意干啥？警车上的小伙子们感到纳闷。当他们到达矿山不远时，火球顿时从四面冲天而起，如同节日焰火，煞是一片奇妙的景象。后来，据一位被捕的窃矿者供认：燃放彩球筒是他们夜间报警的一种手段。放彩球多少视公安人员来的人数而定，以便迅速采取应对措施。此计不是诸葛亮所献，乃是出自你们公安局内的人！

无产阶级专政的铁拳失灵后，国营矿山无奈又咬牙组织第二支护矿队。矿上领导发誓：不把这几千名野蛮偷挖孔雀石的采民赶下山，誓不为官。为此，矿上从工人中挑选了 100 名身强力壮的勇士，这些人个个都是复员军人或公安干警出身，并精心挑选了 1 名有十几年党龄的中层干部任队长。那阵势确比第一支护矿队强 10 倍！哪知第二任护矿队长虽然资格颇老，精明强干，但他们与第一任队长害了同样的一种病——“贫困症”。那位“行贿专家”梁某三下五除二，没几天就把他拉下了水。

此后，又组建过第三支护矿队……

三次建立护矿队，三次败北于采民之手——国营矿山的领导当时并不了解是自己内部阵营里有鼹鼠。作为国家大型有色金属矿山之一，上级的指令性计划任务无疑是铁板上钉钉子——硬碰硬的事。可是，成百上千的哄抢者给矿山所造成的压力，如今已经发展到远远超过年计划任务给矿山带来的压力。

从 1983 年开始，铜绿山已如雷雨前的天空，早被民采风的层层乌云笼罩着。本来就产量锐减的国营矿山，这时又日益遇见开采出来的孔雀石常常“半路失踪”的现象，矿领导的头上为此又增添了几缕银丝，却始终不得其解。这一年春天，一位矿领导来到与铜绿山相距千里的深圳开会。纯属巧合，这位矿领导与当地公安局长在茶座上聊起天来。东道主问他，铜绿山的孔雀石到底有多少储量？你们国营矿山是否也搞承包了，也有权直接议价外售？这位矿领导表示国营矿山是直接为完成国家任务安排生产的，这是不可能的事。“可是，我们几乎每个月都查获三五起来自你们铜绿山的孔雀石贩私车辆。”公安局长说。“那是当地农民干的。”公安局长摇摇头，“恰恰相反，人、车都是你们矿山的！”

又是一个不可思议的事实，这位矿领导回矿一查，果真发现矿上几名跑广州、深圳的驾驶员，在偷偷做这类“生意”。后来发现，做这类“生意”的不仅仅是司机，还有坑道工、科室人员，甚至中、上层干部……

此后，他从公安部门进一步了解到：每年通过深圳、广州等地流入海外和非法市场的国宝孔雀石百吨有余！

面对“黑云压城城欲摧”的群采群抢，面对渔网般的内部机制，矿山领导遥望南天，一声悲鸣：铜绿山真是“孔雀东南飞”哟！

不是失意，恰有几分失意；不是伤感，恰又倍感伤感！

步步为营——乌金王国的崩溃

中国是名副其实的乌金王国，这顶黑色皇冠一直戴到20世纪70年代。然而，到了80年代，一向以“乌金王国”自豪的中国人开始唱起了惆怅的小夜曲。“中国煤炭生产日趋下降”，“到2000年我国煤炭资源将出现危机”之类的新闻，开始在新华社消息中出现。国家煤炭部公布的消息更令人不安：国家以煤炭为主的能源紧缺日趋严重。一些地区的一些厂矿因此而关闭，许多地区的许多城市因此而经常停电停水……

乌金王国难道真的消亡了？中国的煤炭储量和国营统配矿真的已至枯竭之状？

否。“中国的煤炭资源虽然因为社会的需求过大而显紧张，但我国仍然是世界最大的储煤与采煤国之一。”国家矿产部门的官员这样说。

那么，为什么煤炭生产会出现似乎难以逆转的滑坡？

“这里有个数字可以对此做出解释：全国共有7.9万处乡镇小煤井进入国营煤矿区，其中约有4.4万个无证小煤井。”

我不解地摇摇头。于是，这位官员进一步解释道：“这就是说，大批民采小矿在国营矿山上与国家统配煤矿抢食吃，而这些小矿的食量与胃口则大大高于国营矿。你说，面对如此众多的强大对手，乌金王国最终能不发生崩溃？”

我终于明白了，当然又是一个巨大的惊叹号。

煤，黑色的金子，进入工业革命后，它几乎成了推动人类历史的主动力，从瓦特发明蒸汽机至今，世界各国没有哪一天离开过它。它以自身特有的长处——不像其他矿产资源需要经过一次又一次复杂的提炼与加工，而成为工业生产的宠儿。

人类对于矿产的开发，莫过于对煤炭的开发。它简单、方便，即使是使用原始的石器或铁器，都能毫不费劲地获取。这对缺乏开采知识，没有机械设施的中国农民们来说，无疑是不可多得的方便。

1988 年，全国非法采煤的产量达亿吨以上。这是官方提供的数字，而实际还不止于此。那些紧挨着煤山，那些宅居就在煤层上的山民们，刨一铲就能担几筐乌金，你能统计得了吗？全国有数的乡镇煤窑有 7.9 万处，而没数的那些采民又是多少呢？百万？千万？恐怕不会是夸张。中国 1/3 的人口在山区，而这 1/3 中又有 1/3 是垫着乌金睡觉的，你能算得出这是百万还是千万？

煤炭大国养育了众多的农民。那些“滴水贵如油”“一亩地种不出二斗米”的地方多得很。不想致富发财，即使为了做饭的燃料，人们也得在山上挖窑取煤呐！而且他们后来发现，这些黑色的石头还真是名副其实的乌金，挖一天，竟然能换上一月、半月的工钱，又何乐而不为？脚底下有的是这石头，只要手脚利索，谁都可以干。

七台河市的人几乎个个都这样认为。

这是一座因煤而生因煤而兴的城市。黑色的石头，使牡丹江荒芜的源头有了一座新城。黑色的石头，又使这座新城的人民有了幸福的昨天和今天。有关资料表明：这个被称为勃利的煤田，是我国仅有的 3 个保护性开发矿区之一，储量大，煤质优。据说，当年沙俄时代的俄国人来中国感兴趣的有两个地方：一个是漠河，产黄金；一个便是这勃利，产乌金。黄金虽然贵重，但乌金有时比黄金更有用。开着蒸汽火车来远东淘金的俄国人，不能带着连脖子都累弯了的黄金回莫斯科，却能带上乌金将蒸汽火车开回欧洲大陆。

既然煤有用，能换钱，七台河的百姓们自然不会轻易放弃这发财的优势。采煤不用像淘金者那样铤而走险，那样“千筛万簸不见黄”地辛苦。不知何人何时在矿山上挖了锹煤打了第一口井，于是，拍掉身上泥土的农民来了，停薪留职的工人来了，孤身一人或携家带口的盲流来了……转眼间，七台河像刚出锅的“红烧肉”，引来了无数食客。于是这块沉寂了几千年的土地一下喧嚣起来，开始是十几人，后来是几百人、几千人……人们手持铁铲、铁镐，肩背藤筐、木筐，棉衣往地上一扔，脚下就算是自己的领地。912 个小煤矿没用多长时间多少费用，就沸沸扬扬地在此安营扎寨了。

当西方开始将大型电子计算机安装到煤炭开采业，实行全自动控制勘采之时，中国原始的“人背井”却在 20 世纪 80 年代中叶得到空前发展。站在进口，直通通地往下看，没有任何安全设施（甚至最基本的一根安全绳也没有），唯独一道仅占井围面积 1/10 宽的石梯，将重负在肩的挖煤者送上青天白日的井口——这就是所谓的“人背井”。它一般只能开采垂深 50 米、斜长百余米的浅部煤层。“深层开采留着给国营吧，我们要的是煤，实实在在的煤，能转手变成钱的煤！”这就是他们的采煤哲学。

就在几年前，七台河还是个名不见经传的边陲小镇，即使是正式确定为黑龙江省的县级市后，属于市管的权力仍然非常有限。这里的煤矿管理就是这种情况。国家经委、计委、地矿部、煤炭部曾经有个 78 号文件，文件大意有三条：一、七台河煤田资源由东北内蒙古煤炭工业联合公司管理；二、黑龙江省各级政府有权加强对该煤田的矿管工作指导；三、煤田的监督管理则归地矿部门。此三条形似层层严把的关卡，实则使七台河煤田处在了谁都可管、谁都不管的状况。这就使得善于钻营的采矿者有了足够周旋的余地。而明文有权管理的三巨头（东北内蒙古煤炭工业联合公司、当地政府、地矿部门）则充分发挥其职权优势，无限度地行使开采审批权。上有大权，下有小权，小小七台河竟有21家单位在颁发采煤许可证。以致形成了凡想上山采煤者均可通过关系获得一张“合法”开采证的局面。一家外县的银行想在这儿建矿采煤，七台河当地的政府拒绝这个外来户，地矿部门也特意采取了措施，不让其进入宝地。这家银行急了，无偿给一家有权发放开采证的单位贷款300万元，转头又联合附近3个县在七台河矿区揭竿举旗，各霸一方，成为远近闻名的“四大金刚”。

密山棉纺厂这几年不景气，厂领导好不容易弄到了一张开采许可证，全厂能背煤的20多名小伙子都被组织上山了。可是，第一夜，被窝还没热，来了一群“天兵天将”，将这些小伙子打得迷迷糊糊地抱头就往山下逃，连铺盖行李都顾不上带。

岗棒村这天来了位自称很有后台的新矿主，牛里牛气地说要与“四大金刚”抗争七台河。谁知这小子还没有在地井里待上半天，就被熊熊燃烧的地火活活烤成了焦黑的肉饼。原来，对手不动声色地派人混进他的矿井里，点上一把火就溜走了。七台河的煤差不多全是易燃的无烟煤和主焦煤。地火燃烧至今，弄得地面夏不长草冬不覆雪。

“要过太平的发财日子，就先到咱庙上拜三拜！”山头的“金刚”们毫不掩饰自己的权势。于是，七台河周围那些想在煤山上做“乌金梦”的人，都悟出一个道理：七台河虽然是无主之国，但要获得一块立足之地，必得先找一家实力单位作后台。于是乎，七台河在短短的时间里，刮起了一阵党政机关、工商、银行、税务、公安等单位或出面或不出面的全社会性的“联合办煤矿”热。这一热，使得这块久处无政府状态的煤田王国，一下成了混杂一气的“诸侯大割据”。

新成立的七台河市委，上任后接到的上级第一个“责令”就是整治小煤矿。“责令”来自中共中央和国务院办公厅。具体执行的市资源局却在3天之内收到6封恐吓信。信中说，谁有本事往山上走，他们就给他“爆葬”。啥叫爆葬？即将炸药放在公文包内，或放在你的床底下、办公室内，将你炸死。资源局刘工程师在岗棒村的矿区上才露了一面，晚上，他所住的分矿办公室，竟有人以1分钟投16块砖的记录，残暴地袭击了他。

看谁还敢来管？！

“吓走了当官的，乐死了采煤的！”“矿主”们为此专门组织了“祝捷专题晚会”，在酒杯碰撞声中，他们宣布：“明天，我们将占领整个七台河的全部煤田！”

结果是近几年内，这个北国煤城的两个主要矿区分别遭到了毁灭性的破坏。当然，开采乌金的人们在获取大量甚至几辈子也用不完的钞票的同时，也同样付出了巨大代价。仅1988年，这里共有120人死亡。在笔者采访时，这里又有一起被民政部列入当年的重大民事伤亡的事故。这次是22人死亡，事故原因为小矿井冒顶所致。

我们对此震惊不已。然而，七台河的煤与七台河的挖煤人，如果同山西的煤与山西的挖煤人相比，无论是昨天还是今天，又是小巫见大巫了。

山西是中国的煤都，其煤炭产量占全国煤产量的1/5多，一直是人民共和国的主要能源省份。然而，近年来，这里的非法采矿挖煤也是全国最严重的地方。据该省矿管部门统计，山西现在有小煤窑共7300余个，年产煤达9200多万吨，相当于全国煤产量的1/10或全国小民采矿井煤产量的1/3。透过这些数字，我们似乎不难想象乌金王国里的非同寻常的民采小矿与国营矿之间的激烈争夺！

山西七大矿务局之一的潞安矿务局，便是其中一个典型的矿区。

在新中国成立 40 年间，潞安的每一寸土地都为共和国建设做出过非凡的贡献。从这里走出去的煤炭部部长王森浩，就是当年在潞安矿上开割煤机的采煤工。潞安的今天又是个什么样子呢?

我发现，山西人再不像过去那样谈起潞安就脸上放光了。“煤这个东西，当它不被用来燃烧时，它能染黑整个世界！”一位满脸沾着煤星儿的“黑大汉”瓮声瓮气地对我说道。细细咀嚼，这话颇为意味深长。

不曾想过发财的农民们，当时上国营矿区挖一担煤，仅仅是为了能烧热自己家中的锅和炕。后来，是为外乡的亲戚朋友弄那么几担，再后来，是为外县外省的“朋友”弄几车。于是，他们丢掉手中的锄头，开始成为手工采煤工人。不久，潞安矿务局各矿区都燃起民采小煤窑的熊熊大火。当地人称这支采煤队是“一〇〇部队”。

“一〇〇”，形象而又逼真，一条扁担两个筐，山西的煤窑就是这样开凿出来的。别小看这支部队，它的“地道战”“坑道战”，不仅使得国营矿陷入了全面的“人民战争”状态，而且每时每刻处于兵临城下的气氛。

潞安矿最初只是感到边角与外围吃紧的疼痛。

某工区的 18 平方公里煤层，原计划作为“七五”计划的后备储量，是潞安有望与其他兄弟矿务局鼎立晋国的一个“拳头”。可是，这一年，当潞安矿务局领导正想带着这个“拳头”进京亮相时，“拳头”却已不复存在了。从西北角的李庄到东南角的徐水村，采民共打竖井 17 口，坑道 11 条，实挖面积超过了 14 平方公里!

当潞安矿的企业家们回首眺望身后的那只“拳头”时，唯一可能做到的是装出笑脸，毫不吝啬地将其奉献给农民兄弟们，也许这样还能听到一声“谢谢老大哥”的赞美。

没有了“拳头”，只得靠身子去顶着。潞安矿无奈之下来了个上下总动员："深挖潜力、保质保量。"中心意思是要在现有主矿区上做文章，争取完成和超额完成"七五"期间的年度生产指标。

顾不得长远考虑，只从眼前看，潞安主矿区的煤储量还是可以过几年宽心日子的。手心里的馒头，屁股底下的西瓜，总不会跑掉吧？石圪节矿的矿长对此是满怀乐观的。

"也该为大伙多办点实事了！"矿长躺在床上又在想着这个问题。前年，矿长有幸参加中国煤矿工人代表团出国访问，回矿向职工们做报告只说了半句话："咱中国煤矿工人对得起国家"，后面的话再也说不下去了。

不同那些西方国家比，就与毗邻的俄罗斯比一比吧。顿巴斯像山西一样在国家煤炭业上具有同等重要地位。俄罗斯40%的焦煤出自顿巴斯。可是这里的矿工是36行中收入最高、最令人羡慕的职业。一个青年矿工一个月挣的卢布，胜过部长和科学院士。在煤矿餐厅，一份冷盘、热汤、正菜、甜品和饮料齐全的午餐，只要几个卢布！

而中国煤都的矿工，相比之下，生活清苦多了。

煤矿工人要改变自己的生活离不开煤，只有多采煤才能获得多一些的经济效益。他算了一笔账：今年多采100万吨，就可以给职工盖一栋宿舍楼！矿长违心地订出了一个高指标。职工们非常认可，多淌几身汗，还不为自己！

可是，矿长和矿工们的美梦，全被一阵惊天动地的爆炸声给震灭了。

"起火啦！快逃命呀！——"一阵高过一阵的呼救声，回荡在整个石圪节矿田。当矿工们惊慌失措地从坑道内爬出来，当教师和学生们冲出教室，当正在休息的夜班工人们从梦中惊醒时，山坡上、操场上、居民区内的那些井口早已大火冲天，昔日冰凉的自来水此刻已成温度高达98摄氏度的沸水，火炕热得不能躺……

“煤井着火了！”煤田上最可怕的事终于发生了！这就是俗称地火的灾魔！

地下煤层原来是个封闭的燃料场，当人们掘洞挖井和筑坑道后，使这封闭的燃料场与空气中的氧气接触，这时如果在开采中没注意掌握井下的温度，煤炭就会出现自燃，一旦燃起，人类就很难制服。1962 年 5 月，美国费城西北 160 公里处的桑塔利亚就发生过这样一场灾难，地面上烟雾腾腾，站在地面上的人们就像贴在烤锅上的油饼，不出几分钟，就能煎出骨髓来！联邦政府抽调大批钻机，试图直通煤层，打井灌水，以扑灭地火。可此计不但不灵，反而加大火势（因为水被烈火烤干后，分解为氧和氢）。地火给煤田造成毁灭性打击的事件，绝非仅此一例。

这灾难千不该，万不该，落到困难中的潞安矿务局身上。

大火原因很快查清：是霍家沟农民的小煤窑越界打通了国营矿巷道，致使发生重大火灾……大火从 1987 年 1 月 5 日开始，日复一日地燃烧着，到底烧掉了多少煤炭资源？谁都无法计算，因为任何一个煤田仅靠人工开采是无法采尽的，而地火恰能将一片片连接的煤层烧绝。石圪节矿的上千名矿工不但美梦变成了一枕黄粱，而且连老本全都赔了进去。一场大火，造成直接经济损失达 2813 万元！没有房的矿工看来在近三五年间不会有指望了，而有房住的矿工则发现他们的墙壁出现了条条裂缝，也只好举家搬迁，成了“流浪汉”。

矿工们高举铁钎与棍棒，要与乡镇小矿的采民们拼命。风，刚刚放出来，霍家沟村调来十倍于矿工的父老乡亲来对阵。可怜的矿工们在富有与生命之间选择了后者。

“我们才不管那么多！烧了的是国营矿的，没烧的是留着给咱娶老婆的！”采民们一步得势，便来了个步步为营，潞安矿区从此开始崩溃……

与此同时，山西境内的其他重点矿务局遭受了同样命运，以致一直被上面肯定的山西乡镇小煤窑问题也不得不由国务院出面重新评估。

——1988 年 2 月 29 日，国务院发出通知，要求立即对在建和生产的国营煤矿井田内的民采小井依法进行清理和整顿。

——5 月 26 日，山西省乡镇矿整顿办成立并做出决定：立即封闭填实国营煤矿范围内的乱采滥挖的私开矿，越界超层开采的小煤窑要无条件地退出，并打好永久性密闭墙。

煤都吃紧，全国各地马上陷入一片恐慌之中。

从现在起，到 21 世纪末，“乌金王国”的煤炭供需紧张已成定局!

边界大械斗，矿山化乌有

在中华民族的历史上，边界上的举械大斗屡禁不绝，时有发生。为一块茂盛的森林，为一片肥沃的土地，为一顷碧绿的草原，处于边界上的双方往往便大起纷争。但是，所有这一切纷争，其规模，其惨烈，其影响，似乎都比不上今天人们为了一座矿山一处宝藏而展开的争夺。

矿山是最有吸引力的争夺对象。矿藏深埋于地下和山腹之中，哪儿没有界标，哪儿就被视为无国籍的南极——谁都可以去占有。在境线漫长的省界、县界、乡界上，几乎一座矿山就是一个械斗场。那些村干部、乡长、县长甚至专员、省长，平时可以在大会小会上大讲共产主义，可当他站在矿山之上时，他会突然变得惊人地“本位主义”。

我见过一位五十开外的老县长，从他在土改时当基干民兵，到“大跃进”时当大队长，在“文革”时当公社主任，直到 1975 年开始当副县长、县长以来，他从没有摆脱过他家乡后面那座与邻省交界的矿山械斗的纠缠。三十多年来，大大小小的械斗，他亲身经历过几十次，他左边脸上的那块黑疤就是一次械斗中被人用铁钎捅的。如今，他还有三年多时间，就该从位上退下来了。作为执政的最后一段历程，他想了结的最后一桩心事就是停止两省间的械斗。为此，他曾专程到省府找主管经济的副省长，提议是否可以主动放弃那片有争议的矿山。“不行！矿山是边民脱贫的命根子，无论如何也不能放弃！”副省长从未这样声严色厉地对待过这位老县长。尽管如此，老县长并没有生气，他明白副省长早把开采那座矿山所得的收入列在了省年度财政收入之中。

矿山对堂堂一省之长都如此重要，那么对那些几乎整个财政都得依靠矿山的县、乡、村来说，更是命运之所系了。矿山仍需流血，矿山催发着流血……

地处茶岭山区的 ×× 省 A、B、C、D 县，连壤着另一省区的王、张、李、赵县。

A 县与王县肩擦着肩，背贴着背。秦岭的一只“胳膊”将这两个县紧紧地连在一起。然而，也许是大山太高，也许是身处黄土高原不想多管门外事，一座千米高的山峦，仿佛隔着两个世界。山这边的 A 县，只知道山后面的另一个省区。山那边的王县，许多人就连乡政府在哪儿都不太清楚，更何况山外的另一个世界。

这一年，不知谁将一个重大“秘密”泄露给了山这边的 A 县和山那边的王县：山上有个大铜矿，一年能采几千吨，而且永远采不完。铜是什么？山这边山那边的人却没有一个不晓得。他们手里用的脸盆是铜的，火锅是铜的，马鞍是铜的，还有小伙子腰间的皮带扣，姑娘裙围上的“小蝴蝶”……三岁的小孩都知道铜，没有它，高原将变得灰色；没有它，涮羊肉、烤奶酪将变得无味。铜，高原上的金子，贫困中的富有，它诱惑着山前山后的万千牧民与村庄……A 县，7 名常委慎重决定：由工业局、农业局、乡镇企业局联合成立铜山开发总公司，主管经济的副书记亲自挂帅任总公司党委书记，各局长任副经理，银行贷款100万元。

王县，7名副县长在香烟袅袅升腾的烟雾中拍板定案：由县长亲自抓铜矿开发，力争年内1/3财政取自于铜山！

元旦第二天，“A县铜矿开发总公司”的牌子在秦岭“胳膊”上高高竖起，锣鼓声、鞭炮声、欢呼声，整整三天未息。

春节前一天，王县县长在大年三十不守岁，率领上百名局长、乡长、村干部、技术员、工程师，浩浩荡荡开向山峰。“从今天开始，我们王县的命运将与此山同沉浮！”县长的豪言壮语，使在场的人激动得热泪盈眶。

向着同一座山，向着同一个目标，他们和他们紧赶着步子。

“这山是我们的！”

“这山是我们的！”

“看，这是土改时定的界线！”

“瞧，马鸿逵时就这样划定的！”

“以历史为准！”

“以现在为准！”

“你们不讲理！找你们省长去说理！”

“你们才不讲理！把你们省委书记找来！”

“撤！”——“撤！”县长和县委书记都蛮有把握，充满信心地带走队伍，回家各自取“尚方宝剑”。

“界线是历史遗留的问题，重要的是解决你县当前的经济出路！”

“最主要的是要把你县的经济建设搞上去，历史遗留的问题让它继续遗留吧！”

两边的上级不同的口气却是同一个内容：矿山是你们的，不抓，经济搞不上去，你们自己负责！“军令”如山倒，不把几十年的穷县帽子摘下，上下难交代。县长和县委书记深感自己是被逼上梁山的，铜矿山是唯一的赌注了！

上！不上将永远落后。何况，不上即等于让别人发财自己挨饿！划不来！

这边公安民警开道，那边武装警察领路。

枪杆子对枪杆子，这不行！县长和县委书记毕竟脑瓜子里还有一根弦，双方都下了命令："拿武器的人都撤！"

剩下的便是手持铁铲、木棒与马鞭的山民。

"冲啊！""冲啊！"

顿时，山头上杀声震天，双方展开了殊死搏斗……结果是死了 3 人，各伤 17 人，一边的县长挨了两拳头，一边的县委书记眼镜被砸得稀烂。

从此，仇恨的种子在 A 县、王县的干部与群众心目中深深地扎根生芽！

上告！上告！国务院民政部办公厅接到的边界械斗信件和加急电如同雪片飞来。

"唉，太难了！太难了！平均一天中就有三四起这样的事。我们总共才那么几个工作人员，而且这些人下去不顶用。你想，县与县、省与省的边界之争，我们几个萝卜头官下去谁听你的？这种事，非副部长以上领导去才凑合能把双方找在一起。即使找来了，你又能怎么样？将矿山判给他？或者判给他？好，判给了你，这边的省长说：'国务院下达我省的财政收入指标你得想办法让总理减少！'我们哪有这权？那好，既然这样就别多管闲事！待着吧！"民政部办公厅的官员耸耸肩，这样说道。

清官难断家事。县长和县委书记觉得唯吾"七品官"管事，于是矿山上重新拉开了拉锯战。这一拉锯战的结果，原预测可采 13 年的铜矿，现已接近"衰亡线"。A 县因矿山所得的财政收入总数超过 1 亿元，王县稍稍少于此数，但 A 县因械斗造成的损失总数是王县的 3 倍。

B 县和张县，在这两个县的百姓心中长期以来就没有外省、外县这个概念，横在他们之间的仅是一条枯竭的古河道，故而，百姓们习惯上的叫法也就是“河这边”“河那边”而已。悠久的血缘使这河两岸的村村寨寨有着千丝万缕的关系。因而，这里的人们与其说跨河沟是出县、出省，倒不如说是走亲戚。

“有难同当，有福同享”，多少年来，他们遵循着这一淳朴的“和平外交政策”。动人的事儿很多，如 1953 年，地处 B 县的百姓遭受特大自然灾害，上万名无家可归的山民流落到张县。张县人二话没说，当晚县委就召开紧急会议，号召全县人民“腾出一床被子，省出一碗苞谷面”给受难的兄弟县灾民们。万名无家可归者就这样温温暖暖、平平安安地在张县度过了 3 个月时间。后来，大约 3000 人就干脆在张县落户了。“文革”大批斗那回，张县县长被造反派打成“苏修特务”，弄得妻离子散。眼看着张县县长过不了好时光，B 县的百姓知道后，悄悄将他接过来，藏了起来，并且一藏就是 4 年。

人们说，在 B 县和张县之间，别说百姓们每年不知有多少回互相走来走去，就是县长与县长，每当逢年过节时，你请我宴也是常事，真可谓亲如手足。

如今，这两个“亲兄弟”居然成了西北边界闹得最凶的冤家。不为什么，只为地底下那么点煤。不过这煤对“河这边”和“河那边”都太重要了。据说，那个隐藏在河沟底下不足 30 米的煤层能使其中的某个县不出 5 年达到“小康”。这对贫困的 B 县和张县来说，无疑具有极大的诱惑力。

“损面子的事绝对做不得！”两个县同时召开的两个“秘密”会议上，几乎是同一个口径。“既然如此，干脆把河底下的煤让给对方得啦！”有人刚刚这样提出，就被断然否决：“不行！其他事好说，这事我们让不得。咱县（——另一方也说咱县）穷了几十年，也该过些富裕日子了！”“父母官”们的心此刻装的是整整一个县。解放三四十年了，他们的过去和他们的前几任曾为本县的脱贫付出了无数心血，然而都因为这穷乡僻壤的缘故，终未能摘掉那顶贫困县的帽子，如今每年仍需国家给予百万元以上的救济。为政者谁不想在自己的丰碑上刻金色的痕迹？再说，百姓们也确实够苦的了。干涸的河道，漫卷的黄沙，除了勉强能塞饱肚皮外，还能有什么作为呢？

煤矿，成了两县唯一有可能改变自己贫困命运之所在！县官们能不为之朝思暮想？

两县头头们各自瞒着对方筹划着“宏伟工程”，并都悄悄派力量向古河沟靠近。“要是谁泄露了县里的开煤计划，就罚谁 1 万元！”两个县的决定简直像是商量好了似的，都是 1 万元！老百姓听了快要吓出毛病来，别说 1 万元，就是 1000 元，许多户主也得卖了毡子又扒锅呀！上面之所以这样狠，道理明摆着：河两边的人太亲近了，说不定哪个没过门的女婿为了讨好河那边的“岳父大人”就把自己县开煤的事给漏出去了。

事情还真偏偏出在这上头。一位叫巴格辛的小伙子，这天在 B 县的挖煤队那儿晚了一个时辰下班，等他赶到河那边的张县女朋友家，已经是夜晚 9 点多了。“干啥去啦，咋又这么晚？”这个姑娘本来就一直怀疑 B 县的小伙子是否脚踩两只船，今儿个又见他这么晚才来，不由嘀咕起来。“要不是加班钻洞挖煤，我能晚来吗？不信？你上河那边调查！”小伙子这话恰巧被隔壁的那位当乡党委书记的“未来岳父”听到了，便过来搭话问道：“你们那边在挖煤？”“嗯，不不不！……”小伙子刚说出口就知道泄漏了秘密，想封嘴为时已晚了。这事很快传到 B 县头头耳里。

“这些伪君子，说不定他们早干上了！可你瞅他们表面上装得多友善，背里呢，不知做了多少损人利己的事！”B 县似乎第一次看清了张县的真面目。其实，当听说那条界河底下有煤后，他们比张县干得兴许还早那么几天。但由于不明对方底细，故如今根据“可靠情报”获悉张县也在开煤矿，自然不免大惊，因为按 B 县人现在的心理推测，张县也许早把底下的乌金不知挖走了多少！

“全县动员，必须赶上和超过张县，以夺回过去的损失！”B 县迅速做出对策，并且公开组织了省界附近的 6 个乡的 1000 多名民工进入煤矿区开窑挖井。

对岸的张县一直是暗着在干的，事实上至今才挖出几车煤。眼下，见 B 县如此兴师动众，大有一日之内欲将煤层吞为己有的势头，当然是焦虑万分，县委召开的紧急会议一直开到凌晨 3 点，最后决定，全县增加投资 500 万元作煤矿开采基金，同时从大同和包头煤矿高薪邀请两个专业机械掘井采煤队充实自己力量，以此做骨干，带动全县的其他 6 支半机械采煤队，在此基础上发展由 2000 名群众组成的个体采煤队，地下地上立体开采，力争年采煤百万吨以上。

张县豁上了血本。县委“紧急会议”的第二天，有线广播便开始宣传。“采煤致富，爱国集资”的口号家喻户晓，有钱出钱，有人出人。但百姓们把卖鸡蛋的钱一齐凑出来也没集满 500 万元，县委不得不号召县机关紧缩开支，并且硬性摊派了 80 万的企业捐资。煤矿牵着全县人的心，煤矿与全县的行行业业密不可分！

张县的这个行动，对前一年受灾的 B 县来说无疑是一次巨大冲击。元气未复之前，要像张县这么干，B 县显然力不从心。河对岸那一阵阵隆隆作响的挖煤机械声，显然对 B 县人的心理上是不堪忍受的摧残。

一个风雨交加黑黢黢的夜晚，张县的采煤工地上，突然忽隐忽现十几个黑影。黑影接近采煤掘井机之后，不知在磨蹭什么，不一会儿，便迅速离开现场。也许是几秒钟（也许是几分钟）之后，只听张县的挖煤工地上，突然几声巨响，那几台采煤掘井机和它一旁正在值班的几名工作人员一起被掀到了半空，然后又摔得粉碎……

不用侦破，张县人一看爆炸现场，便知道是“丧尽天良”的B县人干的好事。据有关方面估算，给张县造成的直接经济损失超过200万元，这里还不算5名死伤人员的抚恤安葬费。由于出了这起事，从大同和包头请来的两个专业掘井队提前撤回了本单位，张县的煤炭开采从此一下陷入瘫痪状态。当这一消息传到全县的百姓耳中后，成百上千的血性男儿和那被害得丧父失夫的妇女，高举起牧鞭与铁锹、羊铲，越过界河，见B县领地上的采煤工就打，见已经挖好和尚未挖好的煤井就砸……一场昏天黑地的厮杀，B县死伤20余名，70%的煤井被破坏。张县人报了心头一仇，但也扔下了3具尸体。

大战之后，B、张两县为了根治对方，首先在本县的临界乡地进行“划清界限”的教育。一时间，那些在河对岸有三亲六故的村民们纷纷表态写血书，誓不以河界那边的人为亲为友。在这期间，至少有百对以上的热恋男女被无情地分开。具有悠久友善历史的界河第一次成了两岸百姓之间的深谷鸿沟，持枪的边界巡逻队、亮着探照灯的监哨所，开始出现在界河两岸，进出人员需要持各自县政府印发的“护照”，哪怕是走亲戚、放牧，一律得经过检查——界河，成了两个友邻县的“三八线”。

到此，双方似乎该收敛了吧？没有。这种地面上的敌对态势更加刺激了“地下战”。现在，人们开始把争夺的焦点放在煤井的坑道上。“越界挖煤”，先把别人碗里的饭抢过来，聪明的人聚到一块去了。但是，这种形似聪明，实则愚蠢的做法并没有给哪一方带来好处。冲到张县界内的B县人，为了快挖多采，因而不顾一切，见好煤层就“大口大口地吞”，见稍差些的煤层就扔在一边，致使煤层回收率仅达20%，造成大量的浪费。与此同时，进入B县的张县人也采取取富去贫的采掘方法，不出两年，这座拥有中型储量的煤田便毁于一旦，花费了大量人力和物力的B、张两县到头来谁也没有占到便宜。

“哼，咱们富不了，他们也别想富！”分别耗去500万元和630万元巨资的张县和B县的干部们喝着浓茶都对我这么说，那脸上散发着阿Q式的胜利光泽。

我为此而感到悲哀。

C县与李县、D县与赵县的情况亦大致相同。这两个地方均处在边界与煤田并存地带，争执与械斗的结果是煤炭资源几乎破坏殆尽，而且人们曾为之骄傲和垂涎的草地也变成了一片烧焦的废土。

据国家矿产管理部门调查的结果表明，在我国52000多公里的省界上有各种可开采的大中型矿达230多个，它们中有具有国家乃至世界一流储量的稀有金属矿和非金属矿。这些矿无论是早已成为国家经济命脉的国营生产矿，还是尚未列入国家开发计划之内的远景矿，都不同程度地存在着严重的双边争矿抢矿风。由于边界矿处于特殊的地段，这类的群众性抢矿争矿比一般的民采风更为疯狂和野蛮，通常是有组织的大规模掠夺与破坏，同时伴随着血腥的大械斗。你的就是我的；你没有，我要有；我要没有，你也别想有！这似乎是所有边界矿山发生械斗的共同心理特征。

一位矿产资源权威专家介绍，全国处在省界县界地带的矿山大小共有3000余座，这些矿山80%以上有纠纷和严重纠纷。边界矿山的破坏性是任何矿山所无法比拟的，国家每年有10座中型以上的矿山因此而枯竭或消亡，造成的直接经济损失超过两亿元。

有人推算，再过 20 年，我国省界、县界处的矿山将有一半以上变成废矿。

这个警报不能不说是严峻的。

有人指出，社会主义的中国不该发生这类事情。走共同富裕的路，发扬共产主义风格，是我们的最终目标和应有的品德，为什么还要发生抢矿争矿乃至械斗呢？

是啊，这是为什么？

第三章 金钱王国里的朝圣者

第一件事发生在湖南的辰溪。

葛老汉——其实也才刚过半百的人，在20年前的一个夜晚，他突然做了个梦：梦见玉皇大帝告诉他说他家后门的山底下有金子。葛老汉（当时还只有三十来岁）醒了后从床上跳起来，连声高喊："老天爷开眼，我葛某人要发啦！发啦！"

婆娘半信半疑，跟他挖了一夜又一夜，可是啥都没见着。婆娘不干了，说夜里累得贼死，白天咋个下地？

葛老汉说："还下什么地？等金子挖出来了要啥有啥，美还来不及呢。"

婆娘又跟他挖了半月，土堆成了小山，啥金星子也没见着。"搁着地不种，挖挖挖，挖你个尿窝，我不干了！"婆娘从此歇了手。

葛老汉没停，而且白天也开始挖了起来。

近邻远乡都知道了此事。旁人见他如此一年半载地挖个不止，以为真的山底下埋着金子，结果一传十，十传百，到第三年冬葛老汉家的后山上一下子来了上千人挖金，人们把整个山包差不多翻了个个儿，还是没见金星儿。

大伙儿终于泄了气，甩下铁锹铁镐，从山上撤了下来，唯独葛老汉依旧如故。

他挖啊挖，挖了一年又一年，一直挖了20年……

有一天，他母亲死了。别人跑到山洞里把噩耗告诉他。谁知他抹了一把汗，说了声"反正年纪大了"，又操起铁钎凿开了。

婆娘受不了这份罪，卷起铺盖，带着儿子出了家门，一去不回。他听后把铁钎一甩，说："怕啥？只要挖出金子，还愁没有婆娘儿子？"

后来，他干脆把农活扔了，把家产当了，换来开山的炸药与填肚的食物及穿着等日用品，钻在洞里一门心思地挖。

去年秋上，县官们知道此事后，甚为震惊，主动与省地质队联系，雇来两位工程师来到葛老汉家的后山勘察，结果发现此地根本没有金矿存在。县官告诉了葛老汉。哪知葛老汉大怒，高举铁镐，站在洞口大声说道："谁要是再来寻晦气，我叫玉皇大帝劈他八辈祖宗！"从此再也无人去阻拦这位挖山不止的黄金痴梦者。如今，葛老汉已将后山凿穿，因为始终没有见到梦里玉皇大帝对他说的那种金子，他改变了一下方向，又从头开始凿山了……

第二件事发生在陕西境内的小秦岭金矿区。

时间是1994年7月11日。这对许多人来说是个无关紧要的日子，而在小秦岭山区它是个多么叫人惧怕的忌日。这一天小秦岭金矿区的西峪河两岸到底死了多少人，谁也说不清。有人说，两三百吧。有人说，光文峪金矿那座用废矿石垒起的大坝底下就住着不下300多民工，现在活下的就剩80多人。而沿西峪河两岸采金的人少说也有几千人，在一丈多高的伴有乱石奔腾咆哮的洪水面前，这些人都到哪儿去了，只有天知道……

小秦岭"7·11"事件，这是共和国成立以来罕见的特大事故。它的全部真相人们至今或者永远无法弄清，因为那些在洪水中葬身的都是些在当地无户口、无登记，且不知来自何方的采民。对此，他们的家人一无所知，还正在日复一日、月复一月地等待着自己远去深山的亲人，能早些寄回挖金挣来的钱去盖新房、换媳妇和养老送终……好凄凉无果的等待呀！

如此骇人听闻的大悲剧丝毫没有动摇那些从四面八方拥来的采金人。当"7·11"事件中那些无辜丧命的采民们的尸体还漂浮或暴晒在河谷之中或河面之上的时候，我来到了这里采访。我看到浩浩荡荡走向金山的一批又一批新采民的脚步依然迈得那样从容，那样执着，那样坚定不移，脸上无半点恐惧之感。

“……记不清何时，记不清何处。只有当我拥抱你的时候，灵魂才得以升华，生命从此复活。啊，你像万能的神灵，令死者生，令生者死。人们愿为你慷慨赴死，愿为你英勇生存。你是上帝的椅座，你是上帝的基石，你与上帝同在天国……”这是某君的一篇《黄金宣言》中的一段话。

啊，金钱与财富，你这天国之君，使多少疯狂的追随者，为你倾心俯首，跳起人生的“摇摆舞”；为你沥血舍命，魂逝天国！

西部剧

20世纪40年代，作为二战战胜国的美国，在经济获得空前飞跃之时，出现了一股曾载入美国历史的西部开发热潮。有谁能想到呢，40年后的中国，在沿海地区的经济发展势头越出国界、奔向世界大潮之际，沉默了许多许多年的中国西部仿佛一夜间也涌起了一股犹如飓风般的开发热。导致这场波及新疆、青海、内蒙古、西藏、四川、陕西等省份乃至整个神州大地的“西部热”，是由以Au为代号的金属元素引起的。

金子，你的名气太大，你的感召力超过了任何一种哲学家制造的神力！

那些多少辈子靠一张黄羊皮度日的牧民们太贫困了，他们需要营养滋补那瘦削的身躯，需要像沿海地区和城里人一样，家中有台电视机与能看个月落日出的手表。再不想在这抽不出甘泉挡不住狂风的沙海中，伴着贫穷困苦度过一生又一生了。

时代给予了他们这样的契机！

西部人开始重新认识和发掘自己的土地。

无须听这样的传说——1972 年，美国总统尼克松来华访问，献给周恩来总理的第一份厚礼是“我们美利坚合众国的资源卫星测出，中国西部有个大型金矿”。

无须听这样的新闻——1985 年，中国黄金总公司官员到澳大利亚考察，当地矿产部门负责人对他说：“中国西部有一个金矿田若公布了储量，会引起全世界金价的爆炸性波动并对全球的金融产生冲击！”

啊，人们过去太小看和冷落横空出世的八百里苍莽昆仑与潜入云海的巍峨祁连了，以为它们只是“黄沙百战穿金甲”“无花只有寒”的两个庞然大物。事实偏偏是这两根西部“擎天柱”披挂着厚厚的真正的金甲与黄袍。高精度的美国卫星和找金鼻祖澳大利亚人所指的就是这两座大金库。这绝不是耸人听闻。中国的地质工作者经过勘察，迅速证实了在昆仑和祁连山的怀抱中金脉丰富，沙金富集。在金含量最富的红金台，一锹沙子“哗”的一下撒在地上，一颗颗芝麻大的金粒信手可拣。当地的牧民，在骑驼放牧途中，拾到 10 斤、20 斤重的金块的事并不鲜见。

多少年来，是人们不懂金子的价值？不懂金子可以换取财富与天堂般的生活？否。那是因为金滩、金山上的牧民虔诚地遵守着神灵的嘱咐：放牧者以牧为业，一切意外之物都将是罪恶的渊源。他们虔诚地保护着金山、金滩，就像保护自己的牧场与田园，即使捡到一块价值连城的金块，最多也是拿来铸成一只给孩儿喂奶的小勺与一副精美的缰绳上的扣环……“什么，那儿遍地是黄金？牧民们用它铸小勺和扣环？哈哈，傻瓜！白痴！”有一天，那些“聪明”人听说这样的事后，便再也按捺不住那颗贪婪的心，于是他们成群结伙，走出窑洞，走出茅棚，走出高楼大厦——比起金子，高楼大厦算得了什么？——带着妻子的嘱托，孩子的希望，未婚妻与情人的“条件”，从天山深处、秦淮大地、江南水乡、海河京城……一队队，一行行，怀着激动、兴奋和“豁出命来一搏”的坚强决心和斗志，如汹涌的巨浪，向昆仑、祁连，向西部开进！西部采金者有多少？我们从这几个“官卡”便可知其大概，尽管这是一个极不全面和准确的数据：1982年，昆仑、祁连、天山、阿尔泰、博格达、阿尔金这六大金山的十几个关口上能说上数的采金人是43500人；1983年，64800人；1984年，139000人；1985年，175000人；1986年，187000人；1987年，193000人；1988年，204000人……1990年至1994年，平均每年均在25万至30万人以上。这是一支多么庞大的队伍！这支队伍由来自人的本性中的那股矢志不渝、勇往直前、不达目的不罢休的精神巨澜汇聚而成，势不可挡地荡涤着寂寞的西部，使中国的西部一夜间变成了另一个喧沸的世界，一个真正的野性世界。

海拔4500余米高的昆仑山的一条背脊，是一条用金子烙成的背脊。别以为几万人几十万人，这么一支浩荡的队伍，可以将绵延八百里的昆仑挤得满满的。天真的作家总在现实生活的画卷面前受骗。我们有限的视觉根本没有感觉到昆仑巨大的身躯正在被人蹂躏。

“哎，那儿好像有人！”有人从望远镜里发现左前方的一座山旁有无数小点在蠕动。

吉普车为此又继续开了半小时。

我们惊喜地发现，原来这是个庞大的露天金场！望远镜里蠕动的小点便是忙碌的采金人。

金色的土地，金色的天空，金色的人群……这是我们最强烈的第一印象。令我们惊诧的是这个几乎与外界隔绝的世界里，成千上万的采金者竟也是金黄色的，一种与大自然极为融洽的金黄色。是的，亲爱的读者，你是很难有这种眼福的。

在这儿，我们发现，所有的淘金者一律全身赤裸着，而且所有的人，没有一个人脸上有半点羞色。相比之下，我们几个将上帝赐予的“玩意儿”盖得严严实实的人反倒觉得很不自在。这儿是雄性世界，没有一个女性存在。那一个个大头颅、宽肩膀、粗嗓门，连同那象征男性的勃起的阳具，显示着一种力度、雄壮和不可征服的锐气。

他们大部分都很年轻，却都把头理得光秃秃的，在夕阳与沙海的光芒折射下，如同涂了黄颜色的灯泡，闪闪发光。自然，那脸庞，那汗湿的背脊，那深深插在沙中的双脚，无不发着闪亮的黄光。

金子的吸引力远比磁铁强十倍、百倍。对我们这些衣冠楚楚的来访者，他们甚至连瞅一眼都懒得瞅。每个人都是那么专心致志，手扶着的是摇动的簸箕、木盘、锹铲，两眼盯着的是水中时浮时现的金粒，而双脚也不闲着地踢挡着有可能滑到他人领地的那些散落的沙粒……

“喂，小伙子，你多大啦？”在一个年轻人的淘金架前，我想套点话。

对方白了我一眼，没有说话。

“你来了多久？ 一天能淘多少金子？”

对方投来第二个眼神，显然多了一样东西——敌视。

“干吗你们都理了光头又一丝不挂？这多不雅观！”

大概看出我们几个是“死不改悔”的磨嘴皮者，他终于停下了手中的活。

我们几个露出了胜利的微笑，但马上个个气急败坏，心里直骂“这些人怎么一点也没礼貌”！

因为对方用那双沾满沙子的手，抄起他下身的那个“硬干干”，说：“又不是在你们家，管得着吗？我倒要问问你们几位干吗把那玩意儿裹得严严实实的？是短了一截还是穿不了洞的柳条？”

“哈哈哈……”整个淘金场，突然爆发出一阵令人胆战的放荡的狂笑声，那笑声隆隆回荡，犹如大地在震动……

的确，在这万众赤裸的雄性世界里，我们几个衣冠楚楚的“文明人”反倒成了动物园里那些被人耻笑的裹着红衣衫的猴子一般。

“干脆，我们也把衣服扒了，那样多利落、痛快！”诗人气质的一位老弟说。但毕竟谁也没有那样的勇气，包括他自己。

“你们问这个？”终于，在我们有机会了解想了解的一切时，一位因脚上长了个瘤子在工地上休息的年老采金者告诉我们，“唉，来到这里，谁不想多采些金？可采金就是强力气活，人易疲惫，干一天就像换一次骨架。这里又没有女人，大伙干脆把衣服脱个精光，干起活来省得碍手碍脚。再说，谁也不想在淘金之外多费哪怕是半斤重的力气。

“你说干吗理光头？这也是逼出来的。这儿又没地方去洗脸洗澡啥的，有了头发多碍事！时间一长还不长满了虱子？又来个干脆，光秃秃，啥虫子虱子的见鬼去吧！

“日子久了，大伙儿觉得光着身子还真舒服。皮肤经太阳、沙光一晒，硬邦邦的，滑溜溜的。夜里，大伙儿往沙子里一钻一滚，嗬，还真比到浴池里洗澡舒服十倍八倍的。不信你们可以试试！”

老人说到这儿，十分夸耀。西部淘金者在与自然的抗争中，表现出了令人惊愕的韧性与能力。然而，他们在对待自己的生活时，又表现得可怜巴巴，不堪一睹。

离金场百米外的一个山背上，搭着一片小屋，淘金者戏称这是他们的“金城”。大多数小屋是用透明的塑料布支撑成一个“△”形的架势，只有很少的帆布帐篷。屋内陈设简陋：一张睡觉的席子，两袋粮食分别放在头顶脚跟，作枕头和搁脚用，这叫一举两得：不占面积，又可用来消除疲劳。人类就是这样高智商，一个最简单的发明，也能获得巨大的效益。

不过，这些“亚当”们对自己的要求也太将就了，要说有多脏就有多脏。这儿，得不到水（虽然淘金场有条溪流，但那里的水是用来淘金的，谁要是擅自用来洗涮就会被开除出金场），于是也就不可能洗脸洗澡。收工回“城”，往沙子里一钻，滚几下，就把身上的汗迹与泥土蹭掉，再用一块布团擦一擦，就算完事了。“何必那么麻烦，身边又没老婆，又没席梦思。省一斤力气，说不定明天多抱一个金娃娃呐！”他们自有道理。

吃的要比睡的更为简单。南方人带的是炒面，陕西一带人带的是馓子（油炸的，很像面条），四川人则带白薯干。抓一把，再喝一口水，就完事了。时间长了，食物长出了绿毛，他们照食不误。于是，免不了出现食物中毒者。

在“金城”，我们发现了一个无法容忍的现象，那就是遍地的粪便。他们不盖厕所，不挖粪坑，就连多走几步路都不愿，拉便就围着“小屋”的四周。“小屋”与“小屋”之间，没有一处不是连片的粪便，唯独门口走路的一行脚印处没有。

“这有什么？高山缺氧，多走几步路就得大喘气，咱才不冒那个傻劲！”没有一个人不这样回答。

除吃、拉、淘金，他们还有许多业余时间，但却没有更多的内容，看武侠书、打扑克、喝老酒、谈论女人、打架……男人所独有的专长，在这里都能用上。

这里，一切都以决输赢为定论。比喝酒，直到喝死人；比打架，直到脑袋插进两个肩膀里；比打扑克，直到挖来的金子和家里的老婆一起抵押出去……

啊，女人！女人是雄性世界里谈论最多，却又最难得到的一件事。于是，便开始有两个男人睡在一起……同性恋，在淘金者中极为普遍。

他们并不以此为耻。当这些具有旺盛生命力的男性们突然离开妻子，离开情人，过了一段漫长的禁欲生活之后，自然感到极端的痛苦。据悉，“情人”们常常白天是一对好搭档，夜里又是一对“好夫妻”。“没什么，我们双方愿意，并且过得很好！”一对同性恋者这样说，“我们还可以告诉你，一旦淘金结束，我们会友好地分手，回到各自老婆的被窝里……”

这类“阶段性同性夫妻”在淘金场被“亚当”们广为推崇。大漠的伊甸园就是这般离奇、独特！

男性世界里，有时也会出现女性，尽管是极少极少的。但一旦出现，便会带来一场悍然风波或地震。

某采金地，从河南新来一批年轻人。他们是成群而来的，到了的第一天，第一个任务就是剃光头，对此，新来的“居民”没有一个反常，照剃不误。第二天，清一色的裸男间却有一位“小伙子”死活不愿脱衣脱裤。

“他是病人！”一起的人这样回答。

二天，三天，十天，二十天……他一直穿着衣服，并且手脚丝毫没有半点病态而致的不利索。人们开始怀疑。一传十，十传百，百传千……“这是个假小子！不信，你看他胸脯鼓鼓的！”“是呀，俺们一个个晒得又黑又黄，就他那样经晒，还是细嫩嫩的！”“哎，今晚咱们……”几个坏小子凑在一起商定主意：夜探“曹营”，看个究竟！

月光下，“金城”一片呼噜声。这时，十来个小伙子蹑手蹑脚地来到那个不愿意脱衣服的小伙子那顶“小屋”四周。“看不到里边呀！”有人发现，“小屋”用的是不透明的帆布。

“给！”有人给前面的人递来一把刀子。于是，严实的帆布上露出了一个缺口……

啊！那是什么？……雪白的两条大腿，再往上看，是白玉般的酥胸，酥胸中央崛起两尊高高的释放了的“雪山”……上帝！前面的小伙子像石板一样钉在那里。空气凝固了，眼珠儿发直了……

“怎么回事？快让我看看！”后面的人紧张得像要打第三次世界大战。于是，你挤我，我挤你，“小屋”像只颠簸在浪尖上的舢板……

“哎——快起来看哪！”

“看什么？”

“女人哪！”咱这儿有个没穿衣服的女人！

“什么，这儿有女人！在哪儿？”

整个“金城”惊醒了！男人们疯一般地从自己的“小屋”里钻出来，就连正在合欢的“假夫妻”们也奔了过来……

“不许往前走！不许往前走！”帆布“小屋”早已被挤塌在地，在它的四周站满了黑压压的一片人群。他们号叫着，狂笑着，甚至不停地摩挲着自己光溜溜的身子……但是，他们始终没能靠近看个仔细。那假小子的真面目，被十几个一起来的河南老乡死死围在中间……这一夜，直闹到天亮。

从第二天开始，假小子再也没有出来工作，并且时刻由老乡看守着。然而，那些没能一饱眼福的汉子们是不甘就此罢休的。他们轮番进攻，直到那十几个河南老乡丢掉手中淘金的簸箕，重新组织保护圈。

这能难得倒谁！

十几个人的保护圈，承受着百人、千人的轮番冲击。弄得河南老乡晚上不能睡觉，白天不能上工，而且随时可能被黑压压的野汉们踩死在脚底。

“不行，今天非看个明白！”第三天，那些没有得饱眼福的野汉发誓道。眼看一场流血的厮杀就要出现在淘金场时，突然，那顶倒塌了的帆布下面钻出一个赤条条的女人来。她，全身洁白如玉，犹如女神一般屹立在这些野汉的面前。她嗓子沙哑，泪流满面：

“……你们看吧！看个够……我，我不怪你们。”她微微羞愧地低下头。倏地，她抬起头，声音变得如此颤抖：“我，我的男人也是淘金的，他与你们一样……是前年出来的。可他命不好，没三个月就得了风寒病……我们才结婚三个月，可他走了，留下了两个瘫在床头的老人和他的一个种子……我从此一个人要负担三个人，靠几亩地养活不了全家人。村里的几个小伙子说这儿能淘金，一天挣上十块八块没问题，于是我就……就女扮男装偷偷跟着他们来到了这儿……不想你们……”她捂住脸，呜呜地哭了。“我……我不怪你们。谁让我走进你们男人的世界里来！我，我明天就走……”

“不，大姐，你别走！”不知是谁突然跪下来大喊一声。于是，成百上千的男性公民们像听到命令似的也一齐跪了下来。

“大姐，你别走！别走！我们养活你！养活你全家——！”

啊，浩瀚的大漠，久久回荡着这震撼肺腑的声音！

啊，古老的戈壁，你是否在呼唤人性的复苏？

是的，他们——这些采金者们从这女人口中听到了妻子和母亲的声音与命运，他们开始感到自愧、痛苦！重新觉得自己是人，而不仅仅是雄性！

他们挽留下她，每天给她最好的吃食，并且悄悄地送来一勺勺带着汗水、带着深情的金沙！那闪闪发光的金沙堆满了一顶小小的帆布“小屋”……

野性的裸男世界里不仅仅是野蛮与罪恶。那里有人世间最丑恶的东西，有时又有人世界最美好的东西！

这是一个永不和谐的世界。

在西部采金大军中，到底有没有淘金女？我问了几个部门和去过西部采金场的人，都说有。那么，到底是什么样呢？我执意想探究这黄金世界里的女人国。

很遗憾，庞大的中国西部，就是乘飞机上几个地方转一圈也得几天时间，更别说到所有淘金场采访了。而偏偏，那个淘金女人国又在阿尔泰山腹地。“除非，你准备三个月时间。”有人对我说。

“你真想了解淘金女的情况？算你走运，我刚从阿尔泰山那儿回来！”在北京的一次矿产资源管理会议上，地质矿产部的一位女工程师听说我在搜集这方面的材料，于是主动向我讲起了她的亲身见闻：

我们一行6人到新疆调查群众采矿工作。因为我是女同志，有人便向我介绍说，阿尔泰山有个淘金女人国。这引起了我的兴趣，便请区地矿局的司机小张带我去。

进山的路很难走，这是因为严格地说根本就没有路。我们坐的是一部老式吉普车，车子在所谓的路上——其实是一条干涸的河床上前进。不知过了多少座山头，多少道河沟，我们终于看到了阿尔泰山腹地的淘金场。

阿尔泰山素有“七十二条沟，沟沟有黄金”之说。其实，我们地质勘探结果显示这里至少有100多条沟河中流淌着富集型的沙金。阿尔泰山以其无私的胸怀，拥抱着来自四面八方的采金者。

有人估算，阿尔泰山的女淘金者不下万人。

女人需要特殊的自然环境，在那一望无际的干燥的大沙漠，她们是难以生存的。女人离不开水。她们要洗脸，再不讲究的女性也要抹一把脸；她们要洗澡，洁白的身子不容一点泥土与沙子，身子是她们的本钱；但更重要的是她们每月经历一次的被称为“倒霉”的事。

男人们早已进了那深山的又一条金沟，而她们依然充满希望地蹲在这条溪水长流的沟河两岸。

女人们不像男人那样专心致志，一见有人路过，就叽叽喳喳起来。不过，她们手里的活根本没受一点儿影响。这是晌午时分，天有些热，淘金女们穿得很少。当然没有人在干活时穿裙子，不过，她们下身穿的裤子都很特殊：有裤管，但都不过膝盖。下面的那部分有的显然是磨破掉落的，有的则不是。“长裤腿不方便，这多好！”一位年轻姑娘正用剪刀剪掉她那条很新的工作服的下半段裤腿。扎头巾的人很普遍，可也有些俏姑娘蓬松着长发，那黑色的瀑布随着有节奏的动作摇摆，显出一股醉人的美。只因汗水太多的缘故，她们上身穿的衣服都湿透了，把女人特有的特征全暴露于众人面前。她们不在乎，而且为了方便，很少有人戴胸罩，于是一双丰满的乳房清晰可见地展现在你眼前。太多的刺激反倒弄得一些男人们难堪，司机小张的眼睛根本不敢看一看我们的女同胞。也难怪，我们有些女同胞特别是些中年女人显得有些大胆和放肆，也许是太热的关系，她们有的把胸前第二第三颗纽扣全放开了，那白白的酥胸差不多都露在外边……

淘金女之所以踏上淘金这条充满冒险的道路，大都出于自身为了生存和摆脱困境的一种最基本和最原始的追求。而男性淘金者则多数出于崇拜金钱的心理。由此，相形之下，女淘金者对黄金所抱有的幻想和依附性更大。然而，事情往往是这样，寄予的希望越大，就越容易使自己陷入绝境。我了解到，除了少数把头之外，每个淘金妇身上都有一段渗着血和泪的故事。

像我到的那条金沟，长约 2 里路，有近万人，你一群我一伙，彼此都互不相识似的，既不打招呼又不互相走动。一群人就有一个固定的帮派。帮派有大、有小，大多是同乡人结盟，也有自愿凑在一起结盟的。帮头就叫老大。老大一般都是由大伙儿推举出来的，或者是有威望，或者是第一个到这儿的人，或者是淘金能手。新来乍到的人往往看不出在一帮子女人中还有什么等级之分。而事实上，一个帮派就像一个国中之国，淘金场是个“大国”，帮派是“小国”。“小国”里有君主，君主就是帮头，也即老大。老大的下头是按淘金的工作程序来分等的。那些刚入伙的，没有经验的，或者手脚笨的人，属最低等级，她们只能干些刨沙或挑沙的重活、累活，分的钱也最少，往往干一个月连金子是什么也见不着。其次是蹲在水里，握着铁锹，端着簸箕或竹筐的人，她们的任务是淘沙。淘沙是个技术活，成担成筐的黄沙在簸箕或筐子里筛滤，最后剩下少许黑里发黄的沙粒。这些沙粒俗称沙金，在阳光底下能隐约见到反光。淘沙动作简单，可得学会把握火候，重了沙子全跑了，轻了沙子出不去。有的人淘一天，簸箕或筐子里啥也没留下，这样的人便会受到降级处理，只好去干刨沙、挑沙的重活累活。淘沙人收入高于挑沙、刨沙人。淘出的沙金被集中送到一间小屋里，这道工序叫选沙。选沙人把沙粒放到一块倾斜的石板上，石板上有一道道不深的细纹。夹着清水的沙粒经过石板，那些沙金就落入细纹之中。选沙人一般都是淘金老手，有丰富的经验，等级高，收入也高。最后一道工序，一般都由老大亲自干，或者由老大带几个可靠的经验丰富的人一起干，这道工序叫吹沙。即把选沙人送来的黄色沙金放入一个像簸箕似的铁器里，一边往上抛沙金，一边对着抛起的沙金吹气，这样，沙金里的沙子被吹到地上，而真正的金子则落入铁器。吹沙是门高级技术，口重了，会把金子一起吹走，而掉在地上的金子是无法再捡回的。口轻了，落入铁器里的仍然是沙金。淘金共四道工序，四个等级。刨沙、挑沙者一般一月只拿二三百元；淘沙人的收入是其两倍；选沙人又是淘沙人的两倍；而老大和那些干吹沙的人则收入更高。这种等级观念有着浓重的封建色彩，可它在淘金场是天经地义的，谁要是违“法”，将受到严厉制裁。听说，有一位淘沙者在她那道工序发现了一块几两重的狗头金，趁人不注意时擅自藏了起来。被帮里人发觉后，老大不仅仅没收了狗头金，而且将她开除出帮。据说，这种人再到其他帮里也会没人要。帮规看似很严，可那些老大到底独吞了多少金子，又有谁知道呢？

淘金场内除帮派中的等级外，还有金场的最高统治者，那就是大把头。大把头统治着所在的整个金场，颇像一国的君主，实行的是“中央集权制”。大把头手中有“军队”——一帮雇来的打手；有“监狱”——挖的土洞，里面又黑又脏且长满虫蛆。哪位老大和淘金工不听规矩，大把头就有权处罚，轻则罚钱，重则体罚或赶出金场。发现窃金者，数额大、情节重的则处重罚。大把头的主要收入来自新伙计所淘的金，这叫人头费。另外是各帮老大每月的上供。仅这两笔收入，就足可以使大把头成为整个淘金场的最富有者。

我发现，在采金的人群中也可以找到不少男性。但这些人都是她们这个淘金场的大把头所雇来的。他们有的是大把头的姘头，有的是专为协助大把头统治淘金场的打手。这些男人在这个女人国里为非作歹，什么坏事都干。他们想找哪个女人睡觉，你就别想逃过这一夜。有些淘金女不愿意，他们不但体罚她们，而且没收其钱财。大伙儿来这儿就是为了淘金赚钱，钱是命根子，所以，开始不从的人也只好听任这些畜生的摆布了。

西部淘金潮的女人国，就是这样一个希冀与毁灭、追求与幻想、香花与苦涩并存的世界！一个充满神秘的世界！

南国篇

在海南的胶林与崇岭，在广西的十万大山，在贵州的原始森林，我不止一次地听说那些原本十分贫困的山里人，有朝一日突然发现自己脚下那乌黑或耀眼的石头是“宝贝疙瘩”，便拼命地掠夺、霸占，继而以自己的实力占山为王，这之后便是屯筑居室，弃妻纳妾，豢养保镖，挥金如土，作威作福，称王称霸，甚至渐渐变得深居简出，一般人轻易见不上一面，就是老爹老娘、亲戚朋友来了，也得层层请示、过关，才予传见。封建皇室生活与治人之道，在中国人身上似乎与人的性本能一样，与生俱来，无须教习。

夜幕下，位于广西资源与兴安交界的百里大山间，灯火繁星般遍布群山，凿石放炮，人叫马嘶，乱糟糟地响成一片。此情此景，让人仿佛回到了1958年大炼钢铁的时代。不过，听父辈们说那时广袤的山野间虽也有这般灯火，这般响声，但那是为了整个国家的富强（尽管做法不恰当），到处响起的是“社会主义好”的洪亮歌声。而如今，也是这般灯火，这般响声，人们又是为了谁呢？

为了哥哥盖洋房来娶媳妇。
好媳妇，顶啥用？
老子有钱能买妾，
一天一个随便拣，
只因为白花花的银钱就在脚下边，
哎哎，白花花的银钱就在脚下边……

这是山野间传入我耳中的一曲小调，我听了不由感慨万千。30年过去了，从人民万众一心建设社会主义，到今天有人唱起“老子有钱能买妾”，人类历史的发展啊，有时真让人迷惑不解。

“林哥来了！……哎，他是干什么的？”

正当我随着“表哥”——一位刚刚认识的“倒爷”，走向一条满是帐篷与草棚的小街深处，来到一个颇为讲究的石庭院门口时，两位手里拿着铁矛的年轻人把我挡在一边问道。为采访方便，我经人介绍结识了这位专门从事倒卖钨锑等贵金属生意的A市外贸采购员林某。“想到山里采访那些山寨王？那可不是件容易的事，弄不好会把你的小命都搭进去呀！”第一次见面，林某就用这样的口气对我说。“算我林某又当一回热心人。不过，话得说在前：第一，你必须保证不把山里的财神爷给得罪了；第二，不准把我搞的买卖告诉我单位里的人。你得发誓！”在我对天发誓后，我们就这样攀上“表亲”，然后踏上了对我而言是既神秘又新奇的旅程。

“装什么正经，阿福，二贵，接着！”“表哥”哗的拉开皮包，取出两条万宝路香烟，甩给两个把门的，然后才道：“这是我的表弟，自己人，带去见见大王！他在北京有路，能帮咱出货！”

这是第一道卡子，紧接着是第二、三道。

我问“表哥”：“你每次来都这样破费？”我看他起码扔了六条万宝路。

他轻蔑地一笑：“小意思，喂饱了这些‘看门狗’，来去方便，要不别说到这儿做生意，就是见一下‘南霸天’也难着呢！”

“谁叫‘南霸天’？”

“如果顺利的话，过一会你便会见到他。”

我们先在石院里坐了一会。“表哥”说，这儿是专门谈生意的，叫“聚义堂”。我抬头看着门沿上的那块大木牌，上面真写着这么三个大字，竟然还是一位小有名气的书法家的墨迹呢！

“这一带，上到县城、省城，下到庶民百姓，谁不知道这牛头山上有位大财神爷，号称‘南霸天’的郭全禄！这三个字，是郭全禄出了3000块钱，请那个书法家写的。”

还真是“一字值千金”呢！

“这算啥！”“表哥”见客堂里许多人正在谈生意，没人注意我们俩，便悄悄告诉我：“你猜猜这石院庭是花多少钱造的？”

我环视了一下这个用大青石垒筑的大约有三个篮球场那么大的石院庭，说：“大概也得3000吧？”

“什么？3000能修出这么好的一个空中楼阁？不说别的，你看这石院庭下面的一条通道，就是方才我们上来的那条石道，共10级台阶，全是用从后山运来的大青石垒成的，据说每块青石都在10块钱以上，加上人工、筑路、设岗费，就花了2万。你再看看这个石院庭，上接青天云雾，左右是悬崖峭壁，这么一座挂在半山腰的石院建筑，里外又是十分讲究的岩壁、铜墙，你说要花多少钱？”

这时，一位看着猴瘦的中年男子凑到我身边坐下，搭讪道：“老弟，成交了哦？李老板够意思，又给阿拉3吨，总算没白跑一趟。伊晓得哦，上海眼底下就缺钨原料！阿拉这3吨到手，奶奶的，救了半个上海城！”上海老乡兴高采烈地说着。

晚上，主人设宴款待。桌上都是些货真价实的东西，什么东北的熊掌，海边的燕窝，广东的蛇崽，上海的大闸蟹……应有尽有。酒是清一色的茅台，据说山寨王特别嗜好这酒。

“来来来，蒙诸位关照，请大伙喝个痛快，明早好把各山头采来的30吨‘黑疙瘩’弄出去呀！”

“没说的，二爷，有你一句话，咱们谁不是扛着脑袋为郭大哥干的呢！”

饭后，我约莫算了一下桌上的酒菜，3桌人，没有4000块钱是无论如何下不来的。“常年都是这个样招待你们？”我问“表哥”。

“基本都是，还有更高的，那是郭全禄亲自出面的宴会。不过，他很少这样做。”

“他手头有多少？能折腾得起吗？——来吃喝的人又自己分文不掏？”“这你就外行了。上酒桌的人都是来山上买货的。‘南霸天’手下近2000名采矿工，每天少说能采上20吨钨矿石。他卖给咱一吨就是3000块，实际上他花的成本不到700元。你算一算他每吨赚多少钱？而山上的矿石有的是，干上三年五年也运不完。他看上去是里外做人情，实际上是一本万利的事！”

他悄悄地推开石院的后门，让我抬头眺望前方。只见前面百十来米高的地方，还有一个亮着灯的洞口，在那洞口隐约可以看到有4个持着家伙的人来回地走动着。“那是郭全禄的窝，洞口几个人是保镖。据说他雇了很多保镖，你要是能看见他下山，那阵势绝对让你吃惊。有一回，我见了一数，光是身边的保镖就有12对，加上几十个随从，可谓浩浩荡荡。下山正巧碰上一位省里的大干部下乡检查工作。嗬，这郭全禄财大气粗！他坐的是一位东北铁哥送给他的奔驰600，跟在他后面的是大大小小十几辆由吉普车和拖拉机组成的车队，硬把那位省里的大官逼到了路边边……”

“他是什么时候起家的？”

“那是四年前的事。郭全禄一帮人听说这山上埋着宝贝，就纠集了一帮退伍兵（他自己也在部队上当过三年侦察兵，会点三脚猫的把式），上山霸占了一个矿。那时，郭全禄他们虽知这山上的矿石是宝，却不知怎样才能变成钱。正巧，这时从广东来了几个人，这些家伙识货，一看便知是可以发洋财的，便出大钱从郭全禄手里将矿买了下来。后来，广东人又倒手卖给了福建人，一下赚了15万元。郭全禄一听说，也急眼了，带着人上山把那些广东人截住，说这矿山是他们的，硬把那15万元要了回来。俗话说，闻到腥味就想吃大鱼。郭全禄一不做二不休，回过头来又把那个福建人给赶跑了。就这么一折腾，他在山上的一个矿洞里，便净赚了 50 多万元，摇身一变，成了这一带的山寨王。他把自家的兄弟姐妹亲戚朋友拢在一起，组成了一个矿业队，霸占了 3 个有矿藏的山头，然后趁着外地的那些倒爷们想发大财的机会，像头回一样，把 30 多个矿井转手卖给外乡人。不到半年，这些矿洞初步建成并开始获利了，郭全禄又纠集了上千本乡本土的人，一下又从外乡人的手里把这些矿山全部夺了回来。那些外乡人是哑巴吃黄连有苦难言，全被赶出了大山。郭全禄这一毒招，不知害了多少人！一个武汉来的外乡人，被郭全禄这么一搞，弄得倾家荡产，全家老小想想没辙，在大年三十晚上一起喝了敌敌畏……”

我感觉浑身在打战。

那个曾让恶棍发迹的矿洞，现在就在我的眼前。如今，它是赫赫有名的“南霸天”的“行宫”。

我们走进这个“行宫”，刚刚在崭新的沙发上坐下，便有两位穿着迷你裙的少女走过来，为我们端上两杯热气腾腾的咖啡。

“林哥，这么长时间没见你来呀？”一位少女说。

“这位大哥，是第一次光临吧？可得多待些日子呀！”我被另一位纠缠住了，那一双搭在我肩上的柔软的手，使我浑身起着鸡皮疙瘩。

“嘻嘻，咱们到里边去聊聊。”她含情脉脉，声音极柔软，却像下了一道不可抗拒的命令。

当我从沙发上立起，寻找身边的“表哥”时，他早已不见踪影了。

“嘻嘻，快一点，快一点嘛！”

“来啦，来啦……”什么矿山主老巢，完全是一个男盗女娼的“窑子”！我连头也没回，穿过“聚义堂”，一直走到山脚下。

许久，“表哥”打着手电匆匆赶了来，急急地问我：“你怎么一个人下山啦？刚才我见到郭全禄了，他说要见你呢！快上去吧！”

“不，我再也不想在这儿多待一分钟了！”

“那……那你见不着‘南霸天’，不是白来了吗？”

“没有。我见到的已足够了！一个十足的新贵，一个无耻的封建幽灵！”我从牙缝里迸出这句话。

中原曲

这一天，河南灵宝县某村村民李胜贵带着未婚妻从深圳急急赶回山村，未婚妻老大不高兴。原来，他到深圳一趟，发现这儿黄金走私的价格是他老家那儿金矿石价格的三倍！李胜贵想，咱们村里人守着金山，还只是干着转卖矿石的行当，太亏了！满满当当的一卡车矿石，还不如一块香烟屁股大的金子值钱！咱干吗不直接炼金贩金呀？

村干部听到李胜贵这么说，当场拍着大腿：“中！要是能直接炼金，一年的收入就等于过去干三年的。阿贵，这个任务就交给你了！”村干部对这个村上唯一上过县中学的高才生抱有万分希望。

就这样，李胜贵第一个在自己家里办起了炼金坊。

他亲自任技术员，让未婚妻做助手。整个炼金过程原始而又“科学”：将矿石粉碎后，放入一个十立方米的池子，灌上剧毒化合物氰化钠；一天后，金子从矿石中分离出来，然后和氰化钠一道从池底的小孔滤出；再在另一个池子中用锌将金子从溶液中吸附出来，放在一个装有硫酸的碗里一起煮；一小时后就有金泥沉淀在碗底，再煅烧一次就成为金子了。

整整一天一夜！当李胜贵从弥漫的硫酸雾气中捧出黄灿灿的金子并高兴得欣喜若狂时，未婚妻则感到头昏脑涨……

炼金成功，村干部马上做出决定，在村里建立八个氰化钠炼金厂，由李胜贵任总技师。一时间，全村青烟弥漫，一片忙碌。这一年，全村一共炼了 300 吨矿石，平均每人纯收入 2500 元。李胜贵是有功之臣，加上平时每一炉他都悄悄留下少许，一年下来，他赚的钞票多达六位数。

这一天，当李胜贵准备带领村上几名小伙子南下贩金时，他未来的岳父大人惊恐万状地跑来找他。

“阿贵，阿珍他……呜呜……”老人话未说完，就瘫在了地上。

“阿珍！阿珍……！”当李胜贵赶到未婚妻身边时，只见阿珍脸色铁青，七窍出血，早已没了气儿，这是氰化钠中毒的症状。

“都是我害了你！阿珍！阿珍——！”李胜贵抱着未婚妻的尸体哭得死去活来。出殡那天，他从家里抱出几大捆 10 元一张的人民币，在阿珍的坟上点着，一张张地烧啊烧，一直烧了整整三个小时……

阿珍永远地走了，但李胜贵的炼金并没有停止。他所在的村连年获得“致富模范村”称号，当村干部和李胜贵上县里领奖时，村里却沉浸在一片悲哀之中，原来，又一个氰化钠中毒者今天出殡。这个村几年来共因此出殡八次……那山村的小路上，不停地响着人们为死者致哀送葬所奏起的一曲曲凄怆的哀乐。然而，在这凄怆的哀乐声中，一队又一队更加年青的、更加水灵的男人和女人，照常义无反顾地朝那金山坚定地走去……

第四章　失衡的天平

号称中国“金三角”的秦岭的第一块黄金岩石标本是1964年发现的。而百里秦川真正举世瞩目是在10年后的1974年，因秦始皇兵马俑的首次发掘。被国际历史学界称为“世界第八大奇迹”的秦始皇兵马俑，使得中国腹地的这块贫瘠的黄土高原一夜间名声大噪。多少年来，无数考古学家、历史学家、社会学家始终弄不明白，2000多年前的中国第一位皇帝的陵墓为什么藏在一片乱石荒芜的骊山脚下。

这个谜在公元20世纪90年代的1994年盛夏，才被一位煤炭地质专家借助先进的卫星图像而解开。原来，站在几万米高空的宇宙间俯瞰华夏，人们可以清晰地发现，千里秦岭山脉是一条货真价实的巨龙图形，从天相地形看，秦始皇墓正好嵌在这条巨龙的龙首部——骊山。历代帝王均将自己称为真龙天子，秦始皇嬴政的墓恰到好处地建在“龙首”。

当电视台播出这条消息时，我刚刚在采访途中忙里偷闲参观完秦始皇墓。我为这一发现所震撼，而我内心深处真正感到震撼的是：2000多年前的古人，没有飞机，更没有宇宙飞船，为什么能选出如此合秦始皇意的一块风水宝地呢？

后来回忆小秦岭的此次采访我才明白了原因，明白之后我则更加惊叹祖先的先知与民族文化的辉煌。

原因有二：一是百里秦川是一条天然屏障。那蜿蜒连绵、谷深峰高的千里山峦，自古就有天下第一军事要地之称；二是百里秦川的地下隐伏着取之不尽的黄金。中华民族的母亲河——黄河，在她那九曲怀抱的三秦大地之处，自古有帝王之气，天宝物华，人杰地灵。史书记载，在4000余年前，丰姿绰约的汉江、丹江、嘉陵江一带就有淘金者的足迹。我们引为骄傲的周、秦、汉、唐鼎盛时期，世界级大都会长安城内外的金银店铺比比皆是，精致绝伦的金饰品引来八方商贾。凤翔秦公陵出土的金啄木鸟，西安南郊出土的唐代鸳鸯莲瓣纹刻花金瓶等千百件金品文物，无不折射着那些辉煌时代的光芒。

黄金作为贵重金属和国际硬通货币，国家对其产地与储量至今仍是秘而不宣的。从事这项秘密工作的是我们的地质队员。小秦岭有金，在今天似乎已不是什么秘密了，但人们并不知道发现这座金山的人是谁。今天我们可以告诉大家，这支功勋卓著的队伍就是现在的陕西省地质六队。小秦岭的金不是人们通常所知的那些随手可以在水中淘到的沙金，而是深藏在大山之腹，嵌匿在石头中的岩金。1964年，在周恩来总理的亲自过问下，由陕西省地质六队组成的找金队伍赴潼关一带的小秦岭地区普查勘察，成为首次叩开这座金山大门的“阿里巴巴”。然而，金山大门刚刚叩开，“文化大革命”的飓风随即刮来，小秦岭顷刻被血腥的“造反”狂潮所淹没。11年后的1975年，病重住院的周恩来在病榻前会见复出的邓小平与王震将军，苍白清瘦的总理把小秦岭开发的重任交付给了他们二人。

这是一次刻骨铭心的会晤。王震将军不负重托，力排干扰，亲临河南、陕西等地，在小秦岭地区掀起了一场空前的找金大会战，于是这座沉默千年的金山终于敞开了它那金灿灿的胸怀。

小秦岭腹地的黄金含量之富不仅使当时身居中南海的毛泽东、周恩来等领导兴奋不已，就连身在一线普查勘察的地质队员们也感到万分惊异。

地处华北地带南缘，以及新华夏第三隆起带和祁（连）、吕

(梁)、贺（兰）山字型构造体系东翼之南侧复合部的小秦岭，属太古界太华群山体，是吕梁运动以后形成的东西带状隆起。早在元古震旦纪时发生的地壳运动，使得这一带地层挤压褶皱成山。后又经喜马拉雅运动，南沿发生地裂，北升南陷，形成寻马道地堑。新生代时，因受秦岭纬向构造体和祁、吕、贺构造体之间的挤压、强扭、断陷，最终塑成了一条蜿蜒千里的中华关中巨龙。小秦岭就是在这样一幅幅波澜壮阔的地壳运动中崛起新生的奇特山脉，它山高坡陡，峰峦叠嶂，峡谷幽深，形成而今仍清晰可见的文峪、太峪、西峪、潼峪等九条巨峪和数百条大小沟壑。经过地质队员近 20 余年的艰难勘察，这些昔日连鸟儿也不想多歇脚的穷壑秃岭，竟差不离条条沟壑峪道都有万吨矿石中含金品位在 10 ~ 40 克的富矿脉。小秦岭的金脉总数达 4000 余条，其面积遍及豫、秦、晋三省数十个县、市，形成了华夏独一无二的“金三角”。

“黄金是经济的主要支柱，小秦岭要为国家四化建设贡献力量。”来自中南海的声音，使沉默了百万余年的秦岭山脉从此一次又一次地沸腾了。70 年代末至 80 年代初的几年间，中央的、地方的，还有穿着军装的黄金部队大军，绕过沟壑纵横的黄土高坡，翻越难于上青天的蜀道，身披塞北风尘，脚带长江浪沙，从四面八方投向这神秘的三角地，文峪、潼关、东桐峪等几十座大、中型国营金矿拔地而起，其阵势，远远超过当年李自成揭竿举旗之威风。

小秦岭金矿的发现与开发，使共和国的国际硬通货币储备直线上升。西方学者有一种说法：作为联合国常任理事国，中国在联合国发声时能话音铮铮，其底气来自秦岭“金三角”。

此话从某种意义上讲不无道理。小秦岭金矿的分量太重，重得使这条“巨龙”摇摇欲坠。

也许是“金三角”有太多的神秘传闻，也许是恰逢思想解放、大胆开拓的改革年代，从70年代末到整个80年代，随着浩浩荡荡的国家黄金地质队、国营金矿、国家黄金部队上山安营扎寨，望眼欲穿的秦岭四周的不法之徒亦垂涎三尺，蠢蠢欲动。

“秦岭是我们的，那些吃皇粮的来干什么？”

“挨了几百辈子饿，干吗今朝还让外来人抢咱的饱饭吃？不行，俺要把金疙瘩夺回来！”

用不着动员，用不着组织，对饥饿者来说，所闻到的香味便是最强有力的召唤。山民们开始行动了！其决心、其勇敢、其坚定，如同先辈们跟着闯王进京城夺皇位一般。

似乎是一夜之间发生的事，刚刚规划和建设起的小秦岭国营黄金矿区，转眼便被乱挖滥采狂潮所淹没，几近全线崩溃。

有关方面给我提供了这样一些数据，被称为秦岭矿区“三大金柱”的文峪、秦岭、东闯3个矿区，近七八年间由于民采而造成的经济损失分别为：

文峪金矿：哄抢偷窃矿石91万吨；

秦岭金矿：共被个体或集体挖走矿石168万吨；

东闯金矿：共被群采滥挖矿石80余万吨。

3个金矿合计损失近340万吨矿石。这个数字说明了什么？让我们按照通常的计算方法算一算账吧：

金矿中除金以外，还有比金更丰富的铝和铜的含量，分别为每吨34%与29%。1940年前收购黄金、铝、铜的价格分别为1200元/两和1350元/吨、4520元/吨。340万吨矿石的经济价值共有10多亿元人民币。这就是说，仅这3个矿，就有10多亿元人民币流入私人腰包！那么，整个小秦岭地区流人私人腰包的黄金又有多少呢？无疑是个天文数字。

自80年代初至今，毫不夸张地说，来自冶金、地矿、有色金属等部门和省、地区、县、矿山关于小秦岭告急的报告，在中南海几乎每天都可以看到，而且每份都比前一份更火急、更惊心，令党和国家领导们不可等闲视之。

“小秦岭不治，半壁江山难安！”中南海的决心由此可见。

看一看中央围绕以整治“金三角”为重点对象而采取的重大部署，便可一窥国家领导人对这里所发生的一切的重视——

1986 年 3 月，全国人大常委会一致通过中华人民共和国第一部《矿产资源法》，对黄金开采做出明文规定，声势浩大的矿法宣传席卷包括秦岭地区在内的神州大地。

1988 年 11 月，国务院在京西宾馆召开对黄金矿产资源实行保护性开采专题会议，政治局常委、副总理姚依林亲自出席并讲话。当年底，数万名武警黄金部队和豫、陕、晋人民解放军驻军官兵开赴小秦岭。

1990 年 2 月，国务院关于小秦岭地区黄金生产秩序整顿现场办公会在三门峡召开。国务院、国家计委、经委、公安部、地矿部、冶金部、中国有色金属总公司、武警黄金指挥部，以及河南、陕西两省政府及有关地、市、县政府领导 200 余人出席，具体部署联手整治群挖风，取缔个体村办矿战役。

1991 年 5 月，国家又一次在京召开全国黄金工作会议，小秦岭整治再度列入议程。豫陕两省负责人被召进中南海逐一汇报。我们来看看重灾区——陕西潼关境内的战情吧：

这是一曲悲壮的史诗。

“鸡叫一声听三省。”潼关，这个总人口不足 12 万人的三级小县，由于特殊的地理位置，使得它在中华民族的历史上名声显赫，“山势雄三辅，关门扼九州。”据史书记载，自东汉以来，发生在这里的战事就有 30 多起。马超刺曹操误中古槐，安禄山夜叩关门，李自成南塬兵败，太平军破关回师……在黄河侧岸秦岭麓底的这块 500 余平方公里的沟壑塬峁上，一幕幕或歌或泣，或悲或壮的戟杀戈战，把民族的历史浓缩为绵绵不散的硝烟。

战争，成就了一个辉煌的古潼关。

战争，又使古潼关千百年来长期处于民不聊生的凄惨境地。“兴，百姓苦；亡，百姓苦！”元朝大诗人张养浩这样叹道。

新中国成立，人民在政治上翻身做了主人，但并没有摆脱生活的贫困。“三百六十五天起早摸黑，换不来一条裤子一顿年饭”的百姓日子，“一条街道三盏灯，一个喇叭全城听”的县城风貌，“农林牧副渔外加油盐酱果厂，买回县长一辆坐车”的财政收入，使得闻名遐迩的古关黯然失色。

历史的车轮在滚动，给了古潼关一个天时地利人和的大契机。带动这契机的动力是那个元素代号为 Au 的魔女——黄金！

没有谁可与潼关人论高低。像翅膀一样张向潼关境内的七条峪道，道道流淌着金河！

没有谁可与潼关人比富有。有资料显示，全县所拥有的黄金储量人均上吨！

没有谁可与潼关人论风流。几千年金戈铁马的战事，使秦川后裔个个练就了超人的躯干与智慧。

1985 年，潼关身居全国“万两黄金县”之列。

1988 年，潼关出现第一个也是唯一的一个产金万两村。

1989 年，潼关跃居全国第三产金大县，成为与招远、灵宝齐名的“中国三朵金花”之一。

啊，金子，你太迷人了。你让潼关改变了一切，这当中也包括良心与本性。东方的夫子说，人之初，性本善。而西方的哲人则说，对富有的追逐与向往，常常使善良人变得贪得无厌，变得罪恶累累。

潼关在利用小秦岭自然资源筑垒现代文明大厦的辉煌过程中，也让那些良心与本性变了质的贪婪者丧失了人性。

——一个12万人的小县，蜂拥上山采金者高达13万人，其中有8万余人来自外省市。

——国营文峪矿山自建矿起几年间，破获、阻止抢矿偷矿案达万余起，平均每天几起。

——护矿队员奉命前来制止盗矿运输队，被霸匪拔枪顶住脑袋，“啪啪”两枪。末了，霸匪像玩儿戏似的将尸体扔进山沟，唱着“打靶歌”扬长而去。

——矿把头甩过一沓大团结，对执法的公安派出所所长说，要么你收钱，我开矿；要么把你老婆、女儿留在山上供我手下人享用，你自已拿主意……

一切都是那样的疯狂、凶残与野蛮。

潼关创造了另一串记录：打架斗殴、吸毒宿娼、拦路抢劫、杀人炸屋、腐败堕落……亦创下全国之冠，平均每6天有1人死于非命。

在营造关中社会主义“四小龙”之一的同时，潼关各级政府与人民在制止群采风、斗矿霸的斗争中，付出了血的代价。

第一次全城出击是在1987年。当时的情况已经恶劣到县委、县政府无法正常工作的地步。全县乡镇以下有一半人马、一半单位停了耕作，停了上班，在搞个人或家庭采金炼金。偷矿导致塌方死人，抢地盘发生枪战死人，氰化池和流出的毒液毒死人……这些人命关天的惨案屡屡发生。县、乡两级抽调400人的队伍，配以公安、矿管队伍等执法人员，挨家挨户，连续作战60余天，仅取缔捣毁家庭氰化池就达2353个，追回走私黄金2836克，罚款63万元，拘捕68人。

此次战役，使潼关境内好一阵安顿，出现了村民重返农田，企业职工、机关干部重返本职岗位的可喜景象。

“潼关人傻气，有金不挖去种土豆。哈哈，我们上！”秋末冬至，不知是从哪儿刮来的邪风，成千上万的外乡人带着棉裤布兜，甚至婆娘乳娃，从山前山后一齐扑向金沟矿窿，占据了本该是潼关人自己的地盘。

就这样，大清山的硝烟还未吹散，小秦岭的采金黑潮再一次卷土重来，而且此次的疯狂掠夺较以往更甚，那一张张大招牌，那一句句"解放思想，开矿富民"的口号，叫人既碰不得又辩不倒。在一顶顶冠冕堂皇的保护伞掩饰下，各种矿霸和采民变本加厉、肆无忌惮地加剧掠夺小秦岭黄金，形成矿区全面失控的势态。

1989年，中央及时颁布《关于对黄金矿产实行保护性开采的通知》，明文规定一律取消无证开采和国营、集体企业定点划区的政策。潼关县委、县政府和矿管部门有了尚方宝剑。3月15日，县长、县委书记带队率兵再度奔赴大清山。仗越打越精，8月初，趁省长侯宗宾莅临潼关现场办公之机，执法部门又在矿区杀了个回马枪，一举拔掉429个名为集体实为个体的非法采矿队与选矿厂，捕办、收审46人，捣毁提金炼器800余台（池）。

这是一场场短兵相接、你死我活的激战；这更是一场场周而复始、无休无止的拉锯战。

《中华人民共和国矿产资源法》规定：中国大地（包括管辖海域）上的一切矿产权属于国有，国营、集体、个人的开采权，必须经县级以上的地质矿产管理部门批准并颁发采矿许可证，才能在所指定的地点进行有计划的开采，除此之外，任何单位和政府其他职能部门无权发放采矿许可证。可是，中国的问题太多，法律往往在这些问题面前显得无能为力！

一位西方哲人曾以棉絮和榔头来比喻我国的现状与法律的关系。榔头，从来是坚硬和牢固的，可当它碰在棉絮上时，所有的坚硬与牢固均将不复存在。然而，笔者以为，这尚不是中国法律最可悲的命运，真正可悲的是中国的法律本身就并不具有高于一切的属性。它在许多时候可以发出“咚咚”作响的清脆回声，又在许多时候反被更为坚硬与牢固的墙壁给予迎头痛击而反弹回来。在矿产资源开采权上反映出的一系列问题，颇能说明这一点。

某县工业局的牌子白底黑字，显赫地挂在临街的大门口。可是，在这偏远的山区县城，它的职能几乎是徒有虚名。全县大大小小隶属它管辖的企业不足 50 个，而且还都是些生产老掉牙的拖拉机配件或家用煤炉等的小厂。工业局的编制也由 35 人压缩到了 21 人。咋办？要活路就得想办法呀！所幸天无绝人之路，省地质队在这个县的几座山上发现了锡矿。可是，国家还没有来得及动手设计建设国营矿山的蓝图，本地的乡村农民、企业职工、机关干部甚至学校师生已上山抢矿了。“矿山开采是工业工作，应该属于我们管呀！”工业局将报告送到县政府，并且同时附了一份局在编人员的“救济”报告。“总不能让我们饿着肚皮吧！”县里一个红头文件，昔日无人问津的工业局顿时摇身一变，气壮如牛：“上山采矿，必须到我局领取许可证！”顿时，工业局门庭若市，忙得不可开交。人员编制由 21 人再度上升到 35 人、42 人，而且待遇翻了一番。

工业局是这样，商业局、财政局、税务局、农业局、公安局……难道就不能这样？你县里可以这样，我乡里、村里就不能吗？于是，采矿证就像公园的门票，谁都可以“买卖”；于是，法律就像腾起的肥皂沫，永远虚无缥缈……

我问执掌矿产开发权的矿管局。局长不敢大声回答我，悄悄指着紧挨着他大门的税务局说：“我是执法人，只有我才有发放采矿证的权力。这一点没错，可他们自有办法对付。他们三天两头地找上门，告诉你说得交这个税交那个费，而且还要受罚多少多少万，否则法庭上见。矿管局只有让步。于是，税务局就提出允许他们在内部发一部分采矿许可证……事情就这么简单，在同一块地盘上，我的法是顺着别人划的线在走……”

你不允许公安局发证？好吧，矿山的一切秩序他们将概不负责。杀人放火，你矿管局管得了吗？投降吧！好说，放权放权，其余的我们全包！矿山秩序三天内解决！

你不允许粮食局发证？没关系。不过，这几个月你们单位的口粮和食堂供应尚不能满足，请自己想办法解决。一天可以不吃，两天可以嚼方便面，可总不能十天八天就这样熬着。投降吧！好说，明天我们就把你们的口粮送上。

于是——

OK，发！全国东西南北中，一张张漂亮的盖着红章的采矿许可证漫天飞舞。

OK，发！一张 5 元，10 元，100 元，1000 元……你采矿赚钱，我发证赚钱，共同富裕，真正的共产主义！

结果是皆大欢喜，而矿产资源法呢，成了一纸空文。

第五章　母亲呼唤良知

西方智者说过这样的话：由于对财富的追逐，常常使善良人变得贪得无厌，变得罪恶累累。

进入20世纪末的中国，在以飞驰的速度走入现代化文明国度的历程中，本不该出现一幕幕罪恶累累的野蛮与愚昧。然而，就像一丘无人管理的山地上要长出毒莓与刺荆那样，当人们追求财富的本能开始不断膨胀时，罪恶与愚昧就如一对孪生兄弟，在落后的地域不仅脱胎齐出，而且生长得异常壮健。它大有将好端端的江山折个跟头，将辉煌的民族推至深渊之势。

金山在哭泣，大地在呼救。

现代化的国度不能没有文明，国人在拭目以待。

向血腥与愚昧宣战

新中国的矿山与矿山资源，几十年来一直因其“国有”而被人们视为是神圣而不可侵犯的。但到了分田到户、包产到户阶段，山民们幡然“醒悟”，指着地对天高呼：我们祖辈在这块黄土上繁衍滋生，土地归还了，矿山也应该归还——当然还有山和地底下的宝贝疙瘩。依据这样的观点和推理，于是便有了全国性的如火如荼地乱抢乱采国家资源的疯狂黑潮。

有人传言，说中国的领导人对两件事最头疼：一件是抓计划生育，一件便是刹抢矿窃宝风。

“再难也得抓。”中南海的决心已定。

1986年3月19日，在各界多年的强烈呼吁下，全国人大常委会通过了中华人民共和国第一部《矿产资源法》，同年 10 月正式在全国实施。

根据全国人大授权，国务院将贯彻执行矿法的职能赋予了地质矿产部。竟是让一群手中既无枪杆子又无印把子的“地质郎”们，擎起捍卫共和国矿产资源尊严的大旗，办一件在中国最难办的事。

历史有时非常有趣——找矿人同时还要当护矿人。

公安局执法有一支手枪一副镣铐，工商局执法有一张执照一本罚款单，矿管人员执法靠的啥？

靠一张嘴皮，一双腿。

“啥，几个连烟屁股都摸不清的人想跟局子里的人一样来管我们？哈哈哈，这不是酱缸上走路，当心踩空了沾一身霉气喔！”

这话是刘永胜第一次作为区矿管局长进山检查工作时，碰到一位矿主而听到的第一句“奉承”他的话。第一代中国矿管工作者打头一回穿上警不像警、民不像民的“矿管服”后就没人买过他们的账。

但是，两位局长加一对兵，4 名汉子执着一个图章，围着一张桌子，在区政府一间 15 平方米的招待所房间内却开始了前人未做过的一项事业。

刘永胜他们是在与一群法盲加野蛮人交战，唯一的武器是一张嘴巴。

一场比《计划生育法》和《土地法》宣传更早的规模宏大的《矿产资源法》宣传开始了。26 辆（次）宣传车开进 9 个乡、镇的山庄村寨，458 幅高出人头的巨幅永久性宣传标语，横钉竖插在公路旁、马路边、房屋顶、石岩上……《中国地质矿产报》记者刘承国曾来此采访并这样描写道：“好些标语、口号统统标贴在明、显、要处……几近是硬性灌输，除非你走路闭上眼睛，否则你看也得看，不看也得看，那悬在半空、耸立在大山岩壁上的矿法宣传标语，一个劲往你眼里扎。除非你不听广播或堵上耳朵，否则不论在家中，还是走到户外，你听也得听，不听也得听，那‘法’的条款，领导人的辅导讲话，一股脑儿地向你耳朵里钻。慢慢地，矿区男女老少，开矿的不开矿的，都知道国家又颁布了一个《矿产资源法》，人们熟悉依法开矿就如同熟悉计划生育一般。”

刘永胜有一个高招，那年春节刚过，他在区委、区政府的支持下，搞起了矿法知识学习考试，而且明确要各单位领导干部参加。你道有多少人参加？3200余众！

一个小小的坊子区，就那么374平方公里大的土地，仅靠几个人的煽呼，出现如此浩大的宣传鼓动活动，你仔细想一下，便会感到震惊。

何海庭，这位已有20多年工龄的“地质郎”，自打担任青龙满族自治县地矿局矿管股长后，就成了一个“死心眼”的人。

1988年5月，他到四道河采金点整顿，取缔了6个非法采金的坑口。这中间有人是有“靠山”的主，于是，他前脚刚把坑口埋了，后脚就有人跟到他家。先是来了位领导莫名其妙地批评了他一通“工作方法简单”，后又来一位老熟人拿出500元钱和两枚金戒指。何海庭没有要。

“老何啊老何，你真是死拨浪鼓，都什么年代了，脑子还这么不开窍呀？再说，你也没想一想，你这个芝麻大的股长的任命书是谁签发的呀！”

何海庭笑笑，说：“我知道。不过，我这样做不是为自己的乌纱帽。”

“那为啥？”

“为国家《矿产资源法》的尊严。”

“一张纸？为一张360行，行行都有的纸去舍家丧命，六亲不认？”

“是的。”

老熟人鼻孔哼一声，甩手便走了。身后留下了句话：“哼，有你开窍的时候！”

不久，何海庭真的碰上了一件别人要他脑袋“开窍”的事。

那是在他管辖的东马道矿区治理中，何海庭依法没收了某非法采矿者的矿石，并根据情节责令他交出 3880 元罚款。

“要钱没有，要命有一条。不过，要我命之前，先当心你自己的脑袋开瓢！”

“我脑袋开瓢无关紧要，但你的罚款一定要交。”

“要是我就不交呢！”对方亮出一把锃亮的刀子。

“除非你敢割下我的脑袋！”

刀子在半空悬着，最后“哐”一声掉在地上。“对你这个人，唉……我服了！”

在向愚昧宣战的过程中，也不是对所有的地方和人都能靠嘴皮赢得法律尊严的。

1988 年 7 月 21 日凌晨，黑龙江七台河市矿管局的 8 名干部住在红卫区的一个小招待所，正酣睡着，突然从玻璃窗外飞进雨点般的石块、木棍，几名干部躲避不及，遍体鳞伤。

1988 年 6 月 13 日，云南文山州斗南锰矿。以副州长杨德兴和经委主任周尚为首的州矿管检查工作组进驻此地，被 200 多名采矿者围攻谩骂。副县长袁雄昌闻讯赶来劝说，100 多人冲上去将其围住，私营矿主牟保兴和帮凶王春胡一边狂叫“打他个狗县长”，一边挥拳就朝袁的头部、胸部和腰部猛击。县财政干部肖世友实在气愤至极，说了句公道话，竟被人抬起来从 5 米高的岩坡上扔下。

……

像这些壮烈牺牲的捍卫祖国矿产资源的英雄年年都有，随处可见。这一方面反映了我们共和国的“资源卫士”们的赤胆忠心，另一方面则说明了那些破坏资源者的疯狂与罪恶。自1986年《矿产资源法》颁布至今，各级政府和矿管部门、公安部门几乎无时无刻不在为控制与消灭这种疯狂的罪恶行径而努力，而且相应地建立了各种行之有效的法令、法规与行政管理措施，使许多“热点”矿山的乱抢乱挖资源现象得到了控制。

然而，或许是人们坚定地奉行“靠山吃山”这样的传统信念，或许是人们根本没把国家的法律、法令放在眼里，或许是对金钱与财富的追逐使得许多人失去了正常的理智，在贯彻执行矿法的十年间，我们差不多可以得出这样的结论：那些把国家利益放在第一位的地区，群众与地方政府内部不用多做工作，他们也会好好地把握资源开发与保护的关系；那些把地方利益和个人利益放在第一位的地区，那里的群众和地方政府，无论你怎么苦口婆心地宣传或调天兵天将镇压，他们照样把好端端的矿山秩序弄得一团糟，直到把资源挖尽或破坏完为止。

中国的文明历程太艰难。

烧不尽的野火

20世纪的中国，截断了炎黄子孙后脑垂下的那根长辫，结束了几千年的封建王朝，人民共和国屹立于东方。

在这个发展过程中，渗透着严酷的倒退与流泪的进步。

表现在资源领域的文明步履前进的艰辛程度，不是所有的人都能理解和感受得到的。

西南，一片翠绿，处处百灵啼鸣……凡是到过地处亚热带南国的人，都会被那边的风光迷住。

然而在那里的小龙潭矿区却看不到一丝天然的美景，举目可见的倒是一幅幅人为的野蛮图：焦黑的树根、荒秃的土地、满身疮伤的山体及没有欢鸣的山莺……

“确切地说，这种掠夺式的窃宝是纯粹的中世纪野蛮行径。”站在我面前的，是小龙潭所在地区的矿管办主任老许，一位曾经指挥过几千人的部队团长。

“听说你在岗位上干了 8 年啦！”

“是啊，8 年啦！”他的口气，跟《智取威虎山》里的李勇奇一个味。

“真的就别提啦！”他耸耸肩，苦笑道，“中国是个农业大国，农民在总人数中占了 80%。毛泽东在领导中国共产党推翻三座大山时用的是人民战争的法宝。可他老人家不会想到在他去世后，竟有人运用他的这一‘法宝’使我们的国营矿山一下陷入绝境，我是着实尝足了这‘人民战争’的威力。”

他朝我无奈地一笑，那一笑，令我一下明白了一个战斗在第一线的“老矿管”的辛酸与苦衷。

如今在中国，要办成一件事必须具备三大条件：权力、实力和“拳”力。权力，当然是指从上到下的支持；实力是指在经济上能战胜和控制别人。光有上面两样还不行，还必须加上专政机关配合这个“拳”力。

孙大光部长当年向中央拍胸脯揽着矿管这一摊事时，凭的是找矿人对矿产资源的忠贞之情和一名老共产党人对祖国的一片赤诚之心。他或许根本没有想到这“权力”“实力”“拳力”远比他的一腔热血更具力量，或许他理所当然地以为这“三力”最终会成为矿管人的坚强后盾。

把矿管工作与计划生育相提并论为中国的“两大难题”是有其道理的。

下面是位县长大人的话和他的经历，与我一起采访他的还有《中国地质矿产报》湖南站的记者熊跃辉先生。益阳县是老熊的家乡，他对县长所谈到的问题更是感触颇深。

“首先声明我的话不代表政府。”县长开场白便摆明自己的立场。然后他长叹一声，像一位受了天大冤屈的人见了亲人一般地开始吐露自己心里的话：“……如果换了你，我想你也是不想再去管他们了（指采矿的山民)。第一，上面虽然一直在喊加强矿山法治，可既然要治就得有人力财力物力，然而县里哪来那么多人力财力物力？一个县就是一个小国，啥事没有？矿山管理算第几位？这是其一。其二，整治矿山得有财力物力，上面不拨款，下面只好以山治山。何谓‘以山治山’？就是我们收取采民上山采矿的一些管理费，然后回头来用这笔钱去对他们进行整治。靠母鸡生蛋换来的钱去设法杀掉母鸡，你说这把刀砍不砍得下去？砍下去后见不见得血？我说的是大实话。”

“再给你讲一个情况。”县长侃侃而谈，“起初，我们确实是下了决心。就拿我们整治闻名一时的邓石桥乡群众采矿一事来说吧，每天太阳落山，采金者就上山了，我们整治的行动也开始了。可是，等我们上山准备逮他十个八个‘金把头’时，却连个人影都找不着。山上留下来的全是些碰不得打不得吼不得的婆娘、小孩和老爷子、老婆子！嘿，你们不是想整他们吗？可真正受整的反倒成了我们自己。一夜没合眼不说，当你跨上车准备回城时，你突然发现车下的轮胎没了气，屁股下是黏糊糊臭烘烘的尿味。谁干的？就是那些婆娘和小孩干的。你恶心、你气愤，可你没治。几回折腾，劳神伤筋的不是那些偷矿抢矿人，倒是我们自己。没辙，还是老老实实待在你那座县政府的堡垒里吧！怎么，不服气？好，第二天你上班时突然发现，县政府大院那段围墙被人推倒了！你政府权力大吗？可是，你连自己那方可怜的地盘都管不好，还想管天一样宽的事吗？嘿嘿，你一定认为我在说笑话，可这事就发生在几个月前。”

与县长道别时，我们彼此留给对方的都是尴尬的苦笑。

我去找公安局的同志。对地痞流氓强盗小偷来说，他们是最好的克星。可是，我似乎走错了门，那些平日大义凛然刚直不阿的公安人员见到我后，一个个竟有意无意躲着我。

我到刑警队，到矿山派出所，逮住一个问一个。他们红着脸，就是不说他们为什么都不太情愿去管抢矿的那些人。我非常失望，就在这时，我却被意外的一幕吸引住了——

一位两眼红肿、神情憔悴的中年妇女来到公安局局长办公室，话未说，泪先流。

局长见此情景，赶忙上前将她扶到沙发上坐下 ："孙桂琴同志，你的事我们一定会通过法律程序解决好的。你要注意身体，啊？"

姓孙的妇女听了这话，更是呜咽不止 ："学敏他……身体是没指望了，而且……我……呜呜呜"。

"小李、小蔡！先扶桂琴同志到招待所休息休息！"局长找来两位女民警，总算把这位妇女送出办公室。

"唉，你说我手下的人能一门心思跟抢矿偷矿的人斗着干吗？"局长长叹一声，对我这样说。原来，刚才的那位妇女，是金矿保卫科干部赵学敏的爱人。1988 年 12 月 17 日深夜，赵学敏押解一名窃矿者回矿，途中却被窃矿者的同伙用钢钎重击头部，造成严重脑损伤，由此丧失劳动能力，给本人和家庭带来巨大痛苦。但有关部门在处理此事时，仅按治安处罚条例对凶手做出了"殴打他人，偷窃矿产，处以行政拘留 25 天，赔偿 400 元"的处罚决定。赵学敏所在矿和他爱人对此不服，曾多次找县政府要求依法惩治凶手，结果反遭有些部门刁难，凶手依然逍遥法外。

"像赵学敏这样的公安保卫干部的遭遇，绝非仅此一例，以前我们局就有好几个人在治理矿山时被人残害致伤。那些偷矿抢矿者要钱不要命，而且报复心理极强，手段格外凶残，所里干警们有几句口头禅，叫作：不怕下海，就怕上山。一旦遭黑枪，全家跟着受难。宁同恶霸斗，不跟山贼哼一声。”

“有人说，公安人员害怕那些山贼，现在都不进山了。照你刚才讲的，似乎是事实了？”我问局长。

局长反问我：“你也在武警部队待过，你说，我们的公安战士什么时候害怕过那些坏人，即使是那些失去人性的亡命之徒？所以不要完全相信那些口头禅和传言。问题是，我们有我们的难处啊！以我们局来说，我们的工作是负责全县各条战线的公安任务。这几年，黄金开采业发展很快，尽管我们不是单纯负责黄金方面的治安工作，可还是把大部分精力和最精干的人员都用在了这方面，并且成绩也最显著。近3年中，已破获黄金走私案113起，抓获犯罪分子371人，没收走私黄金278两，现金161万元。但由于整个社会治安状况不好，整个局的警力严重不足，顾了这头顾不了那头。再说资金又十分紧张，今年一季度，局刑侦队行政经费只有800元，弄得连个胶卷都买不起，你说咋开展工作，咋上山抓人呀？”

“还有一个问题，如今许多法规仍不齐全、不配套，譬如对群众开矿，国家虽然有《矿产资源法》，可如何处理那些乱采乱挖者，国家又没有相应的法规，所以老百姓根本不怕我们。到了这个份上，你还去管啥？”

局长的坦率使我吃惊，但我又不得不承认他说的也不无道理，也许这种现象还有着普遍性。过去，中国是个少法的国家，如今虽然建立了许多法规，但由于它的不完善或与一些方针政策之间的不协调，致使许多问题无法全然按照法规行事。忽而法，忽而不法，常使问题不但不能解决，反而越搞越糟。

尽管如此，我依然觉得群采矿产风虽然势如海啸，毒如瘟神，但总不至于拿它毫无办法！俗话说：一物降一物，难道它就没有克星?

湖南省地矿局局长谈到这个问题时，是这么说的：“中国共产党从成立到今，60 多年间，始终立于不败之地。我们的党和国家真的对群采风熟视无睹、束手无策吗? 肯定不是。问题的根源也不在于我们的一些基层政府和执法部门缺这缺那或法规不配套——当然这也是非常重要的原因，但问题的实质并不在此。”

“那么，症结在哪儿呢?”

“这里有一份材料你看一看，也许可以回答你的问题。”

这是一份关于湖南某群采情况的调查报告，里面有一串数据我不解其意。材料是这样写的：某钨矿山，共有集体、个体钨矿 86 个，其中的 1/3 是由来自外地的个体采矿者开办的，其余的 2/3 均为本地农民和单位自行组成的“承包矿”，这些矿虽然大部分打着集体和单位名义，实际上仍是由个别“矿霸”“矿主”掌握着。在这些矿中，我们还发现将近一半的矿属于股份矿、权股矿、关系矿……

“何谓股份矿、权股矿、关系矿?”

局长介绍说：“股份矿的概念较清楚，就是你出一份股，我出一份股，几家按股分利。至于权股矿和关系矿，这里面的奥妙就多了。譬如说，税务局本身不能也不敢明目张胆地到国营矿山去建矿，于是它就找个替身，即打着某个单位的名义在那里开矿，它充当后台老板。还有一些有金融贷款权限的部门或单位一般也走这条路。像一些政府部门或有某些审批权的业务部门，则并不出钱，而是以某些优惠审批条件入股，这就叫权力股。权力股在群采矿山上最普遍。还有，如一些学校和商店，以提供劳力、物资为条件，组成关系股等，类似的我可以举出 100 种!”

局长说得随意，而我则听得目瞪口呆。

局长继续说：“从我们所掌握的材料看，那些群采风猖獗而屡禁不止的地方，绝大部分就是由于这类‘权力股’‘关系股’在起作用。那些‘矿霸’‘矿主’为什么会那样猖狂？因为他们后面有人支持他们！你想没收他的开采许可证？好，明天也许你的官就不明不白地给革了！你要逮他入狱？告诉你，今天逮进去明天就放出来！什么搜山、抓人，你还没动，早就有人给他们报信了！就这么种状况，你还想把野火扑灭？当心反把自己给烧着了！我们省里碰到过这样的事：有几个个体‘矿主’采取强硬手段霸占了一座国家正准备开发的中型矿山的一个矿段。矿管局组织人员去整治矿山，结果反被派出所的公安人员以妨碍公务罪为由扣了起来，你说邪不邪？”

我久久无语。

我由此自然而然地联想到为什么国家抓了10年的整治破坏矿产资源的歪风不但没见多少成效，反而越抓野火越旺。有了这些个体的、局部的、本位的至高利益，国家的法无疑会被“人民战争”的汪洋大海所淹没，甚至出现对的成了错的、黑的成了白的、混淆与混乱的局面。

呜呼哀哉——中国的大地上那永不熄灭的野火！

死亡档案

俗话说，有钱能使鬼推磨。不过鬼并不是那么心甘情愿当苦力的，它同样有目的，那就是有朝一日让人变成与它一样的鬼而进入苦海无边的地狱。

当人对大自然进行过度地侵蚀与掠夺之后，最终往往将面对大自然对人类的报复与惩罚。这样的报复与惩罚加倍的残酷和无情。

这里列出几例近年间一次死亡30人以上的事故供读者一睹：

1990年8月7日辰溪板桥乡中溪村洞岩上煤矿，穿水死亡57人。

1992年6月17日辰溪方田乡龙婆湾煤矿，瓦斯爆炸死亡43人。

1992年9月6日辰溪方田乡梦脚湾煤矿，穿水死亡33人。

1994年1月27日，辰溪板桥乡花桥联矿，瓦斯爆炸死亡33人。

这是几行非常简单的数字？不，它是一条条血河流淌的、一片片黑云埋压的，野山间群魔鬼魅在乱舞狂欢中串起的一组组地狱音符。当你把这些音符捡起来加以弹奏，你所听到的恐怕将不再是枯燥、乏味和无声的数字了——

你没听说那年不是有万名采民在青海高原一夜间被困在冰天雪地里，差点全部命归西天！

你没听说四川境内的泸沽铁矿由于山民在露天采矿将数百万吨废石倾入盐井沟致使那里发生大规模泥石流，104名修路工无一幸存！

你没听说1980年6月，地处鄂西山区的远安盐地河磷矿因山民采挖导致整个山体崩塌，造成所有矿山设施全部被毁埋，一次死亡人数达284人，直接经济损失达一亿元之巨！

恩口煤矿是湖南省属重点产煤田，该矿自采民非法闯入后，他们采用“蚂蚁”战术，把整个煤田的地下世界挖个一空，一日密布在矿山四周的5800个坑口突然像接到命令似的全部塌陷……此次有多少人畜死去没有公布，但据千里之外的南京天文台的观测人员介绍，他们的地震仪在此期间整整震了10分钟……

地球在颤抖。

大地在哭泣。

母亲在哀号。

共和国的江山在颤抖、摇晃……

早有人算过两笔账，一笔账是青海的淘金，据不完全统计，该地区因乱采乱挖造成的黄金损失达300万两，相当于大兴安岭火灾损失的十几倍。另一笔账是新疆因群众盲目开采造成我国西部最大的露天煤矿长久持续地自燃，每年的损失是200亿元。这仅仅是西部两个省份的损失。据专家测算，如果把群采风最为严重的湖南、江西、陕西、河南、海南、广西、黑龙江、内蒙古、山东等一起算上，每年因破坏资源而造成的损失超过国家全年的军费开支。

1995年，政府对我国军费的开支预算是600多亿元，约占当年国民生产总值的3%。

然而，作为一种自然资源，作为大地母亲经过无数个万年的"十月怀胎"而孕育下的"宝贝疙瘩"，对矿产资源无节制的破坏与掠夺，所造成的后果不仅仅是直接的经济损失，更为严重的是给生态、环境和社会人文等诸多方面带来不可估量的破坏。

1992年1月，湖南省地矿局402队的一队职工抬着钻机，进驻平江县境内的几个山头。他们东瞅瞅，西望望，临走时又用油漆在石头山上画了几个"稀奇古怪"的符号。

地质队一走，一天一位从益阳来的年轻人跑到山上，对正在地里干活的农民说："我160元一车收购你们山上的石头，谁愿意干就快干！"

160元一车石头？！农民们听后差点叫出声：漫山遍野都是石头，一天少说也能挖个十车八车呀！这消息像电波一样传遍了平江一带。

不出几月，平江的三阳、清乡等地的山头上，全是黑压压的淘金者和昼夜轰鸣的开山炮声，以及山上山下那烟雾腾腾的氰化池……疯狂的采金潮，使学生停了课，商店关了门，连县政府办公室、财政局、民政局领导也跟着汇进了倾城出动的抢挖黄金的行列。

当年8月中旬，平江县环保局的工作人员发现流经县城的汨罗江上游突然出现奇怪的死鱼现象，于是从河中取出水样，回局里一化验，河水中每升含剧毒物氰化钠 5.81 毫克，比国家饮用水标准高出 103 倍。

“快命令自来水公司停水！”县长一听，连眼皮都没顾上眨一下便下令道。

环保局的化验结果像噩耗似的迅速传遍了平江县城关镇的每一条街巷，顿时全县人心大乱。

“水！水——”一场空前的饮水危机震荡着整个小山城。

于是，各种消防车、洒水车、货车全被动员起来用作运水车，日夜穿梭不停地奔忙在大街小巷送水。

于是，各商店积满灰尘的大小塑料桶一夜之间被抢购一空。百姓们上班时把桶放在单位门前，下班时再靠肩挑、手提、自行车把水带回家。

于是，一片片饮食店、理发店挂出一块块“本店启用万年老井水”“本店用无毒井水从事饮食”“本店从来不用自来水洗头”云云巨幅招牌，但依然有众多店面因无顾客而关门歇业。

于是，有钱的和没钱的单位，全都动员起来，开始了全民打井、挖井大运动……

小小平江县，有史以来第一次经历末日般的恐慌、恐惧、恐怖。到了这一天，他们才发现，再多的金子，再多的存款，再好的家居楼室，再好的如花美眷，都比不上一个上帝赐予的美好的自然生存环境！

祈求吧！悲哀吧——那些因贪欲而破坏资源的人们，该到了你们付出代价与生命的时刻了！

请为母亲承诺

多少年来，中国人自己所居住的领地上一直飘荡着“地大物博，资源丰富”的迷彩云雾，被蒙蔽双眼的我们总以为脚踩的这块赖以生存的国土上有着取之不尽、用之不竭的自然资源。其实，这是一个极大的误会。

不错，经过几乎是一个世纪的努力，我国的地质工作者在自己的土地上找到了像大庆、开滦、鞍山、铜陵这样一个又一个大油田、大煤田、大铁矿、大铜矿（而且还有尚未发现的宝藏），使我们成为继美国、俄罗斯之后的世界第三大矿产国。然而，负责勘察和管理矿产资源的国家地质矿产部专家与官员告诉我，按照国际通常衡量的标准，中国的人均矿产拥有量仅占世界的第80位，远远算不上是一个自然资源丰富的国家。调查表明，作为中国基础工业支柱的现有的6000多个国有大中型矿山（包括油田），经过几十年的开采，大部分已进入了中、晚期，相当一部分已濒于枯竭。我们一直引以为豪的大庆、胜利、开滦等油田与矿山也都进入了开采产量的负增长状态。新的可以接替的大油田、大矿山近期还尚未发现。按照我国目前国民经济建设的需求，到21世纪的第20个年头之后，所拥有的资源含量将全面趋于紧缺与枯竭。

这是中国矿产资源的基本状况。

另一方面，随着国家现代化建设的迅猛发展，矿产资源的用量日益成倍增长，供求矛盾更加突出。党中央确定的目标是在21世纪的中期，我国人民的生活水平要赶上西方发达国家。参照这一目标，也就是说我们的人均生活水平所需要的资源消耗量将接近西方。那么，今后几十年间，我国矿产资源的用量增幅必将远远高于国民经济发展的基本速度而呈“高速列车”之势。

巨大的逆差早已使国家和专业部门对此大感头痛。而回过头再看看我们的那些被破坏得遍体鳞伤的矿山、油田，怎不叫人扼腕痛嚎——该动员全国民众共同起来救救我们的矿山！救救我们的自然资源！救救我们赖以生存的地球母亲！

与空气、与水、与普通生物不一样，矿产资源作为地球母亲孕育的“产儿”，它绝不会经过人工作用获得再生。也就是说，当我今天任意浪费一公斤铁、一公斤煤，明天我们必定是少一公斤铁、一公斤煤。它是无法弥补和挽回的上帝赐予人类的“遗产”。

全世界的有识之士为什么均把资源列入未来社会发展的三大阻碍之一，就是以上的道理。

钻在“发财”“过好日子”美梦中的中国人，在20世纪90年代的今天，依然野蛮地无节制地大肆破坏宝贵的不可再生的资源，不等于在为自己的明天，为自己的子孙凿挖坟墓吗？

今天的中国人懂得了计划生育的伟大意义，懂得了改善环境的好处，却依然不懂得珍惜资源的重要性和刻不容缓性。

亲爱的亿万国民，为了我们美好的明天，为了我们子孙后代有个能永久居住的星球，请暂且放下不该伸向矿山的那些铁铲与手掌，像爱护自己的生命一样爱护自己的资源。

让我们携手为地球母亲庄严承诺！

愤怒的小秦岭

金子，黄澄澄的金子，仅仅一点点的你，就可以使黑的变成白的，丑的变成美的，错的变成对的，卑贱的变成尊贵的……

——莎士比亚

引言　挥泪出古关

在这个世界上，有些事是可以理解的，有些事则无法理解，甚至有些事是怎么理解也理解不了的。

血气方刚的张理文局长就陷入了这样一个境地。陷入这般境地的不仅仅是他一个区区矿管局长，而是整个潼关县的庶民百姓，以及他们的县长、县委书记……张理文想不到事情会发展到如此复杂的地步。

他感到迷茫。在素有中国“金三角”之称的小秦岭金矿区，自劣迹昭著的矿霸头王科娃被“无罪释放”的几个月来，经国家主席、政府总理、全国人大常委会委员长等中央领导批复、责令几十次，国家、省、地、县组织执法大军历时数载，围剿近百次后而刚刚恢复元气不足一年的共和国“聚宝盆”，又面临着数万人毁灭性的掠夺、抢窃……

他感到迷茫。几千个日日夜夜用生命和热血捍卫《中华人民共和国矿产资源法》的一百多名部下，眼下无时无刻不在经受着那些来自四面八方的手持长枪、短枪、菜刀、屠刀的抢矿者前所未有的谩骂、恐吓与血腥的洗劫。此时此地，国家的矿法事实上已成一张废纸。

他感到迷茫。一件事实再清楚明白不过的违法矿案，竟旷日持久地拖了五年多；一位掠夺了国家价值上千万元黄金、搅得小秦岭地区数年不得安宁的矿把头，竟然成了“官司”的胜利者。而堂堂执法护法的矿管局则成了失败者。一起失败的还有县委、县政府、县政法委、公安局、检察院，以及遍体鳞伤的金矿单位，而真正失败的则是国家的《矿产资源法》。老百姓在这样问：党的威信在哪？政府的法有什么用？

他感到迷茫。上告地区，地区的执法部门已经判他们败诉；上告省府，省府最高执法机构更是一锤定案，释放矿霸的指令就是这个机构签发的。他和县长、县委书记、县政法委主任、公安局长、检察长亲赴公署、省府，陈述、汇报了不知多少次，腿几乎跑断了，口舌也磨出了泡，结果还是一样：放人再说。

哪儿去说？难道共产党的天下真的没处讨个公正，没处求个法律的尊严吗？不，张理文相信有，县里的领导也相信有，小秦岭地区的百姓们也相信有。

于是，他决定再度出关，上访京城。

上京城是他，也是县委、县政府各部门和全体小秦岭地区的百姓们唯一、也是最后的希望。在1994年1至6月的半年间，张理文已经出关上访京城6次了。

现在，他很有些木然。但事情没个结果，他不能木然下去。

临行时，局里的同志再度给他送行。“来，换个大杯。”他从办公室副主任小陈手里夺过“西凤”，一整瓶酒两下就进了肚。在场的同事忙站起劝阻，张理文摆摆手，说这样才够刺激，要不然血管里的血就要凝固不动了，要不然就没人有信心再往北京跑了，要不然全局一百多人死活就没人管了，要不然小秦岭金矿区就再不是聚宝盆了，小秦岭要不是“聚宝盆”了，我们关中人不又要穷得连条裤子都穿不起……当年，我们这些上年纪的人不都是出去流浪、讨饭，被人骂为“关中穷鬼”吗？

“啊，我们不想再穷了！不能让孩子们跟我们那会儿一样穷了，不能！不能啊！呜呜呜……”

那是男子汉的恸哭声，那是关中男子汉的恸哭声。

那恸哭声中，充满了愤怒与火焰。

见过张理文的人，都说他是一位军人式人物。他本来就是军人，曾经有过十五年的军龄。这位铁骨铮铮的汉子，别人用枪和刀对准他的脑袋与脖子时，他连眼皮都没耷拉一下，可说起“矿霸王科娃”的事，他会气得全身发抖，话都说不出口……年初，他独闯地质矿产部，就是因为他话未说，泪先流，才使得共和国政府的矿管机关上下为潼关所发生的事件而大为震惊和动容。

潼关人，自古就有马革裹尸不移志的性格。1994 年的夏季，关中和京城都异常炎热。再度出关时，张理文对此似乎没有什么特别感觉，他集中思绪，一边眺望连绵起伏的秦岭，一边吟咏着名将魏徵的那首令他百般感叹的出关绝唱：

……纵横计不就，慷慨志犹存。杖策谒天子，驱马出关门。请缨系南越，凭轼下东藩。

……岂不惮艰险？深怀国士恩。季布无二诺，侯嬴重一言。人生感意气，功名谁复论！

第一章 恶虎与奇案

小秦岭从发现富金矿到全面开发的时间并不长，可它给潼关和潼关的父老乡亲们带来了太多太深的感触。原因很简单，它的出现与发展，使得这里的整个社会起了翻天覆地的变化。

黄金对今天的潼关人而言，它是上帝，它正主宰着这块土地的全部命运。也许正是为这，我们的主人公张理文局长以及县委、县政府和全体潼关百姓才对“王科娃事件”如此看重，如此愤慨，如此沮丧与不服。

王科娃其人其事

他，一个普通的农民，但又是一个名声显赫的金把头。小秦岭地区的几十万采金正规军和“游击队”中许多人并不一定叫得出潼关县县长、县委书记的名字，却对“王科娃”的大名如雷贯耳。王科娃的名声之大，一是因为他有钱，据矿管、公安、检察部门核准他近几年非法采金所得收入达千万元以上。二是他因为称霸，在黑道上他有“要你走你就得滚，要你死你就活不成”的说法。更使他身价百倍的是在同县政府、人大、政法委、公安局、检察院、矿管局打官司的五年间，他是个越打越胜的赢家。

在潼关采访中，有人给我讲起王科娃的一件轶事：“文革”中，他所在的生产队要买牛，阴差阳错队长叫了他去，社员们听了大为不满，弄得队长下不了台。结果王科娃把牛买回后，队长对他讲，你买的牲口大伙不中意。王气恼地把牛牵到集市，在牛头牛尾上各挂了一块木牌，牛头挂的是“资本主义不能走”，牛尾挂的是“社会主义走不得”，弄得满街好一阵热闹——可见王的人品和平常的那副德行。

在小秦岭发现金矿之前，背朝青天面冲黄土的王科娃活了近半百年纪没半点值得光耀的地方，是黄金使他发了横财。

早在20世纪80年代初期，他就拖儿携妻上山采金并尝到了甜头。但与那些抢一车矿石换一栋洋房，占一条坑沟发八辈子洋财的“大户”相比，王科娃自愧不如。终于有一天，他横下一条心，带着妻儿老小及十几名雇工，破釜沉舟上山杀出了一条“致富”血路。当时，正值山上的个体非法采矿者被执法部门像秋风扫落叶似的赶下山。这难不倒人称“鬼智星”的王科娃，通过一笔私下交易，他从同乡张向春手里拿到了一份“开采许可证”和一张“太要镇矿产建材公司”的营业执照，于是便开始了他所谓的“合法”采金生涯。

可生不逢时的王科娃万没想到他费尽心思弄到的那份“开采许可证”没几日便成了一张废纸。缘由是那张由原县矿产资源管理委员会核发的开采证上圈定的Q3055矿脉地，后被划为新成立的县办国营小口金矿矿区。按规定，国营矿区内不得存在未经矿山同意的其他采矿队伍。1988年10月30日，国务院针对各地民采黄金秩序混乱，造成资源严重流失的情况，召开专门会议，并发出了关于对黄金矿产实行保护性开采的通知（即国务院〔1988〕75号文）。通知规定，取缔个体采冶黄金和倒卖黄金矿石的非法活动，对原持有黄金矿产采矿许可证的（包括国营集体）由原发证机关负责限期收回，并按新颁布的国家《矿产资源法》规定，必须经省级以上矿管部门和黄金局审核发放新采矿许可证后方可采矿。根据中央精神，陕西省人民政府和陕西省矿产资源委员会、省黄金工业管理局、地质矿产局也分别做出了贯彻国务院75号文件的实施办法及新的黄金矿山企业采矿登记有关问题的通知。所有这些文件与通知都明确无误地阐明了这样两项政策：个体者（包括名为集体实为个体者）不得参与黄金开采；凡要从事继续开采的集体企业、全民企业必须重新领证。

大势所趋，王科娃无奈到县矿管办交了880元，填报了重新办证的四份“申请表”（注，此钱为每份220元的工本费）。到该重新颁证的日子了，可王科娃没有领到证。他的名为集体实为个体的企业，以及早属国营小口金矿的采矿地自然不可能通过审批。

“管你发不发新证，老子开了又看你咋办！”王科娃玩出了矿霸的两套招数，一面继续待在Q3055矿脉地日夜不停地开采，一面与当时主管采矿大权的县黄金局局长打得火热。

这年春季的大清山中，王虽然损失惨重被勒令下山，但不几日他又重据矿点，照旧行霸。

国营小口金矿屡次干涉无效。7月，潼关县有史以来第一个政府矿产资源管理职能部门——县矿产资源管理局成立。小口金矿立即向矿管局申诉，要求对无证开采、破坏国营矿山的行为做出处理。

“王的事不是一天两天了，我们立即着手研究！”矿管局局长张进元在黄金战线上干了多年，是熟知王科娃其人恶迹的老战士，别看他是个身高只有1.6米多一点的“小老头”，可对待原则性问题，素有“一把折不断、拧不弯的钢刀”之称。

7月25日，张进元带着刚刚搭起架子的几名矿管局干部来到小口金矿，与矿领导一起召集包括王科娃在内的五名非法在国营矿区采矿的头目开会。

“你们总说不是非法采矿，那么把采矿许可证拿出来！”张进元话不多说一字，直指要害。

众矿主亮出证件。

“吴村的牛新华，南寨村的李抗弟，上村的车双旗还有党普民，你们都属无证开采，必须立即撤离现场！”一名矿管干部逐一核准，并当众宣布道。

“王科娃，你呢？”

坐在一旁的王科娃跷了个二郎腿，佯作半睡半醒的样儿，说：“我不一样，我有证呀。”

“那么把证拿出来！”

“没带。”王要无赖。

“我来开会之前就查了过去黄金局采矿办发证的档案及矿管资源办的档案，都没有你王科娃办证的材料与记录。”张进元局长声色俱厉地说：“王科娃听好，你同样属于无证开采，必须即日撤离现场，否则后果自负！”

“哼，你没发我证，并不等于我没证。”临散会时，王科娃很傲气地扔下一句话。

为慎重起见，8 月 11 日，县矿管委发文书面通知王等 5 个非法采矿队撤离国营矿区。王科娃不理这茬，反而在非法矿点增加了人马。几家已撤下山去的矿主见此状态，也跟着重新上了山。

国营矿山不干了，向王科娃等人发出最后通牒。

“屁用。兴你们国营开矿就不兴我们老百姓过日子了？”王科娃指着前来交涉的矿山领导的鼻子骂骂咧咧。

“把他抓起来再说！”年轻的护矿队员气得牙齿咬得格格响。

“抓呀！去叫公安局的人一起来抓我呀！”王科娃挑衅道。

谁都知道，王与原县公安局某局长的关系非同一般，是否有私下的交易大伙儿不知道，但有些明面上的事是心照不宣的。有段时间，县上屡次上矿区清山，执法队伍中自然少不了公安人员。王科娃因此也着实吃了不少亏。或许因为难咽这口气，有一次王跑到县公安局大院指着他那位“铁哥们”局长大骂。一旁的一位干警看着太不像话，上前把王给铐了起来。照情理，这位干警的行为应受到局长大人的赞赏，不料局长大人不仅责令给王解开手铐，回头还狠狠把自己的手下剋了一顿。

还能说什么呢？王科娃的霸道不是天生的，而是有着错综复杂的社会背景，否则一件明明白白的案子也不至于颠倒黑白拖了五年之久，且越拖越离谱。

潼关百姓心里有一本是非明了的账。

12月18日，省、地“矿法执行检查组”到潼关，王科娃的事首当其冲地列入处理之列。省检查组组长董虎臣亲自在小口金矿主持会议，省、地、县矿管、检察、黄金等部门的领导和办事人员出席，王科娃被招来当场对质。

王此次口气很硬，并且掏出一张印有临时字样的“陕西省矿产资源乡镇、个体开采许可证”的复印件：“我有你们发的证，凭什么再纠缠不清？”

这可是蹊跷的怪事。矿管局局长张进元和县黄金局副局长毕端祥面面相觑：他们是主管这项发证工作的呀，在历年所颁发的采矿许可证中可从来没有什么“临时”一类的东西哟！

“你这份许可证是哪个人发的？”张进元局长和地区矿管办负责人阎海望问。

“哪个人发的别管，反正上面有你的大红章不假吧？”王科娃得意地道。

没错，公章一点不假，会场顿时气氛骤变。

姜还是老的辣。省检查组组长董虎臣和省地矿局政策法规办公室李余村科长对王严正道：“我们暂不论你的这张‘临时许可证’的真伪；退一步，国务院1988年75号文件和省人民政府1989年14号文件已明确，凡在1988年10月30日前开办的黄金矿山，属个体采金者一律取缔。属集体、国营黄金矿山的要在清理、整顿、验收合格后，重新颁发采矿许可证。你现在手持的许可证签发日期是1988年8月11日，属应收缴的无效许可证。目前你又没有国发1988年75号文件后省地矿局颁发的采矿许可证而继续在国营小口金矿矿区采矿，所以为非法，应当立即停止并撤离！”

“这，这……”王科娃一下傻了，拿着那份“临时许可证”无话可说。

会议很圆满，当场责令王科娃在20号前必须执行会议决定：立即撤离国营矿区。

第二天，潼关县政府以政府办公室名义，向各有关部门下发了“关于印发省、地矿产资源法执法大检查小口金矿现场协调处理会议纪要的通知”。这份通知也发到了王科娃手里。

嚣张一时的王科娃像当头挨了一闷棍。

“我×他个娘！我×他个娘！我×他个娘——！”他像疯子似的站在山崖上破口大骂了半天。

多事的1989年即将过去，当古潼关县城里的人们正兴高采烈准备迎接新年元旦之际，矿管局局长张进元却带领全体工作人员，顶着呼呼扑面的寒风，再次来到了小口金矿。他们知道，王科娃这个矿霸决不会轻易放弃他那膨胀了的私欲。果不其然，在Q3055矿脉现场，王依旧在非法采矿，并对前来检查的张进元一行视而不闻。

张进元局长连夜以县矿管委的名义签发了责令王科娃立即无条件停止采矿和撤离国营矿山的紧急通知。这一年，县政府、县矿管委单就王科娃之事发文就达4次。

王科娃，好你的面子！好你的猖獗啊！潼关百姓叹为观止。

事实证明，对这等矿霸，单靠会议决定、下文通知已没有作用。

1990年的春天，对乱了数载的小秦岭来说可谓阳光伴着希望，中央的三门峡会议和省里的整治誓师大会，给潼关矿区执法部门带来了力量和勇气。

4 月 14 日，由县委书记白浪任指挥的潼关县黄金整顿指挥部举兵横扫非法采矿点。盘踞在小口金矿区的王科娃的矿点也没有逃脱整治的利剑，它的黑矿窝被连根拔掉。在如此严厉的制裁下，理当收敛的王科娃却将轰鸣的清山爆炸声当作一阵风，在整治队伍下山不到三天，他就带着队伍复归原处。

5 月 18 日，矿管局张进元局长率执法队伍在省人大检查组的支持下，再度对王的矿点来了一次彻底整治。并且吸取以往教训，张局长率领巡山护矿队就地驻扎。你王科娃搭棚，我就拆棚；你王科娃挖洞，我就炸洞。

“我 × 你张进元八代祖宗。再拆再炸，我就收拾你这把干瘪的老骨头！”王科娃及手下的采民举着铁铲、钢钎架在张进元的脖子上，一双双血红的眼珠子直喷火星。

“只要打不死我，你王科娃就别想践踏国家矿法，非法采金！”

面对如此铁骨铮铮的张进元，逞霸一方的王科娃也只能收兵。

1991 年 5 月，国营小口金矿再度告急。原因是王科娃阳奉阴违，执法人员一撤下山，他的采矿队就立马再上山，而且采矿程度更加肆无忌惮，使国营矿山无法正常生产，只能请求县政府采取坚决措施。

6 月 8 日，矿管局张进元局长和县黄金局刘仲恒局长在上山检查途中，意外发现王科娃的车辆拉着 Q3055 矿脉的矿石，便上前拦阻。不料，王的家人带着一帮人围攻辱骂两位局长，并趁机强行将矿石车开走。张进元、刘仲恒的车被困数小时，直到太要镇派出所干警赶到才解困。

“再不能跟这样的矿霸玩捉迷藏的游戏了，政府职能部门必须尽快拿出干预措施！”县矿管、黄金部门很快确认王科娃在小口金矿的采矿为非法，事实清楚，证据确凿。于是，由县矿管局颁发

（1991年）第24号文，做出“经县政府同意”的关于行政处罚王科娃在国营矿井范围非法采矿的三点处理决定。这三点决定是：

一、责令其立即停止在Q3055号矿脉的一切开采行为并撤离一切设备和人员。

二、没收其有据可查的1991年4月20日至7月23日非法开采的矿石67.2吨的违法所得62899.2元。

三、处以罚款5000元。

我们的读者读到这里，本该可以长长地舒一口气了吧，那个臭名昭著、又硬又赖的矿霸王科娃也理当就此罢休了吧。然而非也——代表县政府意见的行政处罚没下几天，王科娃竟以原告的身份到潼关县人民法院起诉县矿管局。

好戏从此拉开序幕。

公堂上的较量

1991年9月10日，潼关县工人俱乐部座无虚席，连两边的走道里都站满了人。县政府各部门、黄金企业职工和一些村民、居民四五百人，在旁听一桩矿管行政诉讼案件的公开审理。

原告是该县太要镇村民王科娃，被告是县矿管局。

在这个全国闻名的采金热点县想要贯彻执行《矿产资源法》，矛盾之多、难度之大是罕见的，此案可算是一个矿管机构能否硬碰硬的典型，众目睽睽……

这是《中国地质矿产报》一名记者当时在现场采写的一篇题为《震动潼关的一场官司》报道的开头语。

民告官，山民告官，非法采矿的恶民告官，这在潼关和整个小秦岭地区还是有史以来的第一次。法院传出要公开审理，自然一下轰动了“金三角”，谁都想看个结果。

法庭两边坐着原告与被告及各自的律师。

王科娃作为原告，看上去很有些得意扬扬，除了今天他高薪请的两位名律师外，另一点心理因素很重要：不管结果谁是谁非，我一个小百姓，把你堂堂县矿管局局长及整个县政府带到了法庭上，本身就是一个胜利。别看王科娃是个地道的农民出身，可他对人情世故和官场上的事知道得并不比对手矿管局局长张进元少。何况，此次他告县矿管局是有人在暗中支持呢！

张进元今天是作为被告出庭的，这个角色对他来说也是有生以来头一回。说起来也是很令人气愤的事，一个堂堂政府职能部门，依法行事却被反咬一口，可见矿霸王科娃是只名副其实的恶虎。矿霸也罢，无赖也罢，恶虎也罢，在公正的法律面前看你王科娃还有什么招。对今天的审理，张进元是充满信心的，因此他特意关照全局干部：凡能参加的都参加，这对矿管人员是另一种执法能力的锻炼。同样，他希望潼关的老百姓、各级政府部门和机关干部、企事业单位的领导都能关注这件事。这样，不正是一次对国家矿产资源法的特殊教育吗?

两名对手相继坐下后，各自露出不易觉察的自信的微笑。

法庭围绕王科娃在Q3055矿脉开采的合法性展开了激烈辩论。

在共和国国徽下坐着的威严的法官，遵循的是证据与事实。

原告认定自己“合法”开采所提供的第一个证据仍然是那份“临时采矿许可证”。

被告亮出反驳证据：一、据查证，无论是原黄金局采矿管理部门，还是以后的县矿管委所召开的历次办理“开采许可证”的会议审批记录、审批档案资料和两部门移交清册中，均无王科娃的那份“临时采矿证”的备案。而其他所有单位与个人办理的“采矿证”均有档案。二、按省、地有关部门规定，县级矿管部门过去或现在从未办过“临时”一类的采矿证，王的采矿证为什么能特殊办理，是个疑点。三、据查证，王所持“临时采矿证”的6226号码是个重码，真正的陕矿管字第6226号开采许可证的证主叫李栓芳，且所明文规定的开采点也不是小口金矿的Q3055矿脉，而是在麻峪道岔沟的无名脉。

铁证如山，台下一片掌声。

原告：管理部门无记录、无档案或什么重号之类的证据，并不为奇。但6226号“临时采矿证”上盖的章是你被告方无疑。这何以解释？

被告：据查实，主管发证的原县黄金公司执掌印章的同志提供证词，原黄金局局长郗某曾到他手中要过4份空白采矿证，当时郗说：“你只管把章盖上，其他的不用管。”这些空白采矿证现不知去向。是否有人利用不正当的手段给了他人，请法庭裁定。

原告：郗某已畏罪自杀，他把证给了谁与我无关。我的证盖有你们的章就是有效的合法证。

被告反驳：请法庭注意，1989年7月，独立执法机构县矿办成立后，就根据小口金矿的反映，在主管县长参与下开会研究，并认定原告为无证开采。王科娃当时也在场。而当时郗某的犯罪行为还没有败露。郗是1989年10月因受贿罪畏罪自杀的，这3个月的时间中，郗拿了手中的空白采矿证是否做了手脚，值得法庭注意。

“嘘——”台下旁听者的心里大骂那个缺德的郗某。

被告继续陈述：退一步，先不讲那份“临时采矿证”的真假。1988年10月和1989年元月，国务院和有关部门发文，规定集体开采黄金矿产要经过省或国家黄金工业部门批准，由省地矿局重新发证。原先你领到省地矿局发的新证了吗?

原告:换证时，你们收了880元换证费。

被告:那不是换证费，是领取申请表的工本费。当时你申请了4个矿点，每份220元，故共计880元。后来，在审核申请书时因你是不合格者，所以我们也根本没向省矿管部门上报你的采矿资格。

原告:既然不合格，你们为何还收费，既然收费了，就等于承认我继续采矿的合法性。

被告:一个人想上大学，他向学校交了一笔考试报名费，难道他就可以入学，就可以成为一名大学生?

法庭上下一片哄笑。

原告:1989年5月17日县政府及省有关部门下发的潼政联发(1989)第4号文件“关于理顺43个矿队允许生产的通知”的名单中有我的矿队。我是县政府出面整顿后理顺的单位，并明确允许继续生产和采矿的。

被告:“允许生产”并不等于合法采矿。采矿是否合法，按照国家《矿产资源法》规定只能以开采许可证为准。再说，潼政联发(1989)第4号文件是县政府其他部门的行文，县矿管会或矿管局没盖章。文件内容也只是建议矿管部门同意43个矿队调运矿石，这与同意上山采矿是两个概念。再说同年8月11日县矿管会下发的(1989)第5号文件，已明确你为无证非法采矿。你为什么继续在国营矿区开采? 1988年年底至本庭开庭之前的近两年间，县政府、县矿管局等部门曾不下10次发文和到现场勒令你停止非法采金，你对此为何只字不提，拒不执行呢?

原告:我是“潼关县太要镇矿产建材公司”法人代表，公司是集体企业。按地矿部1989年24号文件精神，凡按《全民所有制矿山企业采矿登记管理暂行办法》和《陕西省集体矿山企业和个体采矿管理条例》颁发了开采许可证的国营、集体黄金矿山，原持开采许可证仍然有效，应予保护。我理当拒不执行你们所定的条条框框。

被告：且不说王科娃你的“临时开采许可证”是在《暂行办法》和《条例》颁发前办的，以及许可证的真假。据县工商局提供的证明材料，1989 年 10 月，县工商局对全县黄金生产企业依法进行了清理整顿并给允许从事经营的企业更换营业执照。而你的公司不但没有获得更换营业执照的手续，并被县工商局于 1990 年 12 月 13 日以潼工商字（1990）053 号文件明文撤销。至 1991 年 9 月 10 日本庭开庭之前，你也从未到工商局重新注册，故你所谓的公司也是一个子虚乌有的非法公司。

“我的天，王科娃连自己的公司都是假的！哼，他还有脸打这个官司？”法庭内顿时喧嚣不息。

随着“咣”的一声棰响，法官宣布：辩论结束，休庭。

再清楚不过的事情了。潼关县人民法院的最后判定自然与老百姓们所估计的一样。4 天后，法院正式做出该院 1991 年第 1 号行政判决。法院认为：

……潼关县矿产管理委员会前负责人郗孝恩 1988 年采取不正当手段给王科娃的陕矿管字第 6226 号《陕西省矿产资源乡镇、个体开采许可证（临时）》是无效证件。被告 1991 年 7 月 26 日潼矿管发字 24 号文《关于对王科娃在小口金矿井田范围内非法采矿的处理决定》事实清楚，证据确凿，运用法律、法规正确，符合法定程序，应予维持。依照《中华人民共和国矿产资源法》第 39 条，《陕西省集体矿山企业、个体采矿管理条例》第 28 条第一项、第 30 条，《中华人民共和国行政诉讼法》第 54 条（一）项之规定，判决如下：

维持潼关县矿产资源管理局关于对王科娃在小口金矿井田范围内非法采矿的处理决定。

案件受理费2600元由原告王科娃负担。……

这是公正的判决，这是在依据事实和证据前提下的必然的公正判决。

然而，在这之后围绕王科娃事件所生发出的一连串关于陕西省、渭南地区执法部门的问题，令百姓们疑惑不解，也令潼关县委、县政府及县所属各执行机关疑惑不解。

没有这些疑惑不解，也就没有为潼关金矿区治理立下显赫功劳的老局长张进元无可奈何地“退居二线”，也就没有血气方刚的新局长张理文“挥泪出古关”的今天，自然也就没有了我的这篇作品。

在现实的社会生活中，为什么总有那些叫人无法理解、无法容忍的事情存在呢?

“张进元，你出来。官司打不赢，我×！”

“别太美了，你张进元抢走我的矿，砸烂我的车，是个打砸抢分子！我要告你！”

“不信告不赢，告不赢我就搬掉你矿管局的牌子……！”

县法院下达判决书之后，气急败坏的王科娃像条疯狗似的跑到矿管局大院跳着脚骂他的对手。

“我就是花100万元也要把官司打赢！”王科娃这样放风说，也这样变本加厉地去四下活动。“有钱能使鬼推磨，我不信没人给我撑腰！”

你千万不要以为这位矿霸只是说说而已，他心里是很有把握的。后来的事态发展也印证了他的话。

潼关失败了，就到渭南公署去!

王科娃在县法院判决后的几日内，就向渭南中级人民法院提出上诉。此次，他不再以那个子虚乌有的“矿产建材公司”的名义出面，而是以后来才注册的“太要福利磷肥厂”的法人身份向上级法院上诉。

一位非法的采矿者，手持一张通过不正当手段获取的已经失效了的“临时采矿证”，以一个主体与原一审不符的法人身份向上级法院申诉，这本来就是一件滑稽可笑的事，可渭南地区中级人民法院竟然受理了王的上诉。

老百姓在私下议论：王科娃有钱开道，别人就帮他做事。过去早听说中级人民法院 ×× 院长还有省高检 ×× 厅长与他既“铁”又“贴”得很哩！

天知地知老百姓都知的事，在这种背景下，法律的公正性会倒向哪儿去呢？又是天知地知 3 岁小孩 80 岁老妪都知的事。

正义的烈焰

渭南地区中级人民法院受理王科娃的上诉时间是 1991 年 9 月下旬，而做出“终审判决”的时间是 1992 年 6 月 29 日，其间相隔整整 9 个月。“一件普通诉讼案件，复审用这样长的时间，本身就很不正常。”潼关县政法委的一名负责同志这样说。

拖了 9 个月，这对王科娃可是大好时光。在这期间，他照样可以大模大样、无所顾忌地到国营矿山去发他的财。县上、矿上有人来阻止他，他恬不知耻地说：县法院的判决我不执行，等地区法院判了结果，你们才有权想做什么就做什么。哼，到时中院判了，恐怕你们想做什么就做不成了！

此间，王科娃不仅继续非法占据国营矿点开采黄金，而且气焰也越来越嚣张。他把坚持原则、依法行事的矿管局局长视为眼中钉、肉中刺，多次到大街上，在县委门口堵住张进元，当众用极其下流的污言秽语，侮辱谩骂这位堂堂正正的执法干部。

1992年4月29日，《中国地质矿产报》针对王科娃的所作所为发表了一篇文章。王科娃看到后气急败坏，一大清早就带着人上矿管局院子大喊大叫，攻击谩骂张进元。在王看来，不让他发黄金财的是张进元，让他在法庭上出丑的是张进元，现在又让他在报纸上公开曝光的还是张进元。

“张进元啊张进元，你不得好下场！”王科娃咬牙切齿地骂着，又令一起来的人把一份打印的列举张进元“罪状”的材料扔进张的办公室。此后，王科娃公然将这份材料散发到县委、县政府各部门，并寄发到地、省、全国人大、国务院、地矿部等数十处，欲以捏造的所谓“罪状”将张进元和他的矿管局置之死地而后快。他还暗中教唆人扬言要砸张进元的家。

“我求求你了。你不为自己想，也该为孩子、为这个家想一想呀！”妻子双膝下跪哭着求丈夫。张进元含着泪，缓缓将她扶起，耐心地说：“小秦岭是国家的重点黄金采区，如今让他搅得连国家主席、总理都睡不好觉。我是这里的矿管局长，我不管谁管呢？”

5月，操劳过度的张进元冠心病复发，心脏右心室束支传导阻滞，被送进医院。他刚住进医院，就有人给他送去了满是诅咒的辱骂信。年逾七旬的老母亲听了，也大病一场。

张进元的两个妹妹来医院探望，流着泪求哥哥：“为了老娘的性命，你千万别再认真了。”

哥哥摇摇头，“忠孝不能两全。我在这位子坐一天，就该认真一天。我不信共产党的天下就没有天理王法！”那声音虽虚弱低微，却自有秦岭人的一股气概。

6月29日，渭南地区中级人民法院作为潼关县人民法院的直接上司，做出了被上诉对象潼关县矿管局和法定代表人张进元想也没想过的如下终审判决：

一、撤销潼关县人民法院潼法行字（1991）01号行政判决。

二、撤销潼关县矿产资源管理局（1991）第24号处理决定，由有权机关依法重新处理。

三、二审案件受理费5200元由矿管局承担。

该中级人民法院判决的依据是：

本院认为：《矿产资源法》第39条规定：对无证开采者，责令停止开采，赔偿损失，没收违法所得，可以并处罚款。上述处罚由县市人民政府决定。故潼关县矿管局（1991）24号处理决定第一条属越权行为。其次，县矿管局以王科娃为行政管理相对人进行处罚事实不清，证据不充分，缺乏法律依据。原审判决维持县矿管局处理决定不当。

（注：着重号为作者所加）

如此结果、如此理由的终审判决，在潼关上上下下产生的反响是不言而喻的。

县委、县政府、县法院、县矿管局自然不服。

“中院可以绕开王科娃非法采矿的铁证如山的主要事实，却抓住政府行政机关的‘越权行为’而改判一审，简直令人不可思议！”潼关百姓出来说话了。

《矿产资源法》第39条虽然规定对违法开采的行政处罚权由市、县人民政府决定，但矿法第14条还规定：“开办乡镇集体矿山企业的审查、批准、颁发采矿许可证的办法，个体采矿的管理办法，由省、自治区、直辖市人民代表大会常务委员会制定。”1988年9月28日，陕西省七届人大常委会通过的《陕西省集体矿山企业和个体采矿管理条例》第28条明确规定了对违反条例规定应采取的行政处罚。《条例》第30条规定：“本条例第28条规定的行政处罚，一、二、三、五、六、七、八项由县和县级以上人民政府矿产资源监督管理机构决定。”潼关县矿管局是潼关县政府的矿产资源监督管理职能机构，因此有权代表县政府做出行政处罚决定，且在对王科娃的处罚决定做出之前，是经县政府讨论同意的，故潼关县矿管局（1991）第24号决定显然不是越权决定。

“王科娃违法开采数年，造成国家黄金资源巨大损失，事实清楚，证据充分！”

县政府、县政法委、县人民法院不服，向省高级人民法院提出控诉。

县矿管局依据国家《矿产资源法》、地矿部（1989）24号文、陕西省人大公布的《条例》，也向上级矿管局、地矿部、省人大提出控诉。

至此，王科娃事件真正开始热闹起来。它已经不再是潼关县政府与一个不法采矿者之间的事了。

根据潼关县政府、县矿管局等部门的报告请求，陕西省地矿局、国家地矿部对此十分重视，分别致函向陕西省人大和全国人大财经委请示，省人大和全国人大财经委都明确答复：陕西省人大制定的《集体矿山企业和个体采矿管理条例》关于行政处罚由“政府矿产资源监督管理机构决定”的规定，是有法律效力的。陕西省的《条例》与国家矿法并不矛盾。

1992年10月13日，陕西省人大常委会法工委副主任段增云和办公室副主任杨青年及省地矿局鲁学恭副处长专程到京，就渭南中级人民法院审理王科娃非法采矿并判定是矿管局败诉一案所引发的法律适用问题向全国人大法工委请示，并走访最高人民法院和地矿部汇报与请示。

地矿部作为国家《矿产资源法》的最高职能执行机构，对此事十分重视，副部长张文驹亲自批示，部矿管局负责人也十分明确地指出，与陕西省的做法相类似，全国已有十三个省人大常委会在根据国家《矿产资源法》第 14 条授权制定的地方性法规中，把政府的行政处罚权授予了矿管部门，迄今尚未见最高权力机关明文纠正的决定与文件，因此潼关县矿管局行使处罚权不存在越权行为，对王科娃这样的违法采矿者无须一定要由县政府做出处罚决定。再者，就“王案”的具体案情而言，“王案”涉及非法转让采矿权、非法个体采金、无证开采等罪行，本应数罪并罚，从重处理。然而，现在所出现的结果是，有行政处罚权的市县人民政府无暇处罚，行政执法机关无权处罚，违法者反而胜诉的不正常现象。

国家矿管部门对潼关县政府的支持态度无疑是鲜明的。

10 月 23 日，全国人大常委会财经委副主任在听取地矿部有关负责人专题汇报后，就渭南中级人民法院判矿管部门败诉一事及相关的地方法规适用问题，指出：“地方人大也是一级立法机构，法院也是受人大监督的。有不同意见可以，但立了法之后就应执行；否定人大立的法，这是违法行为。我建议请你们地矿部写份材料报给人大财经委或办公厅，由我们转给最高人民法院查处。”

地矿部很快以部的名义呈报人大财经委，就“王案”有关问题请求有关执法机关重新审查。

于是，几份带有鲜红的中华人民共和国国徽的国家最高权力与执法机关、政府部门的函件，开始了大转圈。

全国人大财经委将地矿部的报告及附件转给了最高人民法院，责成复查。

最高人民法院又将它连同全国人大函件转给陕西省高级人民法院，责成复查。

陕西省高级人民法院又将它和全国人大函件、最高人民法院函件转给了渭南地区中级人民法院，责成复查。

让一个自己做出判决的法院去审查自己做出的判决中的问题——我不清楚这在法律程序上是否存在问题，但其结果是可想而知的。

渭南地区中级人民法院约两个月后向省高院呈报了“审查报告”。

省高院又很快向最高人民法院呈报了“审查报告”。

最高人民法院又将省高院的“审查报告”，连同自己的意见一起送上全国人大财经委。不知何故，这个“大转圈”的时间用了近4个月。

全国人大财经委于1993年7月5日，附着最高人民法院的函件，致函地矿部……

潼关县政府、县矿管局，以及县委、政法委、法院和十几万百姓，急切期待了九个月之久的“最上面的声音”，竟与渭南地区中级人民法院的判决书没什么不一样。

呜呼！

潼关县委、县政府和执法部门的领导，特别是矿管局的全体同志就像肚里咽进了一只苍蝇那样难受。

且不说国家最高权力与执法机构的办事方法与程序是否有什么问题，看看“王案”发展到如今下至牵动广大百姓，上至牵动中央众多部门、机构并至难以收拾的地步，我想当初有关机构假如不把文件转来转去，而是直接派人到潼关调查、核实一下，也绝不至于发展到使今天的潼关人怨声载道的地步。

作为失败者的潼关县委、县政府、县矿管局等其他执行机关，他们必须接受不愿或根本不该接受的现实。

这是痛苦的，也是令人伤心和沮丧的。

像盼星星、盼月亮一样盼到“上面的声音”时，张进元局长已经离开岗位一年多了。现在他虽然名义上还是矿管局党委书记，可却是名副其实的“二线”了。这位为潼关黄金事业的发展和矿业秩序做出卓著贡献，屡遭多方精神与肉体伤害的老战士，听到这样的结果时痛哭了一场。

接他班的新局长张理文，这一年多为了讨得上面能有个公正的说法，也不知耗费了多少精力与时间。他军人出身，如今上任伊始，就将以一个“败将”的面目出现于疯狂野蛮的小秦岭黄金矿区，工作该是多么艰难啊！几十年来，一贯保持站如钟、行如风形象的他，哪甘心处于这般窘境！

在潼关，承受“王案”压力的不仅仅是矿管局的人，县委书记、县长所承受的压力也一点不轻。

白浪，这是位与他的名字一样气度不凡的县委书记。那年，组织上决定调他到潼关这个穷得一塌糊涂的小县任一把手时，他没有一句怨言。来到潼关，他抓的就是黄金生产，他提出的“黄金滚动”潼关经济的战略，使昔日的贫困县在短短的两三年时间内一跃成为闻名省内外的富裕县。

小秦岭的采金混乱现象和由此引起的社会治安混乱问题，使得潼关在中央都挂上了号。作为县委书记，白浪每天耳闻目睹一件件凶杀、抢劫、爆炸、强奸案件及伤亡事故等，看到大批大批的黄金资源遭破坏、流失，大片大片的农田被污染、践踏……他心疼，更心急如焚。他立志要用全部心血与全县人民一起整治这些害国害民害子孙的黑潮，再铸古潼关的现代化辉煌。1989 年年初，他刚到潼关不久，就主动出任县黄金生产秩序整顿领导小组组长。1990 年 3 月，国务院在三门峡召开小秦岭地区黄金生产秩序现场会，白浪代表重灾区的潼关县发言道：“我到潼关工作一年，黄金整顿也抓了一年。在黄金战线上，我还是个一年级的小学生。有上级支持，我们将不惜一切努力搞好治理整顿。如果潼关抓不好，到时建议组织撤我的职，处分我……”他的发言，引起全场的热烈掌声。会下，国务院副秘书长、国家黄金工作领导小组组长白美清亲切地握着白浪的手说："清理整顿难度很大，我们支持你。回去好好干，撤职、处分的话就不要再讲了。"中央领导的支持、理解和爱护，说得白浪心头热乎乎的。

在潼关，玩嘴皮子是行不通的，而那种既没有高招又办事拖泥带水的作风也是行不通的，弄不好还会惹来杀身之祸。这绝非危言耸听。在野蛮与血腥的黄金黑潮中，死于抢矿窃宝者棍棒与刀枪之下的干部绝不只一个两个。作为重灾区的县委书记，白浪既是一名统率整治大军千军万马的"最高司令长官"，又得做一名与失去理智、灭绝人性的抢矿者进行面对面交锋的"连长"或"班长"。

县上组织的每一次大规模清山、大规模整治，白浪总是亲临前线。在一些顽固、耍赖或玩命的抢矿人面前，一些拿枪的公安人员可以缴械、后退，但白浪不行，他必须前进。因为他清楚，一旦他退却了，整个潼关县就再无法向这类罪恶势力开刀。这个"父母官"实在难当。

那次，白浪带队伍到西峪矿区"扫荡"。一家非法采矿队的窝点被公安执法人员稀里哗啦地掏了个底朝天。矿主的老婆躺在地上大耍泼妇之术，弄得持枪的执法人员面面相觑，无从下手。白浪急了，上前几句话就把这个泼妇给镇住了。

"你断我的财路，我要你的人头！"

"我的金子你抄走了，可你全家人的性命在我手里！"

"下次你再上山，就请你吃蛋（弹）！"

在共产党执政40余年的今天，恐怕再找不出第二个县委书记像白浪一样会三天两头地接到诸如上面的那些让人心惊肉跳的赤裸裸的恐吓信。每当此时，白浪总是付诸一笑。在生死面前，当官的与不当官的没有什么不一样，说谁真不怕死，那是瞎话。然而，白浪无权怕死，也无法怕死。那些明刀暗枪随时随地都会有，你躲也无用，除非你不是共产党的县委书记。

那些以抢矿窃金为业的人曾这样恶狠狠地说："在潼关当官，想清白没门！染也要把他给染黑，气也要把他给气死，冤也要把他给冤死！"

白浪回答说："冤死，气死，染黑，我都不怕。怕的是我为官一任，不能把国家的聚宝盆给管好！"

现在，"王科娃事件"使他真的陷入了这般境地。

此次我到潼关，很遗憾没见到被百姓称之为"黄金县长"的陈旺学同志。从一个土生土长的农民成长为人民县长的陈旺学，于 1990 年 1 月赴任潼关"七品官"，当时正值这里整治乱采乱挖黄金战斗的白热化时期。

身为县长，陈旺学肩负着双重压力。他的左肩要贯彻中央让群众发家致富的精神，右肩负着要彻底铲除滋生在矿区上的"毒瘤"的重任。在潼关，这是一对不可调和的矛盾。"要发家致富，就得上山挖井掏窿。"这是流传在百姓中的一条"真理"。"你要阻止群众上山淘金，你就等于堵死大伙的财路。"多少次大小会议上，乡里、村上的干部没有一次不是溢着泪水向他们的县长这样诉说与乞求。从黄土沟壑上走过来的陈旺学自然明白而且极其理解下属们的话，但他别无选择。在国家利益与局部利益面前，他必须高举右臂去砍左臂……

根据国务院精神，1990 年 7 月，潼关的黄金秩序清理整顿到了"取消村办矿"阶段。这是一项最难做的工作，来自乡、村两级的阻力，众志成城，犹如钢铁。

陈县长的工作对象是马口村金矿的"收编"任务。所谓"收编"，就是把已有相当规模的村办金矿改成国有企业。马口村的村民们一听这话，马上跳了起来："谁要敢取消我们的金矿，我们马口村人就上西安、北京游行！”——这对政府部门来说是最忌讳、最头痛的事。马口村上千名村民说，咱可不是说说闹着玩的，谁要出面砸我们的饭碗，我们就砸谁的官位。这些散落安居在马峰口沟坎塬畔上的乡民们，他们中十户有八九户是旧社会被贫穷的鞭子从河南等地驱赶来的难民，那在穷乡僻壤上的一幕幕痛苦与辛酸的挣扎，对他们来说就像是昨天才发生的事。70年代前，这个村还是一个劳动日拿不到一毛钱的特贫村。80年代开始，他们从拣矿卖矿到自采自卖，艰苦创业，滚动积累，后来又用血汗钱建起了一座日处理100吨矿石的选矿厂，成为闻名全国的独一无二的“万两黄金村”。是黄金改变了这里的一切。如今，要让他们将一个年创利润200余万元的聚宝盆拱手让出去，简直是晴天霹雳。“头可断，血可流，矿山不能丢！”虽然这个村过去邻里之间为了争夺财富也有不少争斗与流血，但在捍卫自己矿山的问题上，全村绝对团结一致。

陈县长第一次到村上，村干部、村民没有一个人理睬他。在村委办公室没人给送水，没人给饭吃，也没人来听“大干部”的话。夕阳西斜时，臭汗满身的陈县长一行只得饥肠辘辘地返回县城。

第二次来村，依然如故。陈县长就第三次来，第四次来……一直到第七次，村干部和村民们才被他那一片苦心所感动。于是，后来才有了“国营马口金矿”。

在像马口这样名正言顺依靠采金使百姓走上集体富裕之路的村庄，陈旺学县长苦口婆心地讲政策、说矿法，叫大伙儿无条件地拱手将本是属于自己的金山银山让给国家，这样的事他做过不止十回、八回。

而今，王科娃这样一个无法无天、大肆掠夺国营矿山资源为已有的矿霸成了赢家，陈旺学无颜面对全县百姓。

在有人以法的化身为王科娃提供了逃脱法律严惩的空子的同

时，王科娃的脖子则如铁冶铜铸似的，硬得连自己的脚尖都瞧不见了。

1992年下半年开始，王科娃带领人马不仅将过去一直独霸的Q3055号矿脉挖了个七零八落，而且又自北向南改道掘进350米，将罪恶的魔爪伸向小口金矿的主矿脉——12号脉体内，并沿矿一下掘进200米，窃走金矿石2600余吨，折合人民币370万元，致使小口金矿投资百万元刚刚建起的采矿坑道毁于一旦。在7号坑矿口，小口金矿建了个用于堆放矿石废料的采场，王科娃竟然也不放过，大车小车地强行把废渣堆满了采场，致使国营矿的4000余吨废石被迫另调汽车转运于4公里以外，仅此运费一项就达6万余元。

如此行径，将国营矿的干部职工们气得七窍生烟。王科娃则站在一旁大言不惭道："法院都判我没错，你们谁敢动一下我的小手指？"

1993年7月14日下午，这是一个令人难忘的日子。压抑了数载怒焰的小口金矿职工们面对非法采矿者的暴行，终于勇敢地站出来捍卫自己与国法的尊严。他们自发地组织起来，有的拿棍，有的拿铲，有的拿着炸药，带着无须掩饰的愤怒一举捣毁了王科娃离国营主采坑仅30米远的非法采矿工棚和所有设备，并用爆炸法彻底堵死了逼向主矿脉的罪恶坑口。

这是一次前所未有的"民间性"较量。王科娃的同伙及他的手下闻风丧胆，纷纷撤出矿区。

"× 他娘，谁吃了豹子胆敢在老子头上耍威风？看我怎么治他！"王科娃知道后，气得发疯。

从7月22日至8月13日间，他带着全家老少手持棍棒、石块，站在马路中央，见国营小口金矿的车就拦住不放，先后强行拦截14辆生产运输车，并把这些车辆扣押到他的私宅大院内扎胎放气……其中4辆车扣押时间达40天之久，断了运输生命线的小口金矿，此时的生产陷入瘫痪……

王科娃欺人太甚！

8 月 30 日，正当这位潼关巨霸哼着小调，袒胸敞襟来到县公安局想打听一下他那“铁哥们”是否出差回府之时，公安局几位干警向他亮出一份他怎么也想不到的“收审令”：王科娃，根据我们对你的立案侦查，你有犯罪行为与犯罪事实，现在宣布对你依法收审！

“什么，你们搞错了吧？”王大吃一惊。

“没错，收审的就是你！”干警严厉而又毫不含糊地答道。

1993 年 9 月 11 日，潼关县人民检察院以破坏集体生产罪正式批准将王科娃逮捕。

消息传出，潼关上下一片惊喜和欢腾。“这只恶虎早该惩治了！”“王科娃被捕，小秦岭有望！”“大快人心！大快人心啊！”人们奔走相告，一派激奋！

当晚的“潼关电视新闻”收视率空前之高。

第二章　迷乱的法律战

流传在潼关百姓口中的精彩"折子"

中华人民共和国的宪法和刑法上都这样明文写着，一个公民如果犯了罪，就该受到法律制裁。然而，在现实社会中，并不是所有犯了罪的人，执法部门都可以毫不犹豫地逮捕他。王科娃就是其中的一个。

对照刑法，对照矿法，逮捕王科娃并不存在什么法律以外的问题。就像潼关县政法部门工作人员说的那样，王的犯罪事实清楚不过，治他一罪是便宜了他。可就是治他这一罪，潼关县执法部门就用了几年时间，最后竟然还不了了之。具有莫大讽刺意味的是同为执行中华人民共和国法律的执法部门，有人依据法律将王逮捕论罪，有人则践踏法律为王开脱罪行。

我此行到潼关采访，不少人谈起一年前逮捕王科娃的事，就像京城里的人谈及当年抓"四人帮"一样兴致勃勃，津津乐道。

或许王科娃本人都没有想到，在抓与不抓、抓与怎样抓他这个问题上，潼关县府里简直像发生了一场既紧张又神秘的战斗。

在潼关，人人都知道王科娃上上下下背景复杂，而且其靠山大多又是执法部门的掌权者，弄不好人没抓到，反倒引火烧身。决策者们在掌握了铁的事实之后，接下来便是如何"抓虎"的问题了。下面的情节是如今潼关百姓口中流传的精彩"折子"——我没有向县委书记白浪求正，因为那时他也不在家。

主持县委工作的是陈县长，他是前一天刚刚从国外考察回来的。关于"王科娃事件"，对他来说是再熟悉不过的。到潼关工作四个年头，王科娃的事就纠缠了他四个年头。陈县长回来的当天晚上，专案组把王的犯罪事实材料送到他手中。这是铁证如山、罪恶难逃的犯罪记录。陈县长掂了掂厚厚的一沓专案材料，心头怒火再也压抑不住。

“请陈县长指示，什么时候抓王？”

“不能再拖了。”陈县长的拳头重重地落在桌上，他对专案组的负责人说：“正好，乘 ×× 不在家。”

专案组同志会心一笑：陈县长指的是那个与王“铁”得很的原公安局局长。

“是不是立即动手？明天是星期天。”专案组的同志提醒道。

“不，抓王之前要补上一个程序。”陈县长轻轻地摇摇头。他果断地抓起电话，指示秘书道：“通知所有在家的县委常委，明天八点准时在会议室召开紧急会议，不得缺席。”

第二天的常委会气氛十分紧张和严肃。待专案组的同志把王科娃的犯罪事实通报完毕之后，陈县长站起来说道：“一个小小的王科娃，搅了好几年，把潼关上上下下搅得不能安宁。现在，根据执法部门立案侦查，他的行为已构成犯罪，事实清楚，证据确凿，不把王治罪不足以平息民愤。而王的社会背景又非常复杂，因此，在政法部门请示我们县委做出抓王的决定之时，我要求每个常委举手表决。同意的举手，不同意的可以不举手。现在表决！”

县委常委全体举手同意。

“那么，请诸位在抓王的立案决定材料上签上自己的大名。”陈县长说。

“嘿嘿，老陈呀，你这是不让我们‘翻供’呀！”常委们一边签字一边笑着说道。

陈县长笑笑，道：“说不定哪一天上面要追查责任问是谁批准抓王的，我好回答这是县委常委集体的决定哟！”

常委会散后，专案组的人可就忙开了：什么时候抓王？怎么个抓法？要是他躲在哪个“保护伞”下不让我们动手怎么办？研究来研究去，最后还是决定：调一支精干的刑警队伍，在星期一实施秘密追踪和收容罪犯。

狡猾一世、横蛮一方的王科娃大概太相信自己的运气和“保护伞”了，以为潼关真的没人敢动他一根汗毛，于是便有了上面已经叙述过的他自投罗网到公安局的精彩一幕。

省高检指令：放人；潼关县府全体抵制：坚决不放

县上把矿霸王科娃抓起来了，我们的主人公张理文和他的一百多名矿管干部像过节一样高兴。打这以后的日子里，他们无论在山上还是在山下，那个威信就甭提了。潼关是个采黄金的宝地，管矿的人本来就比谁都吃香，现在他们把最难治的矿霸给治了，更是走到哪儿，哪儿就乖顺。这一天，张理文局长带着矿管股长赵永峰、监察室主任赵守同等一行十余人，刚在善东峪处理一起抢窃矿石事件归来，县检察院检察长给他打来一个电话。

“什么，放人？这不是乱弹琴吗？”张理文气不打一处来，“又是谁的旨意？”

“省高级人民检察院。”

“什么？省高检？”张理文一听可真有点懵了：王科娃啊王科娃，你真可通天呀！

哎——我不信在共产党的天下，堂堂县级人民政府，手握一部国家法律打不过一个非法抢矿的犯罪分子！放下电话，张理文连饭都没吃，一屁股就坐在办公桌前，他要向省里陈述王科娃这几年一件件一桩桩违反矿法、抢占国营矿山的事实……

“上面”会有人插手或出来为王科娃说情，以至干扰执法部门处理案件的程序，这是潼关县府几个部门领导在确定抓王之前就早已预估到的。但对省里会直接下命令，让把县执法部门正式立案并批准逮捕的人犯放出来，可是没有想到。

潼关县委、县政府，包括县政法委、公安局、检察院，还有我们的矿管局可实在是“低估”了王科娃。

虽然前段时间把王科娃抓了起来，但他这几年用钱养的“狗”和“猫”可并没有忘记主人曾给的厚食，只是当时机会和“程序上”有些问题，所以在王被抓初期并没有马上站出来反击。这不打紧，可王的老婆急得直破口大骂道：“这几年我家挣的钱都喂猫狗了，咋出了事，我们养的狗就不咬人了，猫也不抓人了呀？”

王科娃关在局子里，是死是活前途未卜，王的老婆不甘心就这么被潼关几个县官把丈夫和全家给治了。于是，她到渭南，后来又到西安找那些“关系户”。对这位扬言“不帮忙，就别怪咱翻脸不认人”的婆娘，有人心里真的开始打鼓了，于是开始暗授机宜……

王妻找到省高院某处负责人（此人当年曾在潼关任过职，与王科娃的关系心照不宣）。大概直接找高院“程序”不对，于是王妻马上以“人民来信”反告潼关县政府出于报复将王关押。信送到省人大信访处，信访处即转到省高院那个与王关系甚密的某处负责人手中。此间的办事速度快得令人吃惊。省高院当即有人来到潼关县查阅“王案”部分案卷（注意：查案人一反常规地既未到侦查机关走访，也未到犯罪现场察看，更没要求提审人犯），之后查案人便返回西安。后来在 11 月 11 日，省高检就下文通知渭南分院，令潼关县检察院撤销对王科娃的批捕决定并立即放人。

根据中华人民共和国《刑事检察工作细则（试行）》第 13 条规定：“下级人民检察院对上级人民检察院的指令应认真执行……”上级执法部门对下级执法部门下达指令就如军令是必须无条件执行的，并且应当是“立即执行”。然而，潼关县人民检察院在接到渭南中院转来的省高院的指令后，竟做出了一反常规的“不”字决定。

于是，中国出现了一起罕见的下级政府及各职能部门全体拒绝上级指令的事件，并且时达5个月零9天！

听说省高检下令要放王科娃的消息后，最震惊和最感慨的首先是最深受其害的潼关国营小口金矿，800余名义愤填膺的职工要求上街游行，以呼吁上级有关部门能依据事实查处王案和维护国家法律的尊严。经县委出面调解，上街游行的事暂告平息。但小口金矿憋不住几年来深受“王霸”之苦，矿领导于1993年12月亲自到西安召开新闻发布会，中央驻陕和陕西省各大新闻单位的记者云集会场。

矿领导列举王科娃屡屡破坏国营矿山的事实，与多年来政府各部门为整治王犯行径数次落空的曲折过程，记者们听后无不震惊和感慨，纷纷表示支持国营矿山为捍卫国家利益的尊严而做出的种种努力。“发稿，回去我们就为你们发稿！”几位主编和大记者当场拍胸脯……好一个题材，好一篇“爆炸新闻”，众记者跃跃欲试。可转眼数日过去，竟没有哪家报纸、电视台发出新闻来。

“有关单位向我们的领导打招呼，说不能发。唉，我们惹不起他们……”后来，记者们私下告诉小口金矿的人。

“省里解决不了，我们上北京去！”矿长陈永华不信这个邪。矿管局局长张理文打来电话：“我跟你一起去！”

就在陈永华矿长与张理文局长去北京城之际，来自省、地区的压力，使得县委、县政府也无法等闲视之。白浪书记、陈旺学县长亲自指示政法委、公安局、检察院及矿管局等有关部门对“王案”重新做出全面的复核。于是，有关单位迅速从不同侧面和角度重新开展调查核实，反馈的结果几乎全部一致：王科娃几年来一直无证采矿，非法抢占国营矿山，并屡次拒不执行政府有关部门对他的处理决定，其犯罪事实清楚，证据确凿，执法部门对他的收审与实施逮捕的过程，符合法律程序。

依据法律，实事求是办案，我们认为在“王案”的整个处理中执法部门没有错——县委、县政府态度明朗，他们支持自己的政法机关依法办理此案。

县人民检察院在拒绝执行“放人”的指令同时，正式向渭南地区人民检察院和省高级人民检察院分别递交了《请求撤销指令的报告》，并由检察长和专案组成员亲自赴渭南及西安向上司当面陈述。

12 月 5 日，省高院召开党组扩大会议，专题听取和讨论“王案”汇报。会上，潼关县检察院专案组人员与省高检具体处理“王案”的刑事庭负责人之间的意见发生严重分歧。

“有不同意见可向最高人民检察院反映，但省高院的指令一定要执行，人还是要马上放！”省高院的领导发话。

随即，一年一度的省人大会议在西安召开。在出席会议的潼关县代表的敦促下，渭南地委、行署和地区人大参加会议的三位主要领导，分别就“王案”向省人大分管副主任做了汇报，并恳切指出：“王案”虽是一件具体案件，但事关国家黄金产地潼关县的全局工作和社会稳定。

“作为地委和行署一级领导部门，我们既要坚决贯彻上级指令，同时又得认真听取下面的意见。在‘王案’问题上，是上面对还是下面对，可以暂且一搁。我们请求省人大或省政法委出面协调，组织联合调查组到潼关进行调查后再作结论。”渭南地委和行署的建议得到人大和政法委的重视，并且受委托来完成此项由自己提出的建议。

4 月初，地委由分管政法工作的领导牵头，组成 7 人小组，调阅“王案”案卷。4 月 4 日，地委、行署、人大领导和地区政法委、检察分院、司法局负责人再次听取潼关县人民检察院的汇报。潼关县委、县政府和有关部门领导一起参加。

在潼关人慷慨激昂、有条有理的反复陈述与出示证据之后，“王案”调查组开始倾向于潼关方面的结论。

5日，地委召开书记办公会议，专题研究。

6日，省高检检察长和一位副检察长到达渭南。潼关县领导与政法部门负责人没有得到召见。受到召见的地委、行署和人大领导，代表潼关县及地委向两位检察长再次请求省高院到潼关实地检查“王案”。

事情已经拖了几个月了，省高院的“指令”一直得不到贯彻执行，这在中国的政法史上是罕见的。现在不是再而三地谈论重新实地“检查”的问题，而是要依据国家《检察刑事细则》的规定，马上“放人”！省高检检察长把话说得斩钉截铁，明明白白。

一边是法律的尊严，一边是上级的指令，两边都是铁板一块，潼关无可选择。但个人的良心、百姓的民心与共产党人的党性迫使他们做出选择。

1993年的最后一天，县委、县政府联合行文向省委、省政府和省人大紧急呼吁：

……近几年来，我们认真贯彻落实国务院（1988）75号文件精神，加强矿区治理整顿，矿区生产不断好转。今年以来，我们严厉打击山霸、矿霸，促进了矿区生产秩序和社会治安进一步稳定。1993年黄金生产达70742两，比上年度净增1万两，继续保持全国产金第三大县位次。为了使国家财产不再遭受巨大损失，为了严惩邪恶，稳定社会秩序，我们恳请各级领导支持我们抓好社会治安工作，使党和政府取信于民，真正发挥法制为国家利益和经济建设保驾护航的作用。

与此同时，县委、县政府代表执法部门和办案人员正式向上级挑明“王案”出现僵局的要害，在其建议中，请求由省政法委牵头，组织联合调查组进驻潼关，现场视察，听听潼关群众的呼声，查明事实真相，指导办案。并请求省院某处 ××× （注，笔者为其隐去姓名）及原调卷人等实行回避……

应该说，这是一份很有分量的请求呼吁书，但“上面”有关部门的态度丝毫没有发生变化。

“放人”与“不放人”的状态继续僵持。此间，潼关与西安之间，政府部门与执法部门之间频频交涉，但终不见成效。上级指挥不动下级，下级无法说动上级。

元旦、春节这两个节日，矿管局局长张理文和小口金矿陈矿长都没有过好。书记白浪和县长陈旺学及检察长也没有过好。

2 月 22 日，县人民检察院在拒绝接受省高院“放人”指令的 3 个月后，再次呈文渭南地区检察分院和省高院请求“撤销”指令。

“必须放人？没有余地？”

“必须放人！没有余地！”

渭南地区领导不再说话了。7 日，潼关县主要领导和检察院、政法委等负责人再度被召集到地委。

“你们眼下马上要做的只有两件事：一件是放人，一件是稳定干部和群众情绪，尤其要稳定矿山与执法部门的情绪。”地区领导千叮咛，万嘱咐。

潼关县“父母官”们全体沉默……

与毛泽东逝世同等悲哀

“什么？真要把骑在我们头上拉屎的矿霸给放出来？天哪，这是哪门子的法呀！”国营小口金矿 700 余名职工义愤填膺，找到陈矿长办公室：“谁要放王科娃，我们就上街游行！”

“上街游行万不能，王科娃是一定要放的！”

“什么，矿长你你……你是喝糊涂啦？”

“我是喝糊涂了，糊涂了——！”陈矿长突然“哈哈哈”地大笑不止，那笑声让职工们听着好惊骇、好心酸……

“关于要放王科娃的事，我们在几个月前就知道了。可4月初，我们听说真的要放他时，当时整个矿管局，整个检察院，还有县委、县政府以及整个潼关上上下下，就像1976年听说毛主席逝世那样，除了没有放声痛哭以外，其悲哀程度绝不亚于那时。”在我采访的过程中，听过不止一人这样来形容。

“听说毛泽东逝世后，我可以放声大哭一场。可听说要放王科娃这个罪恶累累的矿霸，我不能哭，但我的心痛……我痛的不是5年来我们与王科娃打官司的输赢问题，而心痛的是我们以往如此尊重、如此信赖的高高在上的我们国家与政府的有些执法部门为什么不能站在国家利益和人民利益一边，说句公道话，做件公道事呢？”硬汉子局长张理文每每谈及此事，总会泪水盈盈。

“服从可以，但我们坚决不服。”代表县委、县政府的县政法委的同志，于4月13日，专题向北京中央政法委发出《关于王科娃破坏集体生产案的情况汇报》函件。

从潼关发往北京的普通信件一般也要四五天，挂号则要一个星期左右。潼关县府还在作最后的努力，但为时已晚。要放王科娃的人等不及了，一而再地敦促县检察院签文撤销逮捕令。

1994年4月20日的这一天，对潼关县人民检察院检察长来说，是个永远难忘与难堪的日子。这一天他签发了一份违心的但不得不签发的关于撤销原批捕王科娃决定的决定，将王“无罪释放”。

当天晚上，北京有人打长途告知潼关：“明天，就是21号，我们的‘国内动态清样’将刊出《潼关县查处‘金把头’王科娃违法案受阻》一文。这是送达每个中央领导的‘内参’，会对你们很有利的。”

“谢谢你，朱记者，可已经晚了。王科娃今天被‘无罪释放’。”

“什么，今天就放了？！”为“王案”奔波了数十天的新华社国内名记者朱幼棣听到潼关方面的消息后，大骂了一声：“× 的，简直是乱弹琴！”

“不是乱弹琴是什么？我们抓的人犯，却不是押在潼关而是押在百里外的异乡。”自始至终参与“王案”侦缉与拘捕工作的潼关县公安局城关派出所指导员唐发元，从别人那里得知笔者来到潼关调查采访“王案”，百忙中不请自来。一见面，这位在基层工作了几十年的老公安便压抑不住内心的激动与愤怒。我们素不相识，但老唐却像见了久别的亲人，激动地一吐为快。

“你也在公安系统待过？那太好了。”

老唐冲我说：“在基层办案，少说我也经历了几百次，可像‘王案’这样的处理法子还是头回见到。都知道办案必须抓住事实根据依法处置，应该说，在这方面处在第一线的办案人员是对案情最了解也最有发言权的。‘王案’却不是这样，我们这些了解案情、掌握案情的人却时时事事都得听那些在上面‘遥控’的人的指挥。你抓了黑的，他说为什么不注意白的方面。你说白的方面没有，他说黑的责任并不是黑的本人，而是由于白才产生了黑。听起来他们的理论头头是道，深奥无比，说穿了就是挖空心思来钻法律的空子，为本该伏法的罪犯开脱罪行。这是 × 他娘的办案！”

老唐见我给录音机换电池，以为要关机，便说：“你不用关机，我这个人平时不爱骂娘，但一提起‘王案’，我的嘴无法文明。”

“抓人，关人，有人插手也就罢了。可就在放人的问题上还有人像关心干儿子那样精细到每一个环节上。”他接着告诉我：“接到放人通知后，我们行动小组在一名公安局领导的带领下，到王的关押地提人，对方却不让，说一定要见到‘王科娃无罪释放’的公安文本。你说是不是活见鬼！我们抓的人犯，我们办的案子，连要提人的权利都没有，这不是活见鬼是什么？”

“后来一想，可不是，人家怕我们把王提走后，重新换个神不知鬼不觉的地方，再扣押起来不就给他们找麻烦了吗！”唐发元说到此处，长叹一声：“悲哀，悲哀啊……”

我回头瞅了一眼一言未发的张理文局长，只见他斜躺在床上，两眼望着窗外，胸脯急剧地起伏。

若不是亲自到潼关，你怎么也无法想象出“王案”给当地干部、群众所带来的巨大冲击……

第三章　小秦岭在疾呼：请以金山的名义

丈人视要处，窄狭容单车。

艰难奋长戟，万古用一夫。

自古潼关战事多，自古潼关称峻险。在20世纪末年，大门早已开向四方的潼关人不解地自问：难道今天我们的潼关还会有杜甫老翁说的那样一夫当关、万夫莫开的局面吗?

潼关的险峻不仅仅源于自然，还在于其错综复杂的社会政治。

放虎归山，小秦岭再度沉沦

如果不是亲自到潼关走一趟，如果不是亲眼看一看小秦岭金矿区，你当然无法理解潼关人为什么当听说把矿霸王科娃抓起来后会那样欣喜若狂，更无法理解为什么如今听说王被“无罪释放”后会那样凄怆与悲哀。

金子，在潼关人的心灵砝码上所占的分量太重太重。没有金子，潼关难以摆脱永久的贫困与落后。

早在80年代末，一批国内著名的经济学家在考察潼关后指出：“潼关的经济发展正处于起飞阶段，超越历史常规的高速度增长将持续若干年，从而将区域经济推至常规条件下无法达到的高水平。这中间的主要因素无疑是它丰富的黄金资源。”

黄金是潼关人的命根子，黄金是潼关人明天的希望。在这古老土地上耕作了几千年的潼关百姓和他们的“父母官”对此有着越来越深切的感受。

通过“黄金滚动”，实现社会生产力的全面、高速发展——这是潼关人家喻户晓的经济战略和决策。

有人想通过野蛮掠夺，把本属于国家和全体百姓利益的黄金吞为已有，无疑潼关人民的“父母官”不会答应，就是最普通的平民也不会答应。

自打王科娃被抓后，几经反复的小秦岭金矿区的秩序明显好转。1993 年 10 月，潼关县组织了新一轮清山活动，一下捣毁和取缔无证采矿坑口 300 多个，没缴罚款 200 万元，收缴被非法抢走的矿石 230 吨。一些以往顽固死守矿山的非法采矿者在强大的法律攻势面前纷纷退却。他们心里明白，要是顽抗下去，必定像王科娃那样坐班房。何况，谁都没有王科娃“靠山”硬，进“局子”后必判无疑。

现在倒好，王科娃放出来了，我们更没事了。比王科娃，我们算什么！听说王科娃放出来后，那些本已灰心丧气的非法采矿者简直欣喜若狂。

王科娃干了这么多年没治罪，我们小打小闹算个啥！快上山呀！采民相互串通，连夜行动。

一时间，宁静的小秦岭又陷入了比以往任何时候都更加疯狂的强暴与掠夺之中。

7 月末的一天，笔者特意搭车来到矿区，一路上看到的净是成群结队的采民如潮般向大山深处涌去。他们有的是本地人，而更多的则是外地人。

在曾被王科娃占据数年的东桐峪地区小口金矿矿区，我们的车沿峪道走了近一个小时，举目所见的净是接一连二嵌搭在峪谷边的竹棚子。一个竹棚子就是一窝非法采民。近看，是乌烟瘴气、杂乱无章的采石掠夺和吵闹斗殴的场面；远看，整座大山如同一个大蜂窝，密密麻麻，千疮百孔，简直惨不忍睹。

小口金矿的主人告诉我，本已“洁净”的矿区，自王科娃放出那天至今，先后有40多家非法采矿队像饿狼似的扑在国营矿山这块肥肉上，不分日夜地争抢着。小小一块弹丸之地，采民人数高达万人。而作为矿山主人翁的国营小口金矿800余名职工则被东一窝、西一摊地围困在水深火热的窒息状态……

“恶虎归山，小秦岭又不知哪日才得安宁。”县黄金公司的负责人坐在办公室里不停地长吁短叹。他拿出一份计划表，一脸沮丧地告诉我：“你看看，去年这个季度全县上交黄金是2400两，今年还不足400两，整整下降了87%。唉，光耀了几年的潼关黄金桂冠看来是要丢了……”

王科娃的释放，给潼关和整个小秦岭地区所带来的冲击波无法估量。

县长、县委书记感到几年来自己在台上台下，在山上山下说的话、喊的口号、发的誓全成了泡沫。他们无颜再对老百姓们说什么，或者还要求别人听你什么。

司法部门的体会则如县公安局一位负责人说的那样令人无可奈何。他说，“王案”无形中成了咱们潼关办案的尺度，以后凡违法程度不超过王科娃，咱就不能治罪。

“王科娃就是杀人放火没明做，难道你们潼关公安局以后除了抓杀人放火犯外，就不能治别的罪了？”

“可以这么理解。”

呜呼哀哉！

你还有什么说的。县委、县政府、县公检司法部门都没什么说的了，一切都将沉默。

“你不沉默，还能做什么呢？”县政法委的一名负责同志极其痛心地对我说，“该做的我们都做了，但结局还是超出我们极力避免的最坏想象。”

真正的沉默是不可能的。在正义与邪恶之间只有你死我活，你下我上，你伏我起的较量。

归山后的王科娃如今可是潼关人人皆知的后背垫着“铜墙铁壁”的主，谁碰他谁就得当输家。

小口金矿有名职工不服气地指责了几句王科娃的罪恶行径，王的女婿知道后，竟然在光天化日之下提着刀，“咔嚓——”一刀砍得那个职工血流全身，如今凶手依然逍遥法外。谁人去抓呀？没人。也没人敢去抓！

眼下王科娃的派头可大了。不论是在潼关的城内城外，还是在小秦岭的山上山下，人们均看到他的私人汽车已经换上了公安牌照。百姓见后远远地躲在一边，窃窃私语道：“瞧人家的架势，还有人敢碰他吗？他不碰你就不错了！”

一个好的榜样，可以熔炼一代人的精神风貌，推动一程社会进步。反之，一个坏的典型则具有摧毁一片江山的邪恶力量。

王科娃的“归山”，使得潼关乃至整个小秦岭黄金生产秩序大乱，往年被称为乱采滥挖“淡季”的七八月份，今年则大不一样。有人估算了一下，时下在这个“金三角”的采民人数已达六位数，而且日益剧增。当地的官员忧心忡忡地预测着秋末冬至的旺季，不知该如何收场！

滥挖和私炼黄金，不可避免地造成了小秦岭资源的巨大浪费。有关专家指出，目前在“金三角”采金的采民由于采用的都是原始的生产方式，矿石中的黄金提取率仅为50%左右。而就是这采炼得到的50%，一钱一两也进不到国库里。据矿管部门估计，仅王科娃一人，五年来非法采走的矿石含金量价值超过千万元，可他没向国家上交过一两黄金。金子都到哪儿去了？走私了呗！不然，他怎么去“喂狗”“喂猫”呢！

在80年代初期，潼关市场上最活跃的交易是换鸡蛋。而今这个行业是最惨淡的，不是潼关人不养鸡了，而是他们不敢再吃本地鸡产下的蛋。为什么？原来当地的鸡蛋吃了会死人。这话听来奇怪，然确有其事，因为那蛋中富含致人死命的有害矿物质。这就是滥挖乱采黄金给当地带来的祸害。这种现象经过从中央到地方的数十次大规模整治，本已大有改观。但今天当地的官员们告诉我，一切都已恢复原样，并且有过之而无不及……

王科娃啊王科娃，好你一场官司，好你一场灾难！

站在滚滚黄河边的山麓下，我仿佛听到中华民族的母亲河在如是说，仿佛听到在中国现代化进程中有着举足轻重作用的小秦岭金山在如是说。

在结束潼关采访后，我回到北京，走访了《中华人民共和国矿产资源法》的最高执行部门——地矿部矿管局，相关负责同志和法律界的人士一致指出，“王案”是一件非常普通又非常典型的违反矿法的案件，它之所以出现今天的结局，除了上面已经分析的原因外，还因为我们国家的法本身随着时间和现实社会的发展，有些地方还不尽完善，使违法分子有机可乘，一些执法部门在运用法律的过程中也存在不可忽视的问题。譬如国家的矿法是个“大法”，它对国家矿产资源的开采、管理大多是原则性的。为了完善矿法，国家有关部门、各省市自治区在不同程度上已经制定了有具体细则的“小法”，而我们的有些执法部门在处理具体案件时，常常或偏重“大法”而不运用“小法”，或偏重“小法”而不运用“大法”，这样势必使问题得不到彻底解决，有时还会造成更大的被动局面。

潼关“王案”，在新中国的矿法史上是前所未有的典型事件，它对潼关人的震动，对国家矿产资源管理部门的震动，对中国法律界的震动也是巨大的。

在本文行将杀青付梓之时，潼关方面又传来消息说：王科娃如今“节节胜利”，他反咬小口金矿，反诉县公安局，并把揭露他的《法制日报》记者也拉上了法庭。看来事态已发展得越来越复杂。或许可以断定一点，这篇彻底披露王案事实真相的报告文学一旦发表，王将又有了一个新的状告对象，有可能他依然会胜诉。如今，县政府和有关方面的压力可想而知。俗话说：不是东风压倒西风，就是西风压倒东风。眼下王科娃占了上风，但历史将最终做出结论：一切无视国家法律，一切有意破坏国家矿产资源的行径与罪魁祸首，都将注定被法律所惩治！

今天，我们的主人公张理文以及他所在的整个潼关县党、政、法部门依然不服，依然在通过正常途径，向党中央、国务院、全国人大、中央纪委以及新闻单位呼吁，以求得最终的公正解决。国家地矿部会同有关部门也在为维护矿法的尊严做着努力。目前此案的问题已引起中央纪委、全国人大的高度重视，我们相信它能有圆满的结局。

因为，祖国的宝贵资源再不能任人肆意掠夺与摧残！

因为，党的光辉形象和国家法律的尊严必将扎根于老百姓的心目之中！

因为，战斗在矿山第一线的几百万职工和矿管执法者的权益与生命必须得到保护！

因为，那些无恶不作的非法采矿者和那些做着肮脏“权钱”交易的贪官污吏必将受到党纪国法的严惩！

因为，为我们伟大时代造血的金山在愤怒地呼唤！

1994 年 7 ~ 8 月

于潼关—西安—北京

补记：1996年，在最高人民检察院和陕西省高级人民检察院的直接关注下，渭南地区中级人民法院对王科娃一案终于做出了严厉处罚。此间，中央电视台《焦点访谈》等也对此案进行了曝光。

生死一瞬间

——自然灾害备忘录

引　言

有时人想到了死，突然一下子干什么都没了劲。再炽烈的情感，再丰厚的存款，有什么用呢？

青天白日里，你我都好好活着，自然很少会想到这个死字。或者说，每天都在缤纷五彩，充满竞争与希望的现实中的你和我，每时每刻，匆匆忙忙，充充实实，根本就来不及去想一想这个不吉利的字。“大吉大利”“发发发……”餐桌前、会场上、歌舞厅里，耳边、眼里、手头，你我不都被这些花花绿绿，红红火火的东西所淹没、所陶醉、所混沌着么！

据说有两种人对死的体验是最超然的：一种是纯自然死亡；一种是在毫无准备中突然死去的人，如空难、车祸、触电等。前者的精神状态可以理解为灵魂的回归；后者则可以解释为灵魂的瞬间消失。

我要说的是第二种。

这是一种对死者没有痛苦的逝世，而对生者则有太多的痛苦与折磨。

生与死，其实就在一瞬间。

不说远的和详细的例子，就说我们中国自己近百年所发生的几件大难吧。

1887 年，因暴雨积洪，黄河在流经郑州市的急转弯处决口，一夜间 200 余万人被洪水夺去了生命，成为世界历史上最严重的一次水害。

89 年后的 1976 年 7 月 28 日，我们记忆犹新的唐山大地震，仅打几个呼噜的瞬间，一座百万人的城市顷刻间被夷为平地，242369 个生灵一下被吞噬，创 400 多年来世界地震史上最悲惨记录。

后来又有一次新的大难记录，那就是 1987 年的大兴安岭特大森林火灾。此次以毁林面积 101 万公顷、伤亡人数 56000 余人、直接经济损失 5 亿元人民币的惨重损失而使共和国举国痛心。

之后的 1988 年、1989 年……直至 1994 年，我们在每逢年末辞旧迎新之际，都要为另一些突然从我们身边离开或消失的亲朋好友惋惜与哀痛。

你不是每天看“新闻联播”吗？1995 年的年轮刚刚转动，日本神户大地震 5000 余生灵转眼成亡魂；新西兰大洪水使几十万人无家可归；百年不遇的暴风雪席卷北欧与美洲，造成千百座城市陷于瘫痪……

这是怎么了，我的上帝！

难道我们的生命如此脆弱，如此无能？

中国人，是否应该警惕起来？！

上部　龙国悲壮篇——突飞中的陷落

1976 年，一个被束缚了几十年的民族，沉醉在粉碎“四人帮”举国同庆的伟大胜利之中。倏然间 10 亿人打开禁锢了几千年的龙门，发现先进的国家早已在自己高唱着“造反有理”的年代，就已经开始用电子计算机把控国家的命运了。全球性的信息技术革命使龙的民族猛然发觉，倘若自己再关门自守，贫困和愚昧的加剧将使整个民族濒临生存问题。

“打开大门，本世纪中国要实现四个现代化！”一位求实的伟人清醒地告诫人们。

于是，堵塞的羊肠小道被交叉纵横的立交桥所代替，一式的金瓦红墙被耸入云霄的摩天大楼所淹没……

沉睡的巨人一下屹立在地球的东方，国民经济每年以 13%、15%、18% 甚至超过 20% 的速度递增，几千万家庭涌向商店，购买电视机、冰箱、空调……

形势“比共和国成立以来的任何时期要好”，“再过几十年，中国将进入世界强国之列”，中国进入前所未有的突飞阶段，恨不得一步赶上先进的西方国家。

当中国人对一人工作一天能换回一台彩电的美国社会羡慕至极之时，美国人却异常清醒地在惊呼一个令人毛骨悚然的问题：“人类再照此随心所欲地发展，地球不久将毁灭！”这个结论绝非仅仅出自一些科学家之口，连总统先生都开始紧张起来。

1977 年 5 月，当中国政府正在拟定上马 180 个重大建设项目时，美国总统卡特却在 5 月 23 日向国会提出一份关于全人类的环境咨文：

环境问题是不受国家疆界限制的。美国和其他国家近些年来已开始注意到，通过国际努力以保持共同的环境的迫切性。

作为这个步骤的一部分，我正在指示环境质量委员会和国务院，会同环境保护局、国家科学基金会、国家海洋和大气局以及其他适当的机构共同合作，对世界的人口、自然资源和环境到本世纪末可能出现的变化，进行为期一年的研究。这项研究工作，将作为我们制订长远规划的基础。

一年以后，由海洋、国家环境和科学事务助理国务卿托马斯·R. 皮克林和环境质量委员会主席格斯·斯佩思落款的一份呈文送到了总统手里，这就是有名的《公元 2000 年的地球》。

托马斯和格斯的呈文中写道：

我们在报告中所做出的结论，颇为令人不安。它指出，到 2000 年时，可能会发生规模惊人的世界性问题。环境、资源和人口的压力正在加剧，并将日益决定着地球上的人类生活的质量。这种压力已经严重到难以满足千百万人对食物、住房、健康和就业的基本需要，或者任何心头的愿望。与此同时，地球的负担能力正在下降。地球的自然资源基础正在逐渐衰弱和贫化。如果想要改变这种趋势，并使这些问题减轻的话，即将需要全世界以坚定的新的进取精神来满足人类的需要，同时保护和恢复地球维持生命的能力。

“人类已经到了共同为延长地球生命而奋斗的紧急关头！”两位先生代表数以千计的世界一流大科学家的意见向总统疾呼。

“应该把托马斯和格斯从白宫赶出去！”尽管有为数不少的大财团的富豪鼓动卡特总统这样做，但总统并没有因此而动摇他在修订美利坚合众国的战略决策时，把人类生存的环境问题列入决策首位的决心。

一切清醒的有识之士都相继认识到美国政府的“地球危机意识”绝非是一场“胡闹”。敏感的联合国首先做出了反应，总部设在日内瓦的教科文组织进入了最紧张的工作。包括1981年8月在内罗毕召开的“新的和可更新的能源”会议在内，关于“人类环境”“人口”“粮食”“人类居住地”“水”“沙漠”等议题的一系列大型会议，在20世纪70年代末80年代初就开了不下10个。科学家们争吵的声音达到了顶点，结论依然一致：人类需要迅速携起手来，共同为遏制破坏地球生态的行为而拼搏，包括与过猛的人口增长、过猛的建设速度，以及不把人类环境放在眼里的行为做坚决而果断的斗争，否则将会受到地球严厉的惩罚！

力图迅速摆脱贫困的中国并没有“过分”重视这些问题，以致在人类的大课题面前显得有些束手无策。人口大爆炸，使其超过了整个国力；建设速度膨胀过猛，使民心失去平衡……刚刚从贫困中挣脱出来的12亿人并没有意识到一个更可怕的现实：为世界各地著名的人类学家和自然科学家所恐惧的“灾神”已经逼近……

灾神笼罩着整个地球，正在肆无忌惮地吞噬着所有的生灵。

第一章　“8 · 16”惨案与宝成铁路

1981年，占全国人口1/10的四川大地，正当农民们踩着欢快的鼓点，大唱发家致富赞歌的时候，进入夏季的盆地忽然一反常态，龙王爷好像喝醉了酒似的，一泻就是好几十天。顿时，四川盆地真的如同盛了满满一盆水的大“盆”。河水猛涨，庄稼被冲，大批房屋散架，成千上万的居民流离失所……

8月16日，以彭冲为团长的中央代表团刚刚抵达成都，省长谭启龙又被防洪抢险救灾指挥部的工作人员叫去。

“省长，广元军师庙大山崩塌，宝成铁路线受阻！”秘书打开文件夹，“这是县委和军师庙火车站打来的电话记录。”

记录这样写着：9点40分，位于军师庙火车站旁边的山崖突然发生松动，值班人员刚要发警报，只听“轰隆”一声巨响，小山头似的石崩随着湍急的洪流从近百米的高处飞溅而下，一眨眼工夫就冲向铁路。这时，铁路上正停着刚刚开来的164次旅客列车。载有上千名旅客的列车上顿时呼声四起，反应敏捷的火车司机刚想启动，可是巨大的石块已像雨点般袭向车上的旅客……

“伤亡怎样？排除崩塌需要多少时间？宝成铁路是四川的大动脉，分分秒秒都是黄金呀！”谭省长火烧眉毛，气喘吁吁地跑到中央代表团那里。他要请示中央，让铁道部协助，务必保证宝成线畅通无阻。时间就是金钱，四川要腾飞，离不开铁路大动脉，而出事的这条线正是承担60%川运任务的要道。

“谭省长，我要转告你一个更坏的消息。”彭冲团长异常沉重地对谭启龙说，“刚刚接到中央的电话：差不多在军师庙崩塌发生的同一时间，陕西阳平关发生了一起更为严重的山地崩塌，812次货车颠覆了七节车厢，一辆电车翻入嘉陵江……造成的损失和伤亡情况现在尚不清楚。”

这就是震惊中外的宝成铁路“8·16”惨案。

8月16日，军师庙与阳平关两处崩塌，造成直接经济损失350万元。

仅仅是一眨眼的工夫，相当于一座30层高的摩天大楼在地平线上消失得一无影踪。

9月3日，当中央、地方政府和铁道部门尚未从“8·16”事件回过神来，812次列车还在嘉陵江中灌水之时，在军师庙的同一地点又发生了一起比“8·16”崩塌危害严重10倍的罕见大滑坡。2500立方米的巨大山石滑坡产生的泥石流从几百米高的山坳上汹涌下泻，将宝成铁路的钢轨一直推至滔滔的嘉陵江对岸，整个嘉陵江截流时间达12分钟，上游的水位抬高15米。这是何等恐怖的景象!

7年后1988年的一天，我来到军师庙崩塌与滑坡旧址，站在江水湍急的嘉陵江岸边，崩塌的山体仍然清晰可见，滑坡留在江边的残留物也举目皆是。但是，独不见有谁在这里竖一块牌子，让后人记住这里曾经发生过一起重大死亡事件。

我来到军师庙车站，站上的一名工作人员这样回忆道：“那天我刚上班，领导就对我说，要做好上连班的准备。你不知道，咱这地方不大，可在铁路系统却是挂了名的地段。几乎每年一到夏季就要出现好几次断线事故。1981年的夏季，咱这儿一连下了好几天雨，线段就开始紧张起来。打8月16日那天出现崩塌，全站人就每天加班，赶着全线通车。9月1日，线路好不容易通了。在164次列车上受伤的20几名旅客中，有两位是外地人入川到成都度蜜月的。女的在16日那天头部受了点伤，男的就一起留下来陪女的养伤。几天后，女的伤病减轻，两人决定乘9月3日的车回去。当时时间还早，这对小夫妻就到嘉陵江边玩。他们踩江边的水玩，还搂在一起，我们站上的几个小青年几次跑去偷偷地看，挺羡慕的。谁知天公作恶，我们只听一声巨响，就见江岸的山坡突然像玩魔术似的游动起来。不好，又要大滑坡了！我们这些人干了多少年铁路工作，都知道大难又临头了。这里虽然整年不断灾，可像眼前的这种滑坡势头谁也没有见过。我们全被惊呆了，傻乎乎地瞅着山体仿佛整个儿在滑动。那钢轨铁道好像是铅丝做的，泥石流根本没费半点劲就把它掀到了江里，那嘉陵江涌起的水柱总有百米高。平日里急得吓人的江水一下被几万立方的石流截住，临近江岸的小树、房屋、通道全被突起的江水淹了个精光——啥是山崩地裂，这才是呢！我们站上的那些人一个个像兔子似的向高处的山头奔命。许多人来不及跑就被淹在江里了。十几分钟后，截住江流的泥石承受不了江水的落差压力终于决口，嘉陵江这才重新恢复了通流。在岸边，我们见到了那个养好伤的女青年，可她的新婚丈夫却不在了。那女青年双手紧抓着那男子的一顶草帽，面对湍急的江面哭干了眼泪喊破了嗓子，可是她的爱人再也没有回到她的身边……”

听来像是一个悲哀的童话，可这却是实实在在的事。有多少活生生的生命被无情的“天外”灾难夺去？我不得而知。

我所知道的是，仅1981年一年，发生在宝成铁路线上的由于泥石流、滑坡、崩塌而造成的灾难就达886起。

中国是个人口大国，这类死亡事故不像飞机出事或交通事故，会给政府和普通百姓心理上造成巨大的压力，人们把它列为“自然界的正常灾难”。然而，这个“自然界”并非是个无机物世界。当温和的人类向它伸出友善的手时，它给予我们的是粮食和空气；

当你对它的痛苦或创伤置若罔闻时，它会给你爆炸与毒药。

宝成线东起陕西宝鸡，跨渭河，溯清娄河攀绕而上，穿越摩岭、分水岭，顺嘉陵江迂回南下抵广元；再沿龙门山脉边缘南行，而后入巴蜀四川盆地。“蜀道难，难于上青天。”此话虽然是古人名言，然而，蜀道自1958年火车通车投入运营以来，尽管效益卓著，可国家为此付出的代价也实在是非常人所能想象的。单说1981年那场大灾的修复费用就高达3亿元人民币。

在北京召开的一次会议上，我采访了从事宝成铁路工程地质勘查工作的鄢毅工程师。他给我算了一笔账：宝成铁路打修建起，灾情一直趋于上升状态。初建的前三年是高峰，各种灾害达2136处。从1962年至1993年，这30多年灾害成倍增长，危害之大举世罕见。30多年来，全线受灾次数无法统计，只能把那些造成严重损失和伤亡事件的算进去，每年平均在百次以上。

1989年1月7日，新华社的一则新闻说：“宝成铁路的灾害是中外铁路建设史上所罕见的，国家在它身上所耗费的整修费已经远远超过当年筑路的全部投资。”当年筑路的投资是每公里113万元，这笔费用可想而知有多昂贵。

仅仅是全国铁路总干线中一小部分的宝成线，国家每年就损失那么多钱，那么整个铁路、整个国民经济建设中，我们白白丢掉的又是多少呢?

我的心头异常沉重。我想起了江边那位痛失亲人的姑娘，想起了工厂、农村的人们为了给国家创收而洒下的成江成河的颗颗汗珠……我的心在疼，恨不得能有回天之力，让一切天灾地害一扫而光，可我无奈。据说总理和铁道部部长对宝成铁路上每年发生的灾情亦无能为力，可又不得不管。这个“包袱”实在不轻!

“这就是自然的力量！这就是我们违反了自然规律所酿下的恶果！”鄢毅说，“宝成铁路出现目前这种状况，首先在于它的

‘先天不足’。1950年，为修筑这条高难度的重要铁路，在宝成南段勘测设计的竟然仅仅只有一名矿山地质工程师和3台钻机。对许多极为复杂的地质现象，仅凭这样一位一般的技术人员做出判断，能保证其质量吗？就地理而言，横亘秦川大地的宝成铁路有四大‘灾星’相克。陕西地段的线路位于秦岭山脉。每年当宝鸡春回大地之时，成都早已是桃红柳绿，而秦岭、凤州到四月五月却依然雪花纷飞，银装素裹。雨水洪暴是宝成铁路的第一灾星。全线上段贯穿的秦岭和龙门山脉，一则为震旦纪挤压构造带岩浆活动强烈，一则是由复式褶皱及断裂岩体组成，这就等于宝成铁路是建在两条随时可能活动的大屋脊上，此为灾星之二。灾星之三是整个线路的路基是呈‘几’字形的，最高的海拔与最低的海拔落差达几千米，而路基又都处在山地斜坡上，侵蚀的地貌每时每刻都使宝成铁路面临着釜底抽薪的危机。灾星之四为路基的岩体变形导致整个线路处在随时可能弯曲拉长的不稳定状态之中。”

“这么说，宝成线全线都处在四面受敌的重灾之中？”

“一点不假。我们花了近3年时间调查，发现明显的灾害点就有1100处。这些地方的崩塌、滑坡和泥石流，其范围和势头都不亚于‘8·16’灾情，大都又是一触即发的状态！”

“面对死神，我们难道就束手无策？”

“当然有！”鄢毅非常肯定，随即又变得异常尖锐，“很多人以为宝成线的灾情是大自然天生的，其实灾害并不可怕，拥抱死神也并无多大畏惧，真正可怕和畏惧的是我们人类还不明白这些灾星险处中，人为造成的竟占77%！那些本来就岩体断裂、壁峭崖峻的山坡，你把它身上的植被啃得光光的，雨水一来，它能不崩塌滑坡吗？大山和隧道边，有人在肆无忌惮地凿洞挖矿，开山取宝，这又怎能不让铁路依托的大山塌陷崩裂？”

在中国，稍有知识的人都会说铁路是国民经济的大动脉。人人都明白，假如用刀在一个人的大动脉上剜一个又一个伤口，那么这条大动脉很快就会干涸。

一个简单得不能再简单的道理，可此一时彼一时，人们又怎么也明白不过来。人的悲哀就在这里。

第二章 红河水为什么这样红

1883年8月的某一天晚上，美国波士顿某报的专栏作家爱德华·萨姆森因工作疲倦而伏在写字台上昏昏入睡。凌晨3点，他在梦境中看见许多人尖声狂叫地冲向大海，后面是一片滚滚而来的熔岩。他惊恐地看着一艘艘船只被大浪吞没，然后是一座临海的大山一下倾入海中，蓝色的海水变成了泥土一般的黄泽……爱德华惊醒后，梦中情景历历在目，于是他把梦中之所见写在纸上，留在了桌面上。隔天，报馆的编辑见了纸上的文字，也不问其因果，拿去就印。爱德华的梦中事就这样阴差阳错成了一则新闻。更为奇怪的是，不几日，爪哇岛上传来一个真实的故事，其时间、其灾情，竟与爱德华的梦中所见相差无几。

梦境成真的奥秘，科学家至今仍道不出一个所以然。不过，100多年后的另一个夜晚，竟然又出现了类似的事。这天，疲惫了一天的云南思茅地区专员下班后早早地上床睡着了。阵阵呼噜声伴着一个可怕的梦，在梦中他被一个强震掀到了地板上。他一身冷汗，猛然从梦中醒来，就听床头上的电话铃响起。

“专员专员，有紧急情况，地震办的同志报告说，我们这儿马上有紧急震情！”是秘书在电话里喊。

“告诉办公室，赶决采取措施……”专员刚想下达指示，“轰隆”一声巨响，随即道道蓝光忽闪，大地顿时失去平稳：电视机从桌上倒下，碗橱内“乒乓”乱响，专员又一次摔倒在地板上……

这就是1988年11月6日那次震惊中外的云南思茅大地震。

地震之所以引起人类的恐惧与重视，是因为它的突发性和对人类所造成的巨大损失。思茅地震造成经济损失达 10 亿元，伤亡人数 1000 余人。总理亲自到灾区视察慰问，当地也得到了世界各国 700 多万美元的援助。

然而，云南人说 ：“思茅这样的地震，在这儿不足为怪。”说这话的是一位地质灾害专家和一位经济学家，这不能不引起我的兴趣。

经济学家告诉我一个数字 ：云南是个山多川多的省，全省每年投入农田水利基本建设资金三五千万元，而每年由于地质环境影响造成山崩地裂、水没泥淹的灾情给全省造成的经济损失总在一二个亿。1986 年，仅临沧一个地区，单泥石流一项灾害造成的直接经济损失就达 7.3 亿元。

建设投入和损失相比是个巨大的负数，难怪建国 40 多年了，在那茂密的原始森林边缘生活的傣族、佤族山民们，许多依然是刀耕火种和赤条条的装束。我听说过许多内地的记者和作家把这些山民当作“野人”和风流“女人国”等噱头，写成“纪实”作品广为传播。这实在是一种可悲的艺术形态。

地处亚热带的云南是中华民族的“绿色王国”。然而，这只美丽的孔雀却正陷在泥潭中，总无法展翼飞腾，光照人间。多少任省委领导为滇境内的山灾川害而白了“少年头”。

站在那条一直通往南海北部湾的红河岸边，我指着脚下的汹涌河水问为什么红河水这么红，滇区内的四大川江是不是都这般颜色？

彝族学者笑笑 ：“我接待过百十来位记者、作家，他们都这么问我，可我没有一次真正回答他们。”

“为什么？”

“因为我知道他们是想从我嘴里得到那些类似阿诗玛和五朵

金花的动人传说。可我没有，我所知道的红河只有现实的沉重悲歌。”他冲我苦笑道：“大概我从事的工作就不讨人喜欢。每逢地区、县里开什么会，开始还把我当作上宾请去，后来改成列席，最后干脆连个招呼都不打。有意思，好在我这个人向来就不习惯那种一张报纸一杯茶的工作方式。”

“谁让你是个灾害专家，肯定是净报忧不报喜呀！”我开玩笑地对他说。

“你可说对了！可你知道这个红河地区，整个云南地区一年所遭受的灾害有多少？”他两眼闪着泪花，胸膛起伏不止。“假如你也遇到一次大灾就有体会了，那整座整座的小山头伴着一泻千里的泥石流，从大山上冲向公路，冲向街道，冲向孩子和母亲熟睡着的居民房舍，那情景……”

他的身子在剧烈地颤抖。

……那时他才 8 岁。这天，他放学回家，带着 7 岁的小妹来到街东头的一个垃圾堆上捡废铁。废铁能换钱，有钱就能买米。天下着雨，如山一般的垃圾堆上只有他和小妹。两个空筐子全部装满了。可是，谁能料到，就在他和小妹准备离开垃圾堆到街上卖废品的当儿，只听大街的西头人声鼎沸，随即由远而近地传来“隆隆”的巨响……

“山流冲街啦！快跑呀！——”

撕心裂肺的叫喊声伴着山崩地裂声响彻山城。那时他还不知道什么是泥石流，也从来没有见过这等可怕的场面，他吓得两脚直打战。

“哥哥，咱们快回家！快呀！”小妹的话提醒了他。于是，他们没命地朝着泥石流席卷而来的大街跑去。

他被疲于奔命的人流冲倒在地。

“小妹！小妹……”他拼命地呼喊，可是小妹再也不见了。

三天后，当他从那棵救了他命的古柏树下爬出来时，他怎么也找不到回家的路，那熟悉的楼房、大街全都变成了堆满泥石流的废墟……这就是震惊中外的1964年云南东川县城横遭巨大泥石流洗劫的悲惨一幕。在那场灾难中，他失去了小妹，失去了守在家中的母亲和二个弟弟。20年后的同一个县城，灾难又一次将临，那次死了121人，死者有他在矿上当技术员的爱妻和一个5岁的儿子。

他失去了六个亲人！

“可你知道，这是为了我自己吗？”他揉了揉红红的眼睛，“我的眼泪早已干涸了，我是不想让别人像我一样遭受同样的灾难！”

“你想知道红河水为什么这样红吗？”他把手指向云天，“你看看这耸入云霄的山，看看那本该郁郁葱葱的山就明白了。红河的水红是因为它携带的红泥土太多了，大约100公斤水中就有三四斤是土。虽然我也知道红河的水红是含泥土的结果，可在我看来，这红河水掺的不是泥土，而是一个个活蹦乱跳的生灵的血！”他把一个笔记本交给我，上面记录的是云南五江一河因天崩地裂的灾害而死亡的人数——

怒江：1979年，死200人；

澜沧江：1968年，死115人；

金沙江：1984年，死196人；

南盘江：1971年，死103人；

雅江：1981年，死132人；

红河：1986年，死176人。

……

我简直不敢相信这是事实。

这仅仅是20年来五江一河的某一年的死亡人数。我盯着这数字，久久不能自已。我抬起头，突然发现这座沉静的山变成了一头头吐着红色舌头的巨蟒异兽。而养活这些巨蟒异兽的正是人类自己。虽然，云南的山、云南的沟生得那么险峻，却经不起一场山洪。但是所有那些赞美这南国明珠的人们，不知你们是否发现，在那落差几千米的一条条大江两岸的大山上，不是机器轰鸣的矿场，便是铁网如织的电厂；还有那美似玉带的灌渠，刀坡坎上的高楼与红瓦，以及漫山遍野的伐林队伍和放牧顽童……大山能永远无所忌讳地任人剥割自己御敌的皮肉吗？

我终于明白了：红河水，在云南，在中国，为什么这样红！

第三章　上帝惩罚“天府国”

《马太福音》中写道：“让富有的人更富有，让没有的更没有。”这句话被控制理论称为“马太效应”，用来形容“正反馈”，即原因与结果之间成正比例的“越来越”的循环状态。一个作家发表文章，名气越大，发表越容易；发表文章越多，作家名气越大，再发表也就越来越容易。一家工厂生产产品，产品卖出后便产生了影响，消费者用得越多，这家工厂的产品就越能卖出去；越能卖出去，就生产得越多。这就是著名的“马太效应”。

在人类与自然的互相依存中，也有“马太效应”及“正反馈”的现象，但它常常被大意和自私贪婪的人所忽视。人类的进步大抵可以分为两个方面：一个是思维革命，即用人脑去实现产业的革新，发明新的东西；一个是对自然的改造。这两个方面，人是中心点，因而无论是前者还是后者，归结点依然是人与自然的直接或间接的相互作用。几千年来的人类文明史似乎已经印证：“人定胜天！”这个说法似乎被普遍接受。但是，聪明的人类却又同时忽视了人与自然之间“马太效应”的另一方面。而在这个问题上，有神论者似乎比无神论者看得更准确些。古代的中国人将自然的混沌状态描绘成一个巨大的蛋，然后分成天和地、阴和阳。希腊人则相信地球在混沌之后立即产生并赋予神以生命。在非基督教社会中，地球被视为母亲和造物主。

无神论者认为人类主宰地球，可以理解为人类将自然界作为一种任意索取的对象。无神论的传播被人看成为技术的发展铺平了道路。但是，当时有谁意识到这种传播同时又伴随着对自然的掠夺?

人类认为可以通过科技创造自己的未来，人类自己也容易被“人定胜天”的论调所麻醉而盲目乐观，并且更大规模、更贪婪地对自然进行掠夺。

上帝是无情的。当人类过多过快地对自然进行恣意掠夺时，它是会起来反抗的。可以说，中华民族崛起的过程中伴随着长期的人和自然的你争我夺。历史与政治的因素使中国在一段时期又穷又封闭，改革开放的革命浪潮才使得这头沉睡的雄狮突然醒过来。首先是遍布每寸土地的农民起来革命。这种革命由于带着强烈的脱贫求富意识并引入了现代科学技术手段，因而它对自然界的侵蚀和掠夺就更为严重。再加上几千年遗留下来的那种“靠山吃山，靠水吃水”的观念，使地球终于发展到无法忍受的一天。

例如，今天的四川无论是人口还是它的国民经济产值都走在全国的前列。而另一方面，许多人并不了解那日趋严重的灾害正使这个“天府之国”遭殃。

上帝开始惩罚四川了，拥有一亿人口的四川省在上帝面前显得苍白无力。

科学家在调查地质灾害时发现，在最容易诱发崩塌、滑坡、泥石流这三大突发性强、破坏性大的灾害的灾因中，地质构造是一个先天因素，断裂构造则是首当其冲的灾星。四川在地理位置和气候条件上是个“天府之国”。它像一只大脸盆，四周是高入云霄、沟谷深切的横断山区。在它西部为世界屋脊青藏高原，整个地区在以横断山脉为代表的大断裂构造之上。这里，山密如林，江多如网，高山与江河南北纵横，紧密相嵌，高峻的险峰与湍急的江流间的峡谷落差均在两三千米以上。别说山崩地裂，即便是山头上掉下一块核桃大的石子，也会在江河中溅起三米浪花。更何况，这里属于喜马拉雅山新构造活动区，大山就像个尚未发育成熟的后生，说不定哪个地方“长出条胳膊、伸出只腿”来。而在川东南，则赫然站着“八大罗汉”，它们是著名的大巴山、巫山、大娄山、武陵山、大瑶山、六万大山、九万大山和云开山。它们个个长着三头六臂，稍有不顺就会怒发冲冠。

硕大的四川盆地，在宁静时它是乐园，在浮躁时它是灾国。地球在人类对它肆无忌惮地掠夺后，变得一天天烦躁与暴怒起来。世界人口最多的省份——四川，为此付出了惨重的代价。

1981 年，一场连绵的暴雨使峻岭秀江变成穷山恶水，巨大的泥石流和滑坡、崩塌——据说大的石块竟达 300 多米宽，借着洪水的力量从几千米高的山体上泻向低谷……“天府之国”直接经济损失达 25 亿元！ 53 个县城 556 个城镇被洪流吞没，1131 万亩农作物被掀走，1584 万人成了难民……

落难的辣妹子变成了任人摆布的“玩意儿”。在穷得叮当响的河南、山西、广西、贵州等一些省份的光棍村里，至今仍有那年被迫流离失所的女人做了别人妻子。公安部门每年组织声势浩大的打击“人贩子”活动，救出的被骗妇女中七八成是“川妹子”。

是上帝在不断制造灾难，可上帝又严正地分辩：

“要不是你们人类的贪心与掠夺，我是绝不可能无端发怒的！”

我知道自人类进入大规模生产和革命的时代后，在“天府之国”里，平均每 5 年就会出现一两次天灾人祸。汉川大地上的普通百姓对这一幕幕悲惨的情景记忆犹新，用不着查数据库，很多人张嘴都能道出一连串数据——

1971 年 7 月，汉源县富村镇麦地滑坡，死 45 人；

1974 年 9 月 14 日，南江县白亚梅村遭“乱石”冲击，死 160 人；

1983 年 7 月 29 日，万源县钟亭乡滑坡，死 37 人；

1983 年，巫溪县南门湾山体落塌，死 95 人。

……

老百姓所知道的信息比起官方所掌握的详细数据如同小巫见大巫。1967年6月8日，雅砻江右岸的唐古栋滑坡——6800万立方石流倾入江中，在江内形成355米高的碎石坝，9天后碎石坝溃决，50米高的水头如巨龙席卷沿江两岸。时值“文革”时期，民政部门没有公布死亡人数，也没有详细记载在案。一位老民政干部只对我说：“那天正赶上传达‘最高指示’，沿江20多个村的乡亲们十有八九都集中在村头晒谷场听广播。到底死了多少人，你可以估约得出。”

我无法估约！

成都地质灾害研究中心提供的数字：四川全省约有山地崩塌、滑坡和泥石流23万余处，而每处可能引发的灾情都不亚于一场局部战争。再持久的战争都会结束，而上帝发动的“战争”却永无止境地延续着，并且随着人类的不断发展在不断加剧和扩张。

一亿人的“天府之国”并不尽美。

第四章 长江断流日

关于长江——这条被认为是世界上第四大河的巨龙，中国人自古喜欢将它看作力量与勇猛的象征。确实，在自然界中很难有什么事物能与它相比。苍穹霹雳虽威力无比，却难以久留时空，而它则在人间整整汹涌了几千年。现代激光技术穿钢断金，却截不断群山峻岭，而它则能穿越万座山，劈开千里峪。逞能的人类把征服它当作一种自豪，而它吞掉几个“长漂”的勇士就像龙头晃动龙须那么轻松惬意。在它身上筑一座水电站，发电量可以供几亿的人口使用……

它的力量大，大得无可比拟。

但是，这条巨龙同样有个可怕的“天敌”，而且这个“天敌”竟然从它诞生的那天起，就一直伴随在它的左右。这个“天敌”，就是人类与自然野蛮“结合”后滋生的“灾星”之一——滑坡。我无论如何也不敢相信这个灾星竟然能使巨龙屈服。据说在建设葛洲坝工程时，人们最担心的是按目前我国的工程运输吞吐能力，能否成功地对长江完成截流。后来，当然是成功了，因为动用了起码万人的队伍和千台巨型装卸机，并经过了长达几个月的轮番作战。这笔代价是可以算得出的。那壮观的场面，连中国政府最高领导都感到了“人定胜天”的振奋。

但是，我们的巨龙对这样的失败并不服气，因为葛洲坝选址在最狭窄和最温和的地段。巨龙对“灾星”的屈服与惧怕是因为它能在最险峻和最湍急的地段与自己较量。这种较量才是最壮观的！可它留给人类更多的是巨大的恐惧。

这一情景历史上有过，在公元100年、377年、420年、1030年、1542年、1558年、1923年、1935年均出现过。其中，最为严重的是明朝嘉靖二十一年（1542年）发生的山崩，那次巨龙整整被截断了82年。

如果你今天站在一泻万里的长江岸头，是无论如何也想不出除了火山爆发外，世界上会发生能比长江裂岸更壮观和惊心动魄的大自然事件了！太有必要花些笔墨来叙述了。它并不遥远，就发生在1985年湖北境内，长江三峡北岸处的一个连县级地图上都找不到名的地方。它因这一年的6月12日的一震而名扬中外。它就是著名的长江三峡之一的“兵书宝剑峡”。这是古人取的名字，现在人们叫它新滩镇，上距旧县城15公里，下距已建的葛洲坝和三峡工程坝址分别为70公里与26公里。它是万里长江最令人生畏的险滩，又是川江航道的咽喉险滩。由上、中、下三滩组成，仅一公里长的江面落差就达8米。遥相对望的南岸是显赫的链子崖，北岸是悬崖峭壁，临江屹立，三滩对峙，紧扼着川江。这里，江床狭窄，江中巨石横亘，暗礁林立，水流沸腾，泡漩无定。早有《归州志》称：“楚蜀诸滩，首险新滩。”可是，史书最早记载的新滩却并非今日之险境，倒是“始平坦，无大滩”，而且是归州八大胜景之一。险滩的形成乃是汉晋时两岸岩崩所致。几千年来，多少豪侠文骚在新滩天险留下经传不衰的千古名言。可是，又有几个人真正体会到栖生在刀刃上的两岸百姓祖祖辈辈是怎样提心吊胆度日的！“一朝天崩地裂，两岸三秋不见猿猴鸣。”郦道元纵然在《水经注》里把遭灾的情景写得如此悲壮，却无回天之力减峡道半点险恶。

新中国成立，川江航道的开辟以及三峡工程被提上议事日程，使得千年古滩成了建设者的一处“顽敌”。1964年，地质部三峡工作处的几十名专家对新滩进行全面会诊，报告送到周恩来总理手中：新滩险崖整个地形为一巨型崩塌古滑坡，其覆盖层厚度在50至60米之间，高程为70至910米，不排除在外力和地壳运动的作用下随时有2000万立方岩土滑入长江之可能……

2000万立方是个什么概念？秘书告诉周恩来，等于10个人民大会堂那样规模的山石一下倾入大江。

如果发生较强地震、战时轰炸、久遇暴雨，岩崩区可能发生大规模的崩塌或滑移；一旦发生航道受阻，大江壅水，将给人民生命财产、交通运输、国民经济带来极大危险……务必严密注意险情！湖北省政府根据周恩来总理的意见，向有关地区的各级政府与专业单位发布命令。

我至今仍不明白这样一个问题：从公元100年起，尽管这古滩早有血的教训，并且几乎每逢百年就出现一次空前的浩劫，但新滩岩体上竟然仍有人在那儿安居乐业、传宗接代。我在敬佩人类这种顽强不息的生栖能力的同时，又可悲地叹息着中国人恋乡的固执癖。

公元1542年（明嘉靖二十一年），那场大灾使当时的新滩镇"人畜所剩无几"，长江断流八十又二年后，古滩虽无大难，但也几经险境。到了"普天下穷苦大众翻身当家做主人"后的20世纪中期，人口骤然增加，1985年已成为拥有457户、1370多人的大镇子。如此多的生灵拥抱着灾神！

"对于新滩的险情，我们不止一次向有关部门反映过，希望新滩镇的居民全部迁移。可是上面说：那么多人，你让他们到哪儿去？你说有险有灾，可百姓在这里生活了几辈子，不也平平安安吗？"一位监测人员苦笑着摇摇头说："虽然这话听来刺耳，我们也认定总有一天这里要遇大难，可到底是哪一天，谁也说不准。在上级意志面前我们无能为力，能做的只有一条：严密监测，及时预报！"

20年来，可敬可佩的山峡岩崩调查与监测人员以他们高度负责的事业心保障着人民的生命财产安全。1981 年 11 月至 1982 年 3 月，他们两度在纵横新滩的九盘山和广家岩岸体发现一条长达 450 米、宽 10 厘米、呈南北分布的裂缝；同时在坡下 600 米高度处也查出一条 270 米长、5 厘米宽的裂缝。

“不可能！新滩危岩不会推动滑动！”正当监测工作进入紧张阶段，一份由地学权威人士署名的报告送到了湖北省科委和长江三峡工程办公室。

1983 年 3 月监测人员又发现新滩上方的宴安坡至广家岩地段“复活”，紧接着“复活”地段下沉 3 米，1300 万立方的岩土呈整体移滑趋势。

1985 年 3 月，“复活”地段再度下沉，山坡上往日奔涌的泉水突然枯竭，而以前不曾有水的地段竟然喷出股股泉流……种种迹象表明，山体滑动迫在眉睫！

“立即报警！”5 月 9 日调查监测处的第一份警报发往各级政府与部门。

6 月 8 日清晨 5 时，他们在姜家坡查勘时，忽见地面上猛然凸起一个一个山丘。“灾神”开始行动了！颇有经验的监测人员断定大灾即将来临。

这时，新滩一带的居民也感觉到脚下的大地在躁动。

“动得厉害呀，我们运石板的路刚垫平修好，这两天不知咋的被拉崩裂了！”筑路工人说。

“怪了，我房前的那块大石头原来高出屋脊，这一天工夫，竟然矮了三四米！”一位居民惊慌地报告。

大地在微微颤动。

“快逃啊！大山要塌了！”

“我不信，你连媳妇和家什都不要啦？”

镇上的居民乱作一团，聪明的人已经背着所有能带的东西逃命，而更多的老百姓则死守在家里，他们不信老天不可怜他们。

山体依然在下沉，细长的裂缝如网四起，整个斜坡像移到了赤道一般，火辣辣的热风阵阵拂面而来。

“不能再有片刻耽误了，必须动员居民立即撤出！”一份加急电报发向地委，传到了省政府。

“坚决、全部、彻底地撤出险区！”省政府的命令通过无线电波、通过广播传遍了全镇。

老百姓终于相信了事实。在生命与财产的天平上，他们最终选择了前者。

“我活了66岁没离开过这个家，这房子是祖宗传下来的，我不走！”老汉杨启中死抱着门槛不肯走。

“把他铐上！”几分钟前赶来的武警指挥官命令道。

当杨老汉哭喊着离开新滩镇时，全镇1371人已撤走。5分钟后，即6月10日凌晨4时15分，六七万立方岩土由山顶直泻而下，掀开了震惊世界的长江断流事件的序幕。

山体在下滑，房屋在坠塌，整个新滩镇在以肉眼可见的速度向几百米之下的滔滔长江滑去。

6月12日凌晨3时35分，由3000多万立方土石组成的巨大滑坡开始了。那令人毛骨悚然的闷雷不断响起，山体滑动而产生的强大磁场使得一里地外的龙井居民区的电灯变得像煤油灯一般昏暗。巨石向大江倾泻，江面激起的巨浪高达80米，犹如条条蹿向苍穹的白龙。

长江断流，群山呜咽。

三峡下流霍然见底，三峡上游叠起逆浪犹如海啸，逆程八里！那沿江航行的机船、木船、打鱼船，一艘又一艘地被卷入江底……

伟大而悍勇的长江怎么也没有想到自己竟会有断流耻辱的一天！

灾神胜利。虽然它未能获得全胜，聪明的科技工作者成功的预报使得新滩镇人无一死亡，但整个千年古镇毕竟在一瞬间从地球上被抹去了，长江也因此断航了整整三个月，国家为此遭受的直接损失达1.3亿元。之后，又是8000万元的疏通整治费……

中华民族的第一大“血脉”——长江断流，或许百年不遇一次，然而在它的上游的几条发源江河流段，几乎每隔几年就有一次山崩地裂河底见天的事发生。

1994年4月30日下午时分，四川武隆境内的鸡冠岭陡然腾起一股犹如原子弹爆炸时绽出的大而无比的蘑菇状黑色烟雾，袅袅遮天，随即传来的是一阵阵惊天动地的巨响。顺着声响望去，只见千里咆哮的乌江里溅起百米高的滔滔巨浪，一条载重300吨的驳轮，一下被掀至半空，然后又被狠狠地甩入浪底……往日呼啸奔涌的乌江水戛然而止，大江中央如天兵天将下凡，以闪电般神速垒起一道长110米，高几十米的石坝屹立于江中。再抬头仰视平素昂首向天的鸡冠岭，此刻仿佛已被人用利刃削去了大半，那光秃秃的岩壁，在两侧绿被的映衬下，显得异常刺眼。

此次的乌江特大岩崩，长达760米，宽200米，岩崩体总量530万立方米，由于巨石壅塞，造成乌江完全断流。16人在此灾难中丧生，有一人被埋在乱石中4天后方救出。乌江总长1018公里，8068万平方公里流域面积内，有四川、贵州的46个县市，是川东和黔北地区的运输生命线，由于此次断流而造成的经济损失无法估计。

无独有偶，长江的另一条源头河——雅砻江，十多年前也曾在四川境内的金笼山地段发生过一次大面积岩崩，江河被拦腰截断。顿时，从攀枝花到宜宾一线的江水水位一下升高了50米，造成10多个县遭淹，数十万人转眼间全被泡在水中……

都说我们的万里长江有回天之力，可是在灾神面前，它显得多么脆弱！

下部　阳光黑洞篇——未来，一个巨大的“？”

在现代天体物理学中，随着卫星与高倍望远镜技术的不断更新，科学家们突然在茫茫宇宙中发现了一个比银河大几倍的“怪物”，这个“怪物”正张着巨大的充满磁性的嘴，像大海中的鲨鱼一样吞食着一条又一条游动的大小生物。整个银河系——包括太阳系行星在内的天体，正在以可预测的速度向这个黑色的“怪物”靠近。

这个“怪物”就是被西方天文学家称之为“黑洞”的宇宙新发现。“黑洞”的发现使科学家们对天体的未来充满着绝望的恐惧感，因为他们发现几乎不可能有任何力量可以使包括太阳系行星在内的整个银河系逃脱它毫不留情的吞噬。据说最早发现“黑洞”现象的几名英国天文学家因此而绝望地自尽了。

天文学家的悲剧在于他们太实在了。其实按照计算的结果，地球被“黑洞”吞食的那一天，距今起码还有几十亿光年的时间。生命短暂的人类根本用不着去想那遥远得不着边的事。

那几位自尽的天文学家的可爱之处是有一颗金子般诚实的心，而今天的人类正是太缺少这种诚实心了。人类少了诚实与聪明就会变得可憎和愚昧。不是这样吗？那些大声呐喊为“摆脱贫困创造幸福”，而不惜一切代价在地球上为自己建筑天堂的人就是这样愚昧可憎，这种愚昧已经日益使得温和的地球开始变得震怒。地震、水灾、干旱、暴雪、暴热……地球像头暴怒的雄狮，再也不愿做那慷慨无比的“母亲”了。它在到处制造恐惧，制造“黑色世界”……

人类在它面前显得束手无策!

嗅觉灵敏的科学家们在大声疾呼：人类正在把自己引向“黑洞世界”！一些国家首先发觉了这个问题，他们开始利用先进的科学技术与人类的聪明才智，力求在可能改变命运的领域中拼命地寻找可能，除了向宇宙扩展以外，也把更多的目光放在我们双脚停驻的大地上。

可是，有些发展中国家则不然。为了改变落后，以求更多的“牛奶和汽车”，他们几乎是在加速将自己民族的命运引向“黑洞世界”。

第五章　高楼与地穴的暧昧

在人类与自然的现象中，许多看起来风马牛不相及的矛盾事物却有着密不可分的相关因素。譬如生与死、富饶与贫瘠、繁荣与衰落，按照辩证的观点，它们既是矛盾，又是统一，并且互相影响和转化。以宏观而论并不存在真正的谁好谁坏，自然界追求的是一种充满生机的平衡。于是，有时死成了比生更好的事，贫瘠并不比富饶差什么，而繁荣则有可能比衰落更糟。在接近 21 世纪的今天，人类工程学家提出的这一理论越来越被许多有识之士真正视为“挽救地球的真理”。

一切发展中国家的政治领袖与经济学家的观点则恰恰与此相反，中国是有意无意中成为持这种观点的当然代表，原因之一在于中国的发展速度超过了任何一个“第三世界”国家。从 1976 年“十月风暴”的历史性转折后，当在 960 万平方公里的大地上完成了“农村包围城市”的第二次革命后，城市化的突飞猛进成了中国四化建设的“中心点”。1978 年至 1994 年间，中国的城市自 247 个发展到 500 多个，增长速度超过一倍，其速度快于历史上的任何时候，也超过了世界上的任何国家。

中国向都市化进军，都市化给国家的经济繁荣带来了巨大的促进作用，可也带来了无法摆脱的困难。譬如，人口的密集造成交通拥挤和用水、用电、住房紧张及环境污染等问题的不断加剧。除此之外，还有一个属于城市学家研究空白的、情况却越来越突出的问题，这就是使城市面临末日的地质环境灾害！普通老百姓和市长们似乎从未接触过这个生疏的名词，可它却悄悄地突然闯进了市长办公室和居民房舍……

1985年8月，9号台风吹过，一场暴雨袭来，这对海滨城市大连来说一点也没有什么特殊。正在讨论中央关于进一步开发大连精神的市长会议室里，市长、副市长们见雨过天晴，纷纷离开座位，打开紧闭的玻璃窗……海风夹着湿润的气息阵阵拂面，多么惬意！市长们兴致勃勃，隔壁的办公室几部电话机却骤然响起：

——“喂，是市长办公室吗？哎哟，不得了啦！我们这儿整个仓库不知咋的，向海滩滑下好几十厘米，仓库顶部的沥青面开裂，护坡挡土墙也有100多米倒塌……”

——“喂，王市长吗？我要找他！什么，开会？哎哟，都要山崩地裂了，还开什么会？你告诉他，我们羊毛衫厂和运动衣厂的几幢厂房被岩石土掩到地底下了，厂区内外到处是裂缝，快派救援队伍来，再晚就要出人命啦！”

——“官老爷搞什么名堂，怎么电话老占线？你问我是谁？老子一家房塌墙倒都快死人了，你们这些当官的还管不管咱百姓的死活了？”

……

“怎么回事？”市长们惊慌地从会议室纷纷涌进办公室。

“不知怎么搞的，10分钟接到五个电话，都是反映市区内发现严重地裂房塌。”忙得满头大汗的秘书们回答说。

“天，是不是地震呀！”不知是谁冒出一句话，整个市政府大楼里顿时大乱。

“快跑呀——地震啦！”

市府这一闹不要紧，整个海滨城市这一天苦苦折腾了十来个小时。到了深夜，许多人还是不敢进屋入睡。

可怕的地震并没有发生，但市长和市民们对灾难的恐惧心理并没有因此而有丝毫的减少。第二天，市政府领导们组织了足有三十来人的调查队，来到出事现场。

现场的情景确实令人心惊：巨大无比的山体挪了位，钢筋混凝土铸成的楼墙出现了道道裂缝，一幢又一幢民房和厂舍从斜坡上倾滑而下，老人在烧香，儿童在哭泣，中年人则不知所措地搬着屋里的家什……

“市长，你快给我们想想办法吧，这岩崖可都要塌下来啦！”

“我在这里住了几十年，以前这坡上也没有那么多楼房，也没有见过山塌地裂的。不知咋的，这几年楼房多了，土地爷也像是被压得吃不消似的歪歪扭扭，叫人提心吊胆！”

居民们围着市长们纷纷诉说。

市长们毕竟不是万事通。对这突如其来的全市性山体滑塌，他们也有点摸不着头脑。

“前几天地质处的一位工程师跑到市府说有一份有关市府建设与工程地质关系的报告要汇报汇报，不妨请他来谈谈。”有人对市长说。

“快打电话请他来！其他人不得缺席。”市长用命令的口气对同僚们说。

会议整整开了一天。地质工程师的介绍令大连市的“父母官”们个个目瞪口呆：大连是个滨海丘陵城市，整个城区有70%是在岩体活动频繁的边坡、稳定性极差的山体之上。这种山体属第四系上更新地质年代构造，其棕黄色和褐黄色的亚黏土孔隙大，在雨水侵蚀及外力作用下极易发生滑塌。目前已发现的危险区已有26处，并且近年仍在急剧上升，其速度与市政建设成正比。到2000年，大连市区将有40%的工矿企业、居民房舍和公共设施面临掩体、滑塌的危险，预计造成的经济损失将占全市经济收入的20%左右。

“有这么严重？”有人对此提出怀疑。

这是科学，绝非无根据的臆想。地质工程师举了一个著名的先例：美国西部的加利福尼亚州，其城市山体结构与大连有着许多相似之处。地质学家用了3年时间，对全州现在和未来30年将要发生的包括地震、滑坡、山体侵蚀、地面下沉、海啸等灾害所造成的损失做预测，结果是加州将有550亿美元被灾害白白吞掉。为此，该州动用了60亿美元的代价来采取各种防范措施，以确保其经济稳定。

“看来是得一边加速建设，一边认真研究一下环境灾害。要不然辛辛苦苦盖起来的一座新城，没几天就会被埋入地穴！”“父母官”们像打了一针清醒剂，感到了问题的严重性。

其实，城市罹患顽疾的何止大连市！据有关部门调查，我国现有三分之一的城市处在随时有可能从地球上消失的危险地带。此话绝非耸人听闻。

举世闻名的我国钢铁基地攀枝花就是一个典型的例子。攀钢几乎成了这个原名渡口市的城市的代称。情况也正是如此，有了攀钢，才有了这个城市，这个城市也等于是攀钢。早在15年前我曾去过那里。那时，我和几个摄影记者为了拍摄“万家灯火阑珊”的这座钢城，竟在钢城对面的草地里蹲了一夜。我们为金沙江彼岸那雄伟壮观的钢城激动振奋。可灾害专家告诉我，这座我国西南部第一钢城的脚底下是一个随时可能出现山崩地裂的活动着的大断裂带，而整个钢城又几乎全在坡度45度的大斜坡上。据科学考证，这种斜坡有百分之六七十的概率会出现大滑坡。虽然不能肯定大灾何时发生，但滑坡则像只卧伏着的猛兽永远存在，并且正在寻找机会，一旦时机成熟，就会大发雷霆，张开血盆大口。那时，国家曾经投资几百亿的这座钢城将一瞬间被埋入浪涛汹涌的金沙江峡谷……多么可怕的“设想”，而更可怕的是这并非是设想！现在，攀枝花市为防止这一可怕事件的发生已经耗费了1亿多元巨款。然而，山峦并不领情，依然在躁动、在窥探、在等待时机……

在拥有百万以上人口的重庆、南京、贵阳、青岛……这种隐患同时存在。也许将可怕的信息告诉老百姓会造成民众的恐慌，可不把这些告诉百姓，一旦大难临头，情况又会是怎样呢?

在古今中外的历史上，那些耸立在山体上的城市遭受的悲惨命运不胜枚举，就像癌症生在人的身上一样，再有权势和富贵的人也终逃脱不了被病魔夺去生命的厄运。同理，再现代化的城市，在自然面前也永远是懦夫。世界有几个山城可与美国的洛杉矶相比？然而洛杉矶又能怎样呢？它照样在著名的华达山面前乖乖投降。近几十年，该市仅为治理泥石流一项就耗资在 10 亿美元以上，而与在地球岩体直接拉力下发生作用的滑坡、崩塌相比，泥石流只能算“老九”。力大无比的滑坡与崩塌一旦发作，那毁灭整座城市的势头就像装卸工甩掉背上一袋棉絮那么轻松、容易。中欧瑞士某城就有过这样一次“演出”，结果自然是全城毁于一旦，死亡人数为 5000 余人。

美国的一位工程学家说：“每座山城就像悬在人类头上的刀刃，稍有风吹草动，就会付出血的代价。”

令上帝感到不可思议的是，聪明的人类居然在这血的代价面前依然玩着儿戏：山城仍在延伸、膨胀，高楼仍在崛起耸立……正当世界各地（尤其是那些西方先进工业国家）投资巨款来对付和千方百计地遏制灾害时，中国的许多地方竟然还在动员百万建设大军在一个又一个充满隐患的山体上修筑新城，像湖北巴东县城因为三峡工程而搬迁，新址竟然选在一个古滑坡体上，有人比拟这等于“粪土上涂金，明知好不了，可就是有人要干”！难怪现在的全国政协秘书长、原地矿部部长朱训说“地质自然灾害固然可怕，可缺少科学头脑却事事具有长官意志的人造成的灾害更可怕！”新巴东县城如今已有十几幢崭新的楼房在滑坡上升起，在这之后，还将有更多的楼房与大厦出现……全国不仅仅巴东一城这样！

那些远离山区、“安安稳稳”地在平川上度过了千年万载的城市如果以为自己的命运充满着阳光与生机，那就大错特错了。

古城西安。有一天，居民们突然发现，在市里最繁华地带的几处马路上，出现了条条细细的深不可测的如丝网般的裂缝。几位有心计的居委会干部找来一根皮管，一头接上自来水龙头，一头塞进地缝。自来水开了整整半天，瞅不见缝内有半点要“灌满”的迹象，他们惊慌地找到市府领导……西安市为此每年花费 100 万元以上的资金“补填”因这些裂缝而造成的建筑损失，而市民们由此引起的心理上的恐惧损失就无法计算了。500 多万市民面对这些地裂缝每天在颤抖，他们弄不明白这是怎么回事！

江城武汉。这里的故事最为传奇，也最为惊心动魄。1977 年 9 月 20 日，位于汉阳鹦鹉洲的中南轧钢厂的厂部堆料场上放置了 1500 吨煤和 600 吨钢坯。可第二天，场部的几名值班员突然发现这小山头般高的煤和钢坯不翼而飞了！ 10 年后的一天，该轧钢厂居民区的一幢房舍也在一瞬间从地面上消失得无影无踪！

山东泰安。一列从济南开往新泰的火车准点从 10 公里以外的小站大河向泰安站开来。车站做好一切准备，喇叭里已经开始播放《迎宾曲》。突然，扳道工举起红灯，向车站发出紧急呼叫。“怎么回事？前面的铁路不知咋整的，突然断了好几节铁轨！”“什么，你们没有发现是谁在破坏？”“没有呀！即使有人想破坏铁轨，总不至于把路基一起搬走吧？奇怪的是那几处断轨的路基也都没了。”

塌陷！地裂！下沉！

中国的城市在塌陷！在下沉！

从南国风景如画的桂林和四季如春的昆明到北边的工业城市沈阳、哈尔滨，类似丈夫醒来发现同床睡的爱妻突然消失，父亲为儿子耗尽心血盖起的房子瞬时化为乌有的怪事屡见不鲜，并且与日俱增。出了名的上海下沉已经使我们付出了几十年艰苦卓绝的努力。上海目前仍在消极中挣扎着。曾在改革开放中崛起的苏南“三虎”——苏州、无锡、常州，惊慌地感到自己的立足之地已经接近“老大哥”上海了。黄土地上的太原原本不该有这种命运，可它叫得最凄惨——“这里一旦沉降，将永远无回升可能！”煤城太缺金子般的水了！中国心脏北京的心律同样不正常，因为在仅距它一百多公里的海滨城市天津，近 30 年中的最大年沉将幅度已达 216 毫米！市区的三个沉降中心面积相加的数字为 730 平方公里，海河接近倒流……

挽救城市！城市在飞速发展的同时也在飞速向末日奔跑！在 21 世纪没有比平衡这种关系更为迫切、更至关紧要的了。

可是，生活在城市的人们并非全部知道这些。为了几分钱的菜价，为了上班能有更多的公共汽车，为了争得新楼的一个单元，他们成天呐喊、呼吁，可就是很少有人问津身边和足底下的灾情。一旦遭受天崩地裂的灭顶之灾时，他们只能抱怨上帝。那时，也许人们会忽然明白，造成城市的塌陷、地裂与下沉，首先和最主要的原因就是人类自身。在那些已经出现和可能出现悲剧的城市里，科学工作者的调查早已得出结论，那就是地面负重的加剧会导致那些斜坡、断裂和膨胀等地质结构不稳定的地面出现大规模的塌陷与地裂，而过多地利用和开发地下水则是城市下沉的根本原因。还有如笋般林立的大烟囱内排出的热量，如潮般急流的汽车排出的尾气……，使得生活在都市里的你和我，与死神拥抱的距离日益接近。

有人认为：现代经济的腾飞主要依靠城市，而建设城市就必须在原有的基础上发展城市的规模，规模的发展必然出现人口的过多集中：有人就得喝水，而城市饮用水几乎 80%以上是来自地下，况且90%以上的厂矿工业用水也是同一来源。有人认为，“上帝安排的命运，难以改变”这种观点似乎过于消极了。其实不然，人类对于地球产生的包括地震在内的公害是完全可以减少或者避免的，问题是人们必须对此有足够的、清醒的认识和积极的防御措施。加利福尼亚动用了60亿美元，避免了380亿美元的损失。中国的城市应该向加利福尼亚州学习和借鉴。

第六章　幸福之源＝罪恶之源

1995 年辞旧迎新之际，对一直生活在蜜糖罐里的日本神户人来说，无疑是最难忘和最痛苦的了。那是家家户户尚未从新年的喜悦中复苏的甜梦时分，突然天变地裂，楼坠屋陷，5000 余活脱生灵气绝命断，近三十万昨天还过着富裕安康生活的人们顿时没了家园，没了亲人……

神户兵库地震虽然发生在东方岛国，却着实令全世界为之心颤，尤其是隔岸相邻的中国人更是心惊肉跳。

人类对地球的惧怕，在今天看来莫过于地震了。地震来得突然，来得凶猛，来得让人无力与其抗争。

中国是个多震的国家，古代和当代因地震而造成的大灾死亡人数纪录最多的都在中国。1556 年 1 月 23 日的陕西华县大震，死亡 83 万余人；1976 年的河北唐山地震死亡人数是 24 万人。1923 年的东京地震、1985 年的墨西哥地震和 1988 年的苏联亚美尼亚地震都没有超过这些纪录。

“谈震色变”——世界各国的一大通病。

科学家为此付出了艰苦卓绝的努力。从 1000 多年前中国的张衡创造地动仪直到今天美国在哥伦比亚建立马西姆地震实验中心，专家们绞尽脑汁，但功效始终甚微。进入 20 世纪，希腊有位长期在阿里洛斯河水库工地上作监测员的工程师奇怪地发现，每当夕阳西下，夜幕降临，他喝上几口白兰地躺到床上时，就会感到整个大地在微微颤抖，并且不时发出隆隆响声，有时颤抖很厉害，能将他从床上摔下来。可每当他周末离开水库，回到 100 多公里外的家里休息时则安然无恙。他把这个怪现象告诉了一位搞地震研究的朋友B先生。B先生二话没说，跟着他来到水库睡在同一张床上。夜里大地又开始隆隆颤抖。“地震！是地震！”B先生惊呼着从床上跳下来，拿出地震仪。不错，这里正在发生4.2级的地震！这一惊不要紧，B先生背起仪器，钻进车子就往家赶。可是一回到家，他的测控仪上的地震波又消失了。当他再次回到水库，那震波又像幽灵似的出现了。怪事！B先生为了探明其中的奥秘，干脆在水库住下了。他同工程师睡在一个房间，一个记录震波，一个记录水库蓄水。3个月后，两人奇怪地发现，水库区的震波幅度正好与库内的蓄水量成正比。库坝上的水位越高，地震的震级也越高。至1938年阿里洛斯河上的这座马拉松水库水位涨到顶峰时，水库所在地区发生了一起造成屋毁人亡的5级地震。

水库诱发地震！地震有时源于水库！这一发现迅速在世界各地引起关注，并得以论证。赞比亚的卡里巴水库，希腊的克里马斯塔水库，阿尔及利亚的乌德福达水库，美国的米德湖水库，苏联的努列克水库都相继出现过6级以上的水库诱发的大地震。其中损失最为严重的要算印度的柯依那水库了。这次地震中有25000人死亡，柯依那市的大批房屋建筑倒塌。

一江之水被“巨龙”锁住——人们建造水库的目的是为了摆脱干旱，以赢得更多的生产与生活能力。从平原到山区，从农村到城市，几乎有人群生存的地方就有水库；人口越密，水库也就越大。建国已40年的中国，水库如天上的繁星遍布神州大地。目前仅蓄水在1亿至1000亿立方米的大、中型水库就有2000多座。北京、天津、上海、广州……每个现代化的大城市几乎都有一个或者数个大型水库伴生着。这就意味着一个水库的建立伴随着人类的幸福与灾难的两种结果。它，既是人类生存的幸福之源，同时又是将我们送向死神的罪恶之源。

奇妙的自然所固有的平衡本质，有时也会让人讨厌。

1958年夏天，为了缓和广州地区的用水，我国万名水利大军在河源县新丰江上兴建了一座现代化大型水库。1959年，一道105米高的混凝土大坝建起，几千年来湍流的新丰江被戛然截住。待水库存蓄水后，地震随即发生，库区周围的群众时感地下折腾，引得人畜不得安宁。1960年，库容量115亿立方米的新丰江水库第一次蓄满水，报喜的电报和告急的电报几乎同时送到北京中南海周恩来总理的办公室。

周恩来总理亲赴新丰江观察大坝和震情。当时，中央办公厅的工作人员对周恩来总理的此行甚为不解，觉得一个水库告急堂堂总理就要亲自前往，似乎大可不必。但周总理知道，大型水库诱发地震这本身就是件可怕的事，而一旦地震再引起水库大坝决口，后果将更为可怕。那时，京津地区的密云、十三陵、滦河、白洋淀等大型水库正在上马，周总理想得比别人更远……

1962年3月19日凌晨，新丰江水库坝下游一公里处发生了一起6.1级的破坏性地震。震源深度仅5公里，震中强度达8级之高！该水库从蓄水的那天起，有记录的地震次数达35万余次，平均每年13000次，等于每天诱发35次震情。当然，除了个别属破坏性大震外都是些弱震。可在那万千座水库诱发的千亿次地震中，有谁能保证不发生诸如印度柯依那水库那样的大震与惨案呢?

科学家的调查证明，水库诱发地震基本上有两个前提：一是库内蓄水荷载，使库地产生静压力和孔隙流体压力，导致岩体变形，从而降低了断层的有效应力和强度，使岩体的极限平衡遭到破坏，最终移位而产生地震。另一种原因是水库本身修建在地质构造复杂、地下岩石较易透水的地层，特别是当水库位于断裂节发育的灰岩、砂岩、页岩和片岩地带时，水渗入岩体，使岩体产生物化作用，从而诱发地震。

地震又常常与水库的蓄水过程和容量密切相关，几乎所有大型水库都有可能引起大规模的地震，而且这种水库的地震次数频繁、震源深度浅、震时漫长而绵延几年或几十年之久。

人类生存需要水，洁净的水又需要水库蓄存，而水库又诱发地震，人类则又害怕地震！害怕地震，就应摧毁水库；摧毁水库就没有水喝，没有水喝人类就失去生命……生存——这是上帝给人类安排的命运。你要生存，就要进步；要进步，就要革命；革命便产生了新的科技；新的科技最后导致了生命的毁灭！

写到这时，我忽然想起了关于马缨丹的一段故事。太平洋的夏威夷是个美丽的岛屿，岛上的居民总喜欢把自己的家园装饰得漂亮无比。为此，有人从墨西哥引入一种可爱的观赏植物——马缨丹花。

娇艳的马缨丹花又称“七变花”“五色梅”和“绣球”。四季开花的马缨丹，花冠有红、黄、白诸色，开花后花色还会有变化，可谓美不胜收。

同马缨丹一起被接到夏威夷落户的还有雉鸡和鹌鹑。人们没有想到，在新的“住处”，“外来户”马缨丹与雉鸡结成了好伙伴。马缨丹紫黑色的浆果成为雉鸡与鹌鹑的美味食品，而这两种鸟在岛上飞来飞去，又把吃到肚子里的种子播向四面八方。

马缨丹到处繁殖，并迅速占据了全岛。而与此同时，岛上所有的绿茵牧场开始遭殃了：牛羊不爱吃的马缨丹把牧草逐渐排挤出牧场，牧场主因此遭受了前未有过的经济损失。他们大为恼火，又从海外引入几十种昆虫，专门对付马缨丹。其中有 8 种昆虫磨牙鼓肋，大事饕餮，果然成绩显赫，使马缨丹停止蔓延，以虫治草取得了辉煌胜利。

可是，不久人们又发现，马缨丹引进之后这里原先对牧场和甘蔗园危害很大的一种黏虫不知怎么就减少了；而马缨丹遭“围剿”后，黏虫又兴旺了。原来随着马缨丹的繁盛，鸲鸽也跟着多起来了，黏虫便随之少了许多。

最后，有人提议再把马缨丹引进来，可吃尽减产之苦的牧场主又不答应……

一个有趣的故事中蕴含着鲜活的辩证法：大自然生态永远不能失去重心！

水库诱发地震，水库为人类生活谋利，这又苦又甜的瓜真是让人吃也不好、不吃也不好。但有一点似乎可以肯定，我们在大规模兴建水库时，应当把防震措施跟上去。事实上，水库诱发的地震是极有规律和能预报的，问题是，人类在从事一切活动时都应当尊重规律，按客观规律办事！

出路也只能在于此。

寻找这样的出路又常常极为艰难。

长江三峡工程几乎可以认为是一个空前绝后的例子了。

1992 年 4 月 3 日，庄严的人民大会堂气氛格外凝重，因为此时是最终决定长江三峡水库工程是否上马的时刻。打从李鸿章、梁启超提出“富中华必治扬子江”，到李鹏总理定案项目总投资达 2000 亿元，这项工程是否上马已争论了整整一个世纪。表决结果：1967 票赞成，177 票反对，664 票弃权。

这是全国人大会议上从未有过的表决结果。如此多的反对、弃权票，人们或许还不清楚其真正的“内幕”。那么在这里我可以清楚地告知大家：几乎所有投“反对”与“弃权”票的代表，其根本意见都是认为建造如此巨大的水库将可能引起可怕的副产品——灾害。

“建一个世界级超大型水库，以缓冲长江流域的防御洪灾能力，是所在区域百姓从祖辈就企盼的大好事，可是你们想过没有，按照自然规律，洪期时间越长，来的洪水越猛，但目前设计的三峡大堤高程为 180 米，特大洪水发汛，将会漫过大堤向下游冲击，其工程的泄洪效益等于零！鉴于此，我坚决不赞成三峡工程上马！”说话的是位老先生，不过不是普通的老先生，他是北京工业大学副校长、著名水利专家陈明绍。

老头子向那些赞成三峡工程上马的人讲了个故事：

“我今年 75 岁了。北京开了一个老年人运动会，运动员中间有个副市长，是大家都知道的张百发。他是钢筋工出身，力气大得很。他觉得拉力比赛冠军应该是他的，结果呢？冠军给我拿到了，张百发很不服气地对我说：‘你这个老头子怎么把冠军给抢走了？’我笑着不说话，后来很多人偷偷地问我：‘老陈啊，你怎么会拿到冠军的？’我说我是学力学的，我懂得冲击比静力强几倍。我用的是一瞬间的冲击力，张百发使的是静力，当然是他输了。长江的洪水也是一个道理，大水一旦漫过大坝，就会将相对静力中的洪水一下变成有冲击力的洪暴，那个力量有时比地震还厉害。一旦如此，下游就要遭更大的殃啦！”

据说，陈明绍的话一出，人大和政协两会上就炸开了，有人带着大量足可以证明三峡工程上马有一百条好处的材料，通过关系专门来找老先生。陈明绍直率地说：“如果我提出的两个问题都解决了，我就支持！

“哪两个问题？”

“一是水库诱发地震，一是三峡滑坡问题。”

千好万好，可就是这两个问题没研究好。

“那怎么行？”老先生生气了，“如今人类最害怕的是什么？除了大战就是大震。无数事实证明，许多地震都是由水库诱发引起的。水库越大，诱发的地震级就越高。三峡水库一旦建成，将有 200 多亿立方米的水压在水库下面的地壳板块上，而整个三峡水库区又处在地震活动区，万一发生地震，从 180 米高的大坝上溢下的浪潮倾泻下游，长江两岸将有多少耕地、城市和人口遭受灭顶之害！老天，这些问题不考虑，还搞什么工程建设？”

老先生说：“还有一个严重问题，这就是长江上游的滑坡。长江上游遍布高山峻岭，均处在大断裂活动频繁区。仅金沙江一江，两岸的滑坡、崩塌就达1200多处。一处滑坡、崩塌，就是一次6级以上的大地震。三峡蓄水必定使两岸的断裂岩体严重侵蚀，侵蚀的结果必定导致大规模的滑坡与崩塌，不说类似明嘉靖二十一年新滩滑坡使大江断航80年，就是1982年7月长江四川境内的鸡扒滑坡所造成断航半年的灾情，就让中央为此焦虑万分。1963年，意大利瓦依昂水库曾发生2.4亿立方米的滑坡，激起涌浪250米，大水毁灭了电站的全部设施及坝下的几座城镇，几千人丧生。长江天险与瓦依昂相比，简直是一个天、一个地。三峡水库之大，意大利的这座水库根本不能与之相提并论。三峡水库蓄水后一旦发生大型滑坡崩裂，后果可想而知。有人将建高坝说得那么容易，我对这个问题可是战战兢兢，如临深渊，如履薄冰啊！不仅要死人毁城，航运也会断，那可是要出大乱子的！这不是一个人的事，是整个国家、整个民族的事！”

陈明绍老先生的话让那些举了手的人着实吓了一跳，他们找了另一位权威——中外著名的中科院院士侯学煜。

侯老的第一句话就很激动也很干脆：“我是从头到尾拒绝在送中央审查的报告上签字的第一人。”接着，侯老指出，我们对水利工程的决策历来很少想到水坝可能带来的不可预料的灾难，更谈不上考虑水利工程对库区本身及整个流域的生态环境和资源的影响。三峡工程是举国第一大工程，它修建后，会使整个长江的生态发生改变，本已极为严重的长江泥石流，再加上高坝修建后诱发的地震，两岸千百条特大滑坡、崩塌将更加危险。长江一旦发怒，那么多千古不朽的风景、宝贵的地下水资源，以及百万人的生命可能全部丧失，那可比现在单一的洪涝要危险严重得多。总之，“在长江上游的水土保持未稳定之前，三峡工程匆忙上马很不安全！”

陈明绍、侯学煜几位老专家虽然已经知道自己无力抗拒在现代化经济巨大压力下必须上马的三峡工程的最后决策权，但他们的呼吁久久回响在人民大会堂的那间表决大厅内。

明天是个未知数，未知时常很恐惧，尤其是对天灾人祸来说——因为在它们面前，我们变得无能为力。

第七章　20 世纪末的课题：求生，从眼前和身边做起

温和了至少 400 万年的地球一直在为人类提供着充足的生存条件——陆地、海洋、森林，并且得到了“母亲”的美称。她当之无愧地这样做着。然而，充满占有欲的人类却向“母亲”不断索取，随着时间的推进，索取得越来越多。“母亲”终于不堪忍受，她拿起了自己的武器——江河、大山及岩体，开始惩罚暴虐不孝的子孙……

地震、干旱、洪涝、零下四五十摄氏度的严寒、排山倒海的天崩地裂……可悲的是人类对“母亲”的暴怒并不全部了解，或者置若罔闻。

一向自认为聪明的人类，其愚昧与可悲之处就在于此！

科学家把地球对人类报复的行为统称为自然灾害，它以地震、滑坡、洪水泛滥、泥石流、地面沉陷、岸边冲刷、土地沙漠化、盐碱化、地下水污染、城市垃圾与污染，以及风、雪、雨等按灾情的危害程度依次排列着。我们不难看出，中国几乎包揽了所有的这些灾神，并且都是重量级的。而我们的领导，我们的部门，包括我们写文章的作家，对所有这些灾害中尚能引起一些重视的仅仅是城市污染等最小的那一部分灾害！对这一倾向我们必须尽快彻底地反省。捡芝麻与丢西瓜的道理谁都懂，而人们又恰恰在这个问题上犯了本末倒置的毛病。

饱尝了古代与现代地震“世界之最”之苦的中国人渐渐开始懂得了如何预防和防治地震。人们惧怕唐山式的大震命运落到自己头上，可就是不知道造成大震的许多原因正是人类自己播下的

祸根。无数科学证明，约有 70%的地震都与人类的工程活动有关。大规模的建筑城市、修建水库大坝、开山挖路、凿洞修道使本不稳定的岩体再度处在积聚的重压之下。于是，山崩、地裂、人亡、畜绝……于是，人们在建筑高楼时注意了“防震烈度”，一听到震情就毛骨悚然……

但是，地震毕竟是有数和个别的，而这使“好了伤疤忘了疼”的人类又恰恰养成了“畏而不顾”“惧而不怕”的老毛病。于是，继续加倍地吞并，继续疯狂地占有，继续野蛮地掠夺，人们在这种肆无忌惮的吞并、占有、掠夺的沸腾中，唱着胜利的歌，品着甘甜的酒。可他们哪里知道，地球——这个伟大而铁面的“母亲”根本就没有让人类占一点点便宜。

有识之士普遍认为，中国目前面临的正是这种境况。

现代化建设的集中标志是国家的城市化。而中国目前约有五分之三的大中城市恰恰是建在烈度大于或等于 7 级以上的高烈度地震区上，尤其是沿海城市及内陆山区重工业城市。飞速发展的经济，密得膨胀的人口，都完全可能成为引起大震的“燃料”。无数血的惨痛教训告诉我们：城市的现代化程度越高，距离毁灭的日子有可能越短！

作为地震灾害的“孪生兄弟”，崩塌、滑坡和泥石流，给人类造成的危害及损失比地震有过之而无不及，它们像疯狂的困兽脱开了紧箍与锁链，无时无刻不在野蛮地惩罚和报复人类。

我国目前拥有营业铁路 60000 多公里，其中有 40000 多公里在山区，建档在案的崩塌、滑坡和泥石流区就有 8000 多处（条），它们几乎分布在山区铁道的每一个地段（请注意，不要把这看作一个简单的数据，每一处（条）滑坡、崩塌、泥石流就是一个十足的潜在的“唐山大地震”）。一处成灾，全线瘫痪；车毁人亡，举国惊慌。正如李鹏总理所言，它“造成人们心理紧张，缺乏安全感，从某种意义上说，也影响社会安定”。谁也无回天之力遏制这大动脉上的不幸！山区要建设，铁路就得延伸，延伸的铁路加剧了沿线的“穷山恶水”，反过来又延缓了山区的建设。人类就在这恶性的循环中前进、挣扎。山岭上的伐木队伍没有走，江川两岸的挖矿炮声仍在响，大坝与路基上的铁锄照常舞……一切都是老样子！那么，谁能否定，今年，明年，后年，再来一个“长江断流日”、一个“8·16”惨案、一个唐山大地震……

不是说苏南要赶上“亚洲四虎”了吗？短短的几年中这里也确实涌现了不少“亿元乡”“百亿市”。可这后面的代价是什么呢？大片的地面在沉陷，难以再生的地下水下落数十米，整个地区出现洪涝积潭，造成的损失无法计算……

不是说，地下的宝藏挖不完吗？挖吧，挖出一个新纪录！挖吧，挖出一个新世界！突然，有一天，5800个坑全部塌陷，仅赔偿当地民房及农田损失费用就达980万元，人畜伤亡不计其数——这是湖南恩口煤矿曾发生过的事！

当中国人把建设四化的砝码押在沿海城市时，尽管“西北风”也吹遍了神州大地，但花在“黄土坡”上的钱实在少得可怜，似乎真的西部“一钱不值”“枉费心机”。上帝可并不管这些。好吧，你们不为我缝补破碎的衣裳，那么我就给你的金饭碗里添几把沙。浊浪翻滚，奔腾而来，黄河以每年递增千亿吨泥沙的水平向大海报到……

人们是否注意到，当我们在市场经济的阵阵清风荡漾中，不断接受“股票”“期货”“房地产”“保险”“就业”……这类新名词时，另一批“沙化”“臭氧”“酸雨”之类的新名词也源源不绝而来。

什么是沙化？沙化跟我们又有什么关系！那些在游泳池、卡拉OK厅尽情欢快的“星”们、“腕”们、“发烧友”们听了嗤之以鼻。

——陇西。1993年5月5日下午。天色骤变，大地一片漆黑，随之，飓风以25米/秒的速度呼啸而来。黑风挟着尘土、乱石，如滚滚惊雷轰鸣。天地混浊之中唯有风声、雷声、雨声、飞沙走石声和那近处、远处的生灵哭喊声。这场甲子一遇的“黑风”，席卷新疆、甘肃、宁夏、内蒙古地区，死亡67人，重伤100人，损失羊只32000只，家禽10万只，倒塌房屋4320间，受灾耕地96.6万亩……

许多人是从陇西这场“黑风”中认识沙化的。

沙化是只不易察觉的猛兽。一旦发怒，人畜无路可逃。

臭氧？

酸雨？

氧怎么会臭？雨怎么会酸呢？哈哈，神经病！

说“神经病”的正是那些在空调房和冷饮店里还喊热的人。他们身居有“火炉”之称的山城重庆。难道重庆真的热得如炉烤？不，雨水还是有的。然而，当地的居民发现，每逢苍天雷声隆隆之后，倾盆大雨总是那样奇妙地变成了连绵不断的细雨朦胧。几天过后，走在嘉陵江畔的游人大惊：千年的石佛怎么变得颜面无存？承包土地的农民更是拍腿长嚎：雨淋过的水稻田全被“烧”黄了……

这便是酸雨的力量。酸雨乃成千上万条从地面烟囱中排出的黄龙、黑龙、灰龙与纯净雨水交媾后生出的“怪胎”。

这“怪胎”一旦呱呱落地，必使大地生灵涂炭。素有“雾都”之称的英国伦敦饱受了这一“怪胎”的摧残。1873年、1880年、1891年，伦敦市因地面烟灰排放过量，造成中毒死亡者达1800人。最令世人震惊的是1952年12月初的5日至8日间，该市先后因“黑雾”而致死者达4000多人，其中多为婴儿与老人。之后的两个月中又有 8000 人死于非命。

现在，我们大概不用再怀疑“臭氧”这一类新灾神的力量了吧。

科学家测定，1952 年伦敦烟雾事件时空气中飘尘含量为 4.46 毫克／立方米，二氧化硫含量为 17.3 毫克／立方米。据我国的环境部门测定，沈阳、鞍山等城市的空气粉尘含量目前在 10 毫克／立方米以上。仅本溪而言，该市每年排放到大气中的烟尘及其他工业粉尘达 19.3 万吨，相当于每个人头顶上盖了数十公斤的污染物。有人算过，如果把徘徊在本溪市上空的 19.3 万吨粉尘回收制成标准砖，可砌成一万公里的长城。

上帝，一座“万里长城”压下来，将是什么结果？！

有谁想过这事？难道你我他不该去想一想？

今天的中国人活得太潇洒了，潇洒得连什么叫死亡的可怕都不去问津。

前年，古都西安有个可笑而又有趣的传说：环境保护部门为了号召市民们提高防污染意识，几次三番鼓动市里单位组织力量进行一次全市性的防污染宣传，可是谁也不搭这茬，毛病出在环保部门动员各家有实力的单位出上几桌饭菜钱，凑个“活动经费”好开展工作。钱没凑上，环卫宣传活动只好搁浅。不几日，城郊一市民从井里打起一桶水上灶做饭，不想刚点火几分钟，那饭锅突然蹿出一团大火，直冲屋檐。“快救火呀！——”家人、邻居一听大惊，忙从井里打水往房上泼，哪知水越泼火越旺，一会儿好几户居民房全着了火。这是咋啦？井水怎么比干柴还易燃呀！群众正在纳闷时，一位抽烟人心不在焉地把点烟的火柴扔进井里，只见那井“呼——”地蹿出三丈高的火焰……“井水冒火”真是天大的妖孽！顿时，整个西安城人心惶惶。居委会、区政府干部不信邪，亲自到现场试井，结果几口井均冒大火，吓得干部们操起电话就往市府打。市长命令公安、地质、环保部门的干警与专家赶赴现场，结果将井水一抽样，原来井水里尽是油质液体。井里还会有油呀？专家迅速调查，后来将报告送到了市长那里。市长一看，立即与几家大企业的领导通话道："限一个月内根除污染，否则给我把厂关掉！""为什么？"厂长问。"水都变成了油，老百姓的性命你们还关心不关心了？"市长气得直喷唾沫。

污水，每天有超过3亿吨排进我们的饮用水源；

沙漠，以每天40公顷的速度缩小我们的绿洲；

"黄龙、黑龙、灰龙"，以每年500万吨的喷吐量在袭击我们的呼吸道；

原野的岩崩、雪崩、洪水，每年使60000处乡村饱受广岛式的"原子弹"轰炸；

还有那百余次的强台风，数千平方公里的冰雹雷击，万余公里海岸线的盐水侵袭……

这就是中国每年必逢的灾情，这就是我们每时每刻面临的死神的门槛。

死，谁都不愿。死，谁都害怕。

不愿，并不等于不死；害怕，并不等于可以逃避死亡。

那么，面对如此多、如此危险、如此突然袭击的"死神"，我们该怎么办呢？

像大震后等待直升机救援，伸手接过联合国送来的面包与睡衣？像山崩地裂后把遇难者挖出来隆重地祭奠？像得了艾滋病后远远地躲到一边？

那样无济于事，死神依然会亲吻我们。

出路只有一条：你，他——我们全体，从现在，从今天，从此时此刻起，在我们的头脑里多来点防灾意识；在我们贪欲而无度地追求富有时多注意些自然资源，少破坏些生存环境……

一位刚从日本神户回国的地震专家谈起东瀛之国的这场刚刚

发生的大灾时感慨万千：日本国民的防灾意识和自救能力太强了，若是神户地震发生在中国，肯定不是5000余人的死亡和600亿美元的经济损失，至少高出数十倍。

为什么？

专家告诉我，像东京这样的大城市。日本政府每年都要投入十几亿美元搞1至2次的全市性防震防灾演习，老人小孩都会几套防灾自救本领。而我们中国，你听说哪里搞过什么防震防灾演习？到北京的小学里去问问，有几个学生知道啥是地震，啥是自然灾害？

可不是。1994年我国南方某市的一个建筑队，在半夜搞了一次爆炸，结果市民们以为是地震来了，跳窗的跳窗，坠楼的坠楼，一下死死伤伤200余人，闹出一场大笑话。

今年，明年，后年……我们保证不再出现这样的笑话！

因此，我们需要冷静与适度。

因此，我们需要警惕与呐喊。

因此，我们需要牢牢擎起尊重自然、尊重科学的意识大旗。

因此，我们需要学会防御和面对死神袭击的自卫本领。

从现在做起，从身边做起。

1995年春节于北京

告别帐篷部落

我活着常常被人忘记
人们不觉得增加了什么
我死了，也许有时会被人提起
人们可能会觉得缺少点什么

——常江《勘探者墓志铭》

引言　部长被劫与落空的集资

想写这篇东西的最初动机已有好几年了，一直没有成文的原因是总有一种无形的压力始终困扰着我。因为我明白，要写此文，必须面对真实，而记录历史的真实常常是需要勇气的，尤其是带有浓烈政治色彩的历史。

我曾对一位朋友说过：写完这篇报告文学，我就离开管我档案与工资的地矿部。原因很简单：我首先要得罪的可能就是部长先生，其次便是这个社会的现行机制。

几年后我发现，过去的担忧有些多余。因为，今天领导我们的部长以及中央领导都比我们这些从事文学的人更懂得面对社会的真实，并能按照党的一贯思想，实现广大民众的最高利益。

一个敢于面对真实的文学家是很痛苦的。其实，一个敢于面对真实，并努力去改变某些不符合客观规律与现实的政治家更痛苦。

宋瑞祥，男，55 岁。中华人民共和国地质矿产部第四任部长。在任此职之前，他是常务副部长，此前是青海省省长。从一个贫困的边远省省长的职位，来到一个最不景气的工业部门当副部长，三四年后再任正部长。政治上的这种变迁和工作上的难度，他经历了什么样的心理历程我是不得而知的。

1993 年 4 月，他以常务副部长身份率工作组途经甘肃天水。这本来是一次很普通的检查工作巡视，按惯例，部长出巡，所在省、市会派出专门人员陪同，对口下属部门则全面负责接待迎送任务，一切都会安排得井井有条。但是这一次则出了大乱子，使宋瑞祥部长当时陷入十分尴尬的境地。消息传到京城，地矿部机关一片哗然，并且迅速惊动了中南海。

宋瑞祥部长在甘肃天水第一地质队所在地被一群职工围攻长达数小时……

是谁吃了豹子胆敢做这样的事？这不是犯上作乱吗？

查！立即彻底地查！“部长被劫持”，这在共和国的历史上恐怕是史无前例的事，不是政治事件是什么？

北京—兰州—天水之间的传真与电话以最快的速度传递着事件的全部进程。后来发现，此次“部长被劫持”事件，完全是一次职工自发的行动，整个冲突的中心内容是——“我们要吃饭！”“我们要工作！”

然而，就是这两个问题使宋瑞祥部长经受了一次政坛生涯中或许可以称得上内心最受震撼的洗礼。同时，也使这位共和国部长在此次不公正的“劫持”中得到了难得的第一手资料——

“我，一名高级工程师，干了三十多年地质，现在却让我去当门卫！”

“部长大人，本人从大学门才出来两年，就把我当‘编余’，往后几十年我怎么个活法？”

“你说说看，部长，一个月发我五六十块生活费。全家四五口人，全指望这么点钱，难道真让我们喝西北风？”

“你们高高在上，有吃有喝不愁住。我一家三代人如今还挤在一间干打垒里！部长就请你到我家住一宿，看看啥滋味！”

“部长，我给你磕头，给我女儿安排个工作，她都 29 岁了，没有工作怎么嫁人？”

“部长啊，我的孙子 4 岁了，可儿子还在家里待业，您说让我这张老脸往哪儿搁？”

……

此次“劫持”后来没有被当作“政治事件”处理，是因为所有在场参与“劫持”以及“被劫持”的双方，几乎都是处在一片揪心的哭泣、哀求与沉默、叹气的凄切悲伤气氛之中。

据几位工作组随行人员讲，当时职工们的每一句话都是溢着泪讲给部长的，而部长宋瑞祥也差不多是含着泪水回答大家提出的每一个问题的。

对话一直持续到深夜 12 点。

“部长被劫”事件发生在地矿部系统，显然不是什么光彩的事。然而，我们已经用不着回避了。类似“事件”地矿部已不止发生一次了，每当消息传到京城的部机关，我和同事们心头总像堵了一块石头。

那几天我正在为宋部长在天水的遭遇深感“遗憾”而不能自已时，文联的老宋突然推门而进。

“小何，我想跟你商量点事。”在与这位有 40 年地质工龄的老同事、老上级的交往中，我第一次发现老宋如此激动：他的脸色煞白，不停地在屋里来回走着。

我赶忙搬过一把椅子，对他说：“坐下，慢慢说，有什么难事，我一定尽力。”

“难啊！”老宋开口时，泪花已经溢满了眼眶，“70 块钱一个月，要养全家 5 口人，还有一个是瞎子，一个是病人。你说怎么个活法？添不起衣服，看不起病，可肚子总得填饱吧？全家 5 口人，人均生活费仅为十几元，除去油盐酱醋煤气水电费，每人不到八块钱。吃啥？只能每天到菜市场上捡点烂菜叶……你说，这是人过的日子吗？”

老宋已经说不下去了，那颗满是银丝的头颅伏在桌上不停地颤抖着。

“别急别急，有难处同事们一定会尽力帮您的！”我不知所措，忙端水安慰道。

“我有什么难呀，在北京每天都活得好好的，一月几百元想花也花不完。”老宋“噌”的站起来，差不多是在喊着说的：“我说的是青海地质六队一名职工的境况！”

我恍然大悟。

“我刚从他们那儿回来。听了队上的介绍，我心里实在难过呀！当时就想把口袋里带的钱全掏出来给那个拾烂菜叶子过日子的职工家送去。可局里领导说，像这样的职工，全省地质局有百户以上，队里局里都无法解决，你老宋口袋里的几个钱能顶用吗？想想也是。所以一回到北京，我就有了想法：发动文联系统的兄弟们——我这个文联办公室主任其他部门也管不着，让我们这些文人一起伸出友谊之手，给青海六队的困难户集资送温暖。”老宋终于向我说明了意图。

“没说的，一定全力捐助！”我代表本人也代表本单位的同事当即表示支持他的倡议并准备掏腰包。

“先慢着。既然这件事是以文联名义倡导的，还得跟领导汇报一下。”老宋拦住我们。

那天，我清楚地记得，没过几十分钟，老宋便耷拉着脑袋回来了。

“怎么样，领导赞成给困难队集资吗？”

老宋摇摇头：“头儿说了，像青海六队的情况，全国有100多个单位，文联在机关搞集资赞助，不是给部长增加压力吗？要按你的意思去搞部长的脸往哪搁？”

一想可不是，我顿时也像老宋一样泄了气。雷锋没学成，然而那依旧战斗在第一线的100多万地质职工的生存竟无时无刻不在撞击我的心灵。

在今天这个社会里，人们对地质队员、对产业工人或许渐渐已经陌生了，但谁都肯定还记得大庆的油、鞍山的钢、攀枝花的铁、大同的煤，还有送第一颗原子弹上天的铀，托住上海下沉的水，开凿首都地铁的隧道……所有这些不都是被毛泽东主席誉为“祖国建设先行官”的地质队干的吗？

是的，历史永远镌刻着共和国建设功臣——百万地质大军的名字。他们给国家、给人类所创造的业绩，与日月同辉。然而，在今天，飞驰的岁月却无情地使这支功勋队伍变得如此落魄，如此艰难。而他们那种为了生存和面对落伍所表现出的卓绝与悲壮的奋争，更让山河动魄，天地动颤。

第一章　并非荒诞的年轮

50 年代座上宾。

70 年代大出殡。

90 年代当溃兵。

（一支国务院命名的“功勋英雄地质队”境遇）

1

提起黄金，几乎没有人不喜欢它。

提起黄金，几乎所有的中国人都知道山东招远是个盛产黄金的风水宝地。

后面的问题大概知道的人就不多了。如果不是我把山东地质六队与招远、与黄金并列放在一起，肯定不会有人对这个地质队感兴趣。

而今人们的兴奋点大多在财富上。那么我们就顺着“财富”这一字眼往下说。你知道中国哪个省哪个市哪个企业哪个人最富有吗？你说不上来吧，我告诉你，那就是山东地质六队。你一定感到很惊诧不是？

这里有一份他们的“清单”可证明：截至 1991 年，该队在胶东完成钻探任务 74 万米，等于用钻机钻透了 80 余座珠穆朗玛峰，向国家提交各种成果报告 210 份，探明特大型金矿 5 个，中小型金矿 28 个，其黄金的储量占全国黄金储量的 1/3。加之探明的银矿、铅锌、硫铁、滑石、萤石等十几种矿藏，总经济价值达 400

亿元人民币。该队现有职工 1345 名，除去国家为该队找金所投入的 1.8 亿元成本，平均每人创造的经济价值达 3000 万元。

山东地质六队使胶东地区成为全国最大的黄金生产基地，理所应当成为“中国首富”。

他们完成“中国首富”的创业历程所花的时间是 34 年。

1992 年 10 月，李鹏总理亲自签发文件，中华人民共和国国务院正式授予山东地质六队“功勋卓著无私奉献的英雄地质队”光荣称号，并向全国通令嘉奖。国务院授予一个县团级单位荣誉称号，在共和国历史上并不多见。山东地质六队获此殊荣，它在 1992 年年末的首都各新闻媒体上成了一颗光辉夺目的明星。

无疑，在任队长刘广义更是万众瞩目的对象。在参加颁奖大会和“事迹报告团”活动的空隙，他到王府井商场给孩子买东西，路过金柜时，服务小姐竟能一眼认出他，并对同伴说：“咱店里卖的、全中国人手上戴的金首饰，三个中有一个就是他们队上找的金！”

真是了不得。傍大款还能比傍家有金山银山的主更安乐富有？据说报纸、电视上介绍六队的事迹后，有为数不少的“痴金女”千里迢迢来到招远想以身相许，可是当她们到六队一打听“如意郎”的住处，前去一看，气得连声“拜拜”都没顾上说就打道回府了。

原来，找金的“如意郎”不仅没有洋房别墅，甚至连住处也是别人的。你道啥地方？是附近农民家的一个半闲着的猪棚！

1993 年 5 月的一天，仅距国务院召开颁奖大会不到 200 天，队长刘广义背着一只小挎包，把参加大会的那身银灰色的西装放在家里，换了身暗灰色的中山装，又一次走出北京火车站。与年前那锣鼓喧天的欢迎场面相比，此刻的刘广义觉得头顶像是变了一重天。那次他是满怀欣喜来京接受荣誉的，而今天他是作为一只走投无路的孤雁上部里来讨饭的。

“乡巴佬走呀，挡在面前像根瘟树似的，快走呀！”出站口的通道上，刘广义被急急行走的旅客左挤右拥，形似上访的盲流。

他觉得自己实在无颜来京。作为国家级功勋队的一号功臣，上祖国的首都应该带着成果带着喜报来才是。可作为处在“水深火热”（临走时，大伙同意他在见领导后用这词）中的地质队的一队之长，除了赴京讨饭外他已无路可走。

“凭咱是国家级功勋队，总理、部长不会见死不救的！”

这位有 30 年工龄的“老地质”素有“虎将”之称，平时办事从不求人，要不是队上的伙计们接二连三用这样的话给他打气，刘广义是无论如何也拉不下这层脸皮大老远跑到京城“求救”的。自己的脸皮值啥，功勋队的牌子和职工家锅里的饭菜才是顶顶重要的。作为第十任队长，从前任手中接过六队这副担子，这几年间，唯一让他能感到一丝宽慰的是这几年队上所获得的荣誉最多也最高——

1991 年，荣获全国金矿地质勘查工作特等功；

1992 年 1 月，获国家四部委授予的“全国地质勘查功勋单位”称号；

1992 年 4 月，获国务院授予的“功勋卓著无私奉献的英雄地质队”称号；

1992 年 6 月，获山东省政府授予的“黄金勘查功勋队”称号。

每逢开会，省里其他地质队的队长们总是对刘广义戏言道：“你这个金队长，找了那么多金山，得了那么多金牌，坦白坦白，除了金还有什么？”

是啊，除了金还有什么？刘广义思忖来思忖去，半天才恍然大悟：咱六队除了金啥都没有呀！

金，金在哪儿呢？金都交给了国家，交给了招远呀！

没有金子，一个不到 5 万人的小山城怎么可能县改市（建设部规定县改市一般应有 10 万常住人口)。

没有金子,招远“金城天府”的美名不可能传扬四海。1992 年 3 月 20 日,招远迎来了有史以来最隆重的节日,这一天他们从一个不起眼的小县升格为市。巧合的是,34 年前的这一天,正好是六队进驻荒芜的玲珑矿区,开始从此以后震惊世人的找金的日子。不知历史是否有意这样安排!

招远成了“中国第一金县”,招远有了“中国第一采金镇”“中国第一采金村”称号……

34 年前的招远也只是一个人口不足千人的小镇,如今嵌金的高楼迭起,车水马龙的宽阔大街上走的净是三菱摩托、奔驰轿车……而六队还是那座当年垒起的土院,饱受几十年风霜的侵袭,那泥墙已经成片成片脱落。

“采金第一镇”的一名食堂炊事员,住上 98 平方米的一套三居室还嫌小,硬吵着非要换两上两下的小洋楼。而此时六队的一名 31 年工龄的主任工程师,拖儿带女六口人则借居在附近农村的一间不足 18 平方米的农舍里。

儿子问父亲:“人家采了金可以换洋楼住,你找的金子比他多一百倍,为什么我们只能住在他的柴棚?”

父亲长叹一声,说:“因为我们是地质队。”

“地质队就该两手空空,穷困潦倒?”

“不会的,你看,我写的成果报告就有一人高了!”父亲打开几个木箱子,那累弯了的腰往后一挺,很自豪地说。

儿子背过脸,泪水打湿了胸襟。

唉!刘广义用拳头直拍打自己的脑袋。34 年了,咱六队人第一次明白,原来咱已是一个名副其实的“奉献亿万财富的穷汉”!

车过天安门广场,刘广义抬头看了一眼右边的天安门城楼,又转过脸看了眼人民大会堂、国旗、人民英雄纪念碑……他的眼睛顿时模糊了，泪水从眼眶哗哗涌出。他的心如此疾呼：共和国呀，你还想得起咱六队人吗？

2

是那山谷的风，

吹动了我们的红旗。

是那狂暴的雨，

洗刷了我们的帐篷……

这是20世纪50年代一首十分流行的歌。这歌鼓动了数以百万计的热血青年投身到一个当年是那样迷人的职业——地质找矿中。今天的年轻人是无法理解这首歌所具有的力量的，我曾经在病房采访过两位功绩卓著的女地质学家，不幸她们都得了绝症。在弥留之际，病魔折磨得她们大汗淋漓，当时支撑着她们走完人生最后一段路程的就是这首《勘探队员之歌》。

那场面悲壮得催人泪下。有位护士小姐当时不解地问我："一首抒情歌，听起来为什么像国际歌？"

我自然回答不上来，因为我也不是一位真正的地质队员。

真正的地质队员，都是些充满激情与幻想的诗人。

1958年3月20日，林洪波、王完魁一行几人，由省府济南风尘仆仆来到招远县玲珑山的一座日本人留下的破矿棚内，把背包一放，在墙的正面贴上毛主席画像。"现在我宣布：山东省第六地质队宣告成立，我们的任务：找金！"没有锣鼓，没有鞭炮，只有一首清脆嘹亮的《勘探队员之歌》在荒芜峻峭的山谷中回荡……这首歌一唱，仅几个月时间，六队就招来一大批大学生、中专生和转业到地方的人民志愿军战士。

那时的六队好年轻，只知道找矿、出成果，没有任何顾忌，没有任何拖累。缺地方住，搭一个帐篷，中间挂一块布男女同宿没有人挑不足。后勤运输困难一个月吃不上新鲜蔬菜，志愿军转业兵说："这算啥，咱在上甘岭战斗中，能喝上口鼠尿就高兴得不得了！"

那年代就没困难这词儿。困难就是光荣的代名词，牺牲等于胜利。谁不愿光荣？谁惧怕胜利？没人。

刚从地校毕业的朱云德深入漆黑的老洞踏勘时，忽然双脚踩空掉进几十米深的暗井内……是井壁的一块探头石救了他的命。从黑洞里爬出，小朱拍拍身上的泥土，一把将走在前头的同伴拉到身后："我已经死过一回了，还是我在前头合算！"

勘探孔位定在600多米高的山头上。无路，更无吊装设备。一台苏式柴油机竟要50名壮汉子抬扛，80余人拉着钢绳一步步用了整整两天时间才搬到孔位。青年技术员程杰腰肌劳损不下火线，一根10厘米宽的金属护腰带伴他抬完工地最后一台钻机。正在实习的女大学生小莉不好意思向男队长讲明"特殊情况"，从内衣裤溢出的滴滴血水竟然流了一路。

仅仅两年时间，六队向新中国交了招远的第一把"金钥匙"。他们在已经被判定为"资源枯竭"的玲珑金矿田上相继发现48条金矿脉……35年过去，这个金矿仍然是我国最大的黄金生产基地。

六队的年轻人今天已经很少有人还知道当时政府和地方是怎样看重他们对玲珑大工矿建设所做的贡献的。

只有卓希山这样的第一代人对此记忆犹新。

那是个苏联"老大哥"逼债，台湾蒋帮叫嚷"反攻大陆"，全国连遭自然灾害，穷得所有人都吃不上肉的年代。六队人不一样，因为他们是找金的功臣，管工业的元帅部长何长工把六队的代表请到京城家中，并吩咐秘书上桌时必须安排在上宾座。

“你们为毛主席解了忧，吃肉吃肉，放开肚子吃！”何部长一边夹菜一边高声说道：“我的肉票吃完了，可以上朱老总那里去拿，井冈山时他就欠我一顿呢！”

元帅和部长家的一顿肉，可以使找金的地质队长上刀山下火海。那时的六队人感到自己是世界上最光荣和最值得自豪的人。

3

渤海莱州湾。这里有一个地图上找不到名字的岛屿，但名气却非常之大。

公元前，脸色阴沉的秦始皇乘坐木轱辘车一路风尘从咸阳专程来此求长生不老术，后未果而死于归途。

此后，汉武帝、隋炀帝、唐太宗也曾东巡至此。大文豪苏东坡还留下了《过莱州雪后望三山》的名作。

三山岛能留下这么多名人的足迹，是因为这里流传着一个美女丢失金钥匙的神话传说。

1965年寒冬的一个日子，一队痴情的年轻小伙子，踏着没膝的积雪，冒着零下20摄氏度的严寒，奋斗11天，拾回了那把“金钥匙”。这群小伙子的名字后来被人用金镌刻在这个岛上。

现在，在他们拾“金钥匙”的地方，已经盖起我国自行设计的一座规模最大的金矿。

据说三山岛曾是海浪包围的岛屿，北宋年间才与大陆相连。六队人开发此地时多少有些茫然，因为当时的三山岛除秃岸绝壁兀立碧水黄沙外，便是百年老屋独对枯草斜阳。

地质队员们面对的是荒芜的山丘与饱经沧桑的岩石。因为海风太大，连块搭帐篷的地方都难找。然而，这块手掌大的地方却使六队的一对对恋人如痴如醉地在此生根开花。

韩玉英，一个地道的蓬莱人。

1960年山东大学地质系毕业后分配到地质学校，她说她爱大自然，愿与大自然结为“终身伴侣”。后来她与同班的恋人一起上了三山岛。没有洞房，住牛棚；没有棉被，铺干草；没有暖炕，门板一放，小两口觉得乐悠悠的，似乎世上没有什么苦和累，只有甜和蜜。

后来她怀了孩子，再不能睡干草和躺在冰冷的门板上了。一天，丈夫领着大肚子的她走进一家农户。户主说：“我们一家七口就一个土炕，没法腾地方。”

孩子快要生了，咋办？

“后面倒是有个茅房空着。”老乡说。

“你——”丈夫气得两眼冒火。

她却拉着男人来到茅房。“行，把茅房坑填平就行。”她的轻描淡写让丈夫都感到吃惊。

一个“小地质队员”就这样诞生了——在一间四处透风的茅房里。与此同时，她的丈夫与同伴们也从山崖崖里抱回了一个娃娃——不过那个是“金娃娃”。

后来，她的几个孩子差不多都是在这种环境中生下来的。孩子长大后问母亲：“妈，我是在哪儿出生的？”

她想了许久，竟回答不上来，最后说：“大自然里生的。”

全家人都笑了，孩子说：“妈妈真浪漫。”

可不是。1981年5月3日，在大自然里泡了整整20年的韩玉英，因在野外搞普查受伤住进医院进行手术治疗。临手术前，她“噌”的从手术台上直起身：“大夫，千万要保住我的腿。我还要爬山，我喜欢大自然，我还要回到大自然中去。”

手术后，队上领导为了照顾她，让她在室内工作。她吵吵嚷嚷说啥也不行。她说自己的生命属于大自然，就是死也要死在大自然的怀抱里。

无奈，领导只好让她继续上山。

三山岛找金是一场前所未有的攻坚战，意味着中国找金事业的新突破。技术负责人张裕之工程师理所应该地争着去，尽管他上山时已患严重关节炎，肺部也切除了三分之二，但谁也劝不住这位痴迷的找矿人。

冬天的小岛，海风挟着严寒阵阵袭来，直往人的骨髓里钻。张裕之的关节炎突然加重，膝盖肿得像排球那么大。为了掌握第一手资料，他找来一根树丫，支撑着还去爬山，还去涉水。一天下来，累得他夜里躺在炕上直呻吟，吓得房东求队上赶紧催他的妻子来照顾他。

妻子来了，第一件事是把睡炕重新垫高，以免丈夫关节受寒，那炕好高，快到胸口了，妻子说，每次上炕都得“跳”。

他出不了门，让妻子代替他到野外取资料。妻子走后，他又犯病了，全身的关节开始发肿。他既不跟队上说也不跟房东说，白天没吃一口饭，但还得喝水撒尿。他站不起身于是想了个绝招：把自己当作“滚筒”滚。在炕洞边放一个半高凳，再在凳边铺上雨衣。喝水、撒尿时，就从炕上就势一滚，先凳上后地上。凳子是他翻滚中的一个“缓冲地带”，使他不至于摔伤。雨衣则是他的防潮措施，在他喘息的当儿不至于再度受潮而加重病情。后来妻子问他滚到地上又如何上炕时，他凄然一笑，说跟攀珠穆朗玛峰差不多。

队上来人一看，大惊：张工已形销骨立，“快送医院！”

刚被抬出门口，张裕之双手颤动着指指里屋：“把那个炸药箱带上，到医院后我好在那上面整理资料。”

废旧的炸药箱，是伴随这位科学家一生的“办公桌”。他的那份后来获得国家科学技术进步特等奖的《焦家式新类型金矿的发现及其突然的找矿效果》学术报告也是在炸药箱上写就的。焦家是一个地名，张裕之与队友们在此地发现了一个与石英脉型金矿有根本区别的破碎带蚀变型金矿。这一划时代的发现，推翻了“大断裂只导矿不成矿”的经典理论，在国际地质界引起强烈反响。后来张裕之他们的“焦家式”新类型金矿成因理论被国家正式定名，并在全国找金工作中全面开花，其经济意义绝不止几百亿。

张裕之带着炸药箱和几捆地质资料住进了医院。

“喂，怎么没把我的登山鞋拿来？”他躺在病榻上问妻子。

妻子说：“你来治病，要它干吗？”

他火了：“我搞地质的，没登山鞋成吗？回去给我拿去！”

妻子无奈，抹着泪，来回 50 多公里背来了一双好几斤重的登山鞋。

他笑了，让妻子扶着他穿上登山鞋，然后坚持要独自走出病房。一步、两步……没跨到第六步，他便“扑通”一下摔倒在地。从此，他再没有爬起来。

一位为中国找金做出卓越贡献的地质学家就这样英年早逝，死时仅 51 岁。

他是湖南辰溪人，1954 年西北大学地质系毕业后分配到山东。自与地质、找矿沾边后，他再也没有回过老家，直到死。

张裕之临终时对妻子说，他这辈子就对不起几个孩子。他感到遗憾的是自己的三个孩子没有一个叫过他一声“爸爸”。

“难怪，我做父亲的，没给过娃儿一天的父爱。”他请妻子代他向儿女们道歉。

“爸爸、爸爸……”儿女们随外婆从千里之外的湖南老家赶到山东招远时，他已经永远听不到孩子们这撕心裂肺的呼唤了！

现在，他的三个孩子连同外婆都到了山东，可惜，年已四十又二的老大患了改不过来的口吃（小时候外婆带他到处搬家，到处转学，每到一处，老大总怕说出那怪调怪腔令同学耻笑，久而久之成了口吃）。老三已经在几年前疯了——大小伙子一个还得靠80多岁的外婆喂饭。就老二好一点，在济南教书。

“爸爸死了以后，我们才真正把他当爸爸，因为这时我们才理解他。爸爸他一生都属于大山，属于国家的找金事业，而不是我们这个家，我们这些孩子……”老二今天这么说。

据说，张裕之出殡那一天，六队全体职工都停工了，招远许多干部群众自发组成了长长的送葬队伍……那场面前所未有，令“金城天府”悲怆。

4

六队总工李士先平生流过两次泪：

一次是好友、技术搭档张裕之英年早逝。

一次是30多年相依为命的妻子突然离他而去。妻子是在医院住院期间，因不愿连累丈夫而服药自尽的。那天，他听到噩耗后，火速赶到医院，没有来得及与妻子最后告别，倒是读到了她的一份遗书。遗书上这样写道“……我死后，不要惊动队领导和孩子。丧事办完后，你好好休息几天，就回去好好工作，我知道你很忙，所以从此想再不打扰……”

李士先，一位顶天立地的山东大汉，看到此处禁不住老泪纵横，哀号大哭。“老伴，我对不住你，是我拖垮你的呀……”

这样的老伴世上少有。30多年间，为了让丈夫一心放在找金事业上，她挑起了全部家务。她是他的妻子，更像一位保姆。每次要出野外，她总是提前替他把行装准备好，临出家门了，她还要上前塞一团卫生纸，说是路上用得着。工作归来，她先一天把被褥晒好，连买车票、报销旅差费也是她一手经办。

这样的女人竟会不堪忍受生活的重负而自尽，怎不惊天地、泣鬼神！

当她不能再为丈夫做家务、抄资料、买车票时，她别无选择。她知道，再活下去就要丈夫为她端屎端尿了，她不忍这样做。丈夫是队上的总工，全国“五一劳动奖章”获得者，全国人大代表，国家级找金专家，有许多许多的事等着他去做。于是她选择了死，把女人所能做到的全部奉献给了自己的男人，连同生命。

李士先至今仍感遗憾的是为妻子送葬的时候，没能给她戴上一只金戒指。生前她曾戏言过：“跟了你这个找金人，能有一只金戒指戴，死了也瞑目。”可是在临到火葬场时，她也没戴上。

“买不起，当时我口袋里只有30块钱，还要替她付住院费、火化费。”李士先说这话是在国务院领导给他和队友们授勋的时候。而表彰他功绩的材料上是这样写的：

李士先，山东人，1960年毕业于山东大学地质系，现任六队教授级高级工程师。山东焦家式破碎蚀变岩型金矿发现人之一，国家科学技术进步奖特等奖获得者。他主持和带领科技人员为我国胶东黄金生产基地的开发做出卓越贡献，所创经济价值在百亿元以上……

他为国家找的金可以堆成山，却买不起妻子一生祈求的一只小小的戒指。

今天的招远和整个胶东早已告别了荒凉，走向了繁荣。可是，创造这繁荣的找金人却依旧从荒凉走向荒凉，似乎没有尽头。

几十年来，全队人一直散居在几十里方圆的村寨农舍。到了当地人家富裕起来的今天，他们有权利要求有个属于自己的家。

论贡献、论困难程度，无论什么他们都有理可说。关于六队的情况，上级不是没有看到，地矿部、山东省政府、省地矿局曾几次拨款给队上，以解职工住房之苦。楼盖好，可搬进去的却是地质资料和金矿档案，六队人依然住着俗称“鸽子笼”的干打垒。

当年住惯了荒凉偏僻的穷山沟，六队似乎并没有感到自己比别人贫困与穷酸什么。可当今天穷山沟变成现代化厂区和繁华的都市时，他们那颗一向宁静的心开始了失衡。这绝不是他们对祖国找金事业的热情有所衰落，而是现代物质文明的冲击使他们很有些自惭形秽。

在他们向一个地方政府恳求解决几个职工子女就业问题时，一位主管县干部这样说：“地质队？咱们这儿已经到处是金矿了，还要地质队干吗？你们找别处吧！”

六队人能不伤心吗？

刘长春，南京地质学校毕业的新一代青年工程师。1979 年毕业后来到六队，他带领地质小组获得过几个部级奖，是省部级先进工作者、新长征突击手和“十大优秀青年”。论条件、论功绩，他完全可以有个像样的家。可十几年来（包括结婚后），他就没有过一个属于自己的家。

“老婆、孩子跟着你没怨气？”有人问。

“没有。地质队的家属都知道队上的底，所以不会有怨气。”刘长春刚说完这句话，突然语气一变，脸都白了：“我最不能忍受的是外出工作时别人不把搞地质的当人看待。”

在参加北京的“劳模事迹报告团”时，他讲了这样一件事：

大约在 1990 年刚开春不久的一天，刘长春带着地质小组住进了一家破旧的民房里，开始整理地质资料。住进时与户主讲好是要住一阵的，而且讲好了价钱。可是没几天，房主突然提出让他们搬家。

“不是你先前答应我们住的吗！”刘长春说。

“先前是先前，现在是现在。你没看市场上的菜都一天涨三个价。”房主说。

看来是要涨价。地质小组哪来钱，外出工作的费用是队上规定的，多一分钱都没处报销。

“能不能容我们找到了新住处再搬？”刘长春恳求道。

“不行，说今天搬就得今天搬！”没有半点商量余地。房主见刘长春他们不动，便动手把一堆堆地质资料和行李往外扔。

“大叔！我恳求您了，给我们两天时间行吗？”刘长春看到满地散落的地质资料和铺盖衣被，“扑通”一声跪在那位老乡面前，哭着一遍又一遍地乞求。

可是房主依然铁心将房门一锁，连拖带拽地把刘长春他们赶出了门外。

此时，天色已暮，孤立无援的刘长春等 8 名汉子，眺望星空，不知是谁先哭了一声，结果几个人抱成一团，哭得死去活来。

哭声惊动了邻村一位老汉，说他家里有三间破旧失修的牛栏，就是太脏，没有门窗，问去不去住。刘长春像找到了救命恩人，连声说：“行行，牛栏也行。”就这样，他们一行 8 人连夜搬进了牛棚，这一住就是 360 天。

京城里的人听了刘长春的这段报告，无不落泪。他们怎么也不相信：这就是为国家找到占全国储量三分之一的黄金的功勋队伍所得到的待遇！

他们自然更不会想到，一批连住牛棚、猪圈、茅屋也要被人赶走的人，竟在国家经费紧张的情况下，掏出自己从牙缝里挤出的钱集资去找矿！

他们自然想不到，除了张裕之这样英年早逝、李士先妻子不愿连累丈夫服药自尽外，还有测量员汤光河、机班长董奎胜等 16

位烈士牺牲在为国家找金的征程上。

5

作为队长，刘广义不愿看到自己的队伍有更多的人倒下，像张裕之，像李士先之妻，也不愿看到像刘长春那样的七尺汉子哭着跪在别人面前乞求，更不愿看到职工们带着妻儿像讨饭的盲流东一家西一处地分散在老乡的牛棚、猪圈里……

但他最不愿的是六队这面红旗在市场经济的浪潮冲击下倾斜。

他觉得上北京能解决问题，至少部长的口袋里比他这个“芝麻官”硬邦些。其实，他完全错了。

后来，他好后悔自己这一趟上京城。

他说，功勋队是不该流泪与哭泣的。

第二章　血路

6

夜，静静的。连长安街上的汽车声也寂寞起来。地矿部大院内的灯光几乎全熄灭了，只有部长的办公室还亮着。

这是一间并不比处级干部办公室宽敞多少的房间。只有那张近两米长，一米宽的大办公桌才显示了主人的特别身份。大办公桌的背面是一排放满书的木柜，正面是那张布满繁星般的矿点标记的“中华人民共和国地质矿产分布图”。

已经有一段时间了，宋瑞祥部长吩咐秘书和几位助手，尽可能推掉一切可以推掉的会议，也尽可能地不要打扰他。“让我静一静，想想问题……”部长对秘书说。

白天，傍晚，深夜……部长就这样独自一个人关在屋里，伏在办公桌上，两眼在那份“地矿部系统贫困队伍情况调查表”上一动不动地长久凝视着……

这样的情景已经持续了相当长的日子。

那透过夜幕的灯光，像是在思考、像是在探路、像是一种希望。

唉，一支百万人的队伍，一支与共和国同龄的队伍，经过几十年的风风雨雨，特别是在改革开放后面临的新形势下，问题实在太多太多。大到少找矿产影响国家全局的大事，小到职工家油盐酱醋生儿育女的琐事。少找矿，党中央、国务院所制定的现代化战略就会搁浅，此罪定当不赦；职工的家里没了粮，往大门口一静坐，上大街一游行，米粒大的小事连大洋彼岸八竿子挨不着边的华盛顿政府也会拿去以“人权”问题大做文章。

队长无路，职工无路，可以找局长，上京城哭诉、告状，可我部长往哪儿去说？

国家主席、政府总理管着12亿人，那大事小事、喜事丧事比你区区百万人的队伍多得多，再说，每次党与政府的中央会议、人大会议上对你地矿工作说得还少吗？够重视了！

这些年调整企业经营机制，数以万计的国有大中型企业陷入困境，一贴就是几十亿、几百亿。近年，拥有800万职工的煤炭业不景气，一些煤矿工资发不出，为让职工过个年，国家就得抽出几个亿，这还仅仅像是撒胡椒粉。

地质找矿队伍谁来管？不错，国家应该管，可管得过来吗？为了能在一年一度的人大会上通过的《政府工作报告》中提一句“要进一步加强地勘工作”，地矿系统的人大代表总要争得脸红脖子粗。可几万字的《政府工作报告》中添这么一句话又能给队伍带来多少实质性的益处呢？国家计委、财政部守着那口“国库”金锅，该给你多少钱还不照常是多少！

“要体谅国家，照顾大局。把改革再深化一步，寻找一些行之有效的出路是根本。”部长硬着头皮向上求助，得到的回话几乎千篇一律。这是明摆着的国情。不这么说还能怎么说，不这么办还能怎么办？计委、财政部的难处比你地矿部多了去啦！

从中南海回来，面对的还是百万人队伍的困窘。百万职工加上家属就是千万人了，这就是一名共和国部长的担子。他的前面是要保证整个国家建设所需的资源，他的后面是要保证整个队伍的稳定与士气。

历史已经走到了20世纪90年代，社会发展所暴露出的诸多现实问题，使队伍到了或朝前进或被挤垮，甚至“全军覆没”的悬崖边。

40多年前，当毛泽东签发命令成立“中央人民政府地质部”时，“跛子部长”何长工的拐棒随便一指，京都最繁华地段之一的西四就腾出一大片作了地质部的机关大院。那时不等你开口要钱，毛主席大笔一挥，主动催着你把钱“好好地用上”。“有困难可以直接找我么”——毛主席等的是大庆油田、攀枝花钢厂和能与赫鲁晓夫、美帝国主义较量的原子弹。再者，何部长的能量也大，连“朱毛”在井冈山会师都是他撮合的，政府里哪部哪委的头头脑脑还不都是他的老部下、老同事！谁给何老头一点面子，就够地质队吃一阵子的。现在老同志都不在了，大庆、攀钢也都出油出钢了，你地质部就先歇着吧！

而宋部长无法歇着。他中午吃饭时，时常有下面的那些没饭吃的队长会找上门来；他出外巡视，像甘肃天水的职工那样会冷不防把他围住不走，可以跟他对一宿话，直到他能松开口袋为止。

出路在何处呀？部长办公室的灯光久久地亮着——

钱是没有的，党的老传统是法宝，于是又一次声势浩大的“三光荣”教育开始了（献身地质事业光荣，艰苦奋斗光荣，找矿立功光荣）。一本《光荣在于奉献》，集中了部系统秀才们的智慧，加之总书记题写的书名，可谓最高档次、最高规格的宣传教材了！“先进事迹理想报告团”的报告，催人泪下。会场上群情激昂，王铁人的精神，李四光的光芒，再一次震撼人心，鼓舞斗志。可是，散会后，回到家，老婆孩子因为要工作、要窝住弄得你整夜失眠。第二天醒来想干点事时，发现自己早已心力交瘁了。

大批年轻的、有能耐的人想走的还是走了。临离队时，他们扔下一句话：“革命工作行行业业都光荣！”潜台词是，凭什么就你干地质、找矿光荣！

你说，光荣就是光荣么。矿山有我们留下的身影，煤田有我们洒下的汗水。这一切——共和国是不会忘记的！

于是又一个金色的光环隆重出台：凡从事地质工作30年的职工，每人可以获得地矿部颁发的一张永久性的“荣誉证书”和一份纪念品。

那纪念品是用上等的大理石嵌面的石英钟，制作精良，造型典雅，不失为一件艺术品。可是，突然有人从下面传来话：“这叫啥光荣，分明是给我们送终（钟）么！”

“这是谁出的馊主意！”部领导对设计者大为不满！

此路仍然难奏效。

寻找新的出路，部长办公室的灯光又一次久久地亮着。

安居乐业——一个流传了几千年的成语突然跃出。对，不安居，怎能乐业！于是一项关系到百万大军子孙后代的大工程提到了战略议程。

该为几十年到处流浪、四海为家的老职工安个居了！

该为一批又一批从大学来到一线工作单位的年轻夫妇们垒个幸福巢了！

对，更应该让那些长期两地分居的家属与亲人团聚了！

安居乐业工程第一项任务是解决两地分居与农转非问题。好一片欢呼，好一片雀跃。一双双鸳鸯到了一起，一个个子女得到父爱母爱……可是“团聚”的喜庆酒尚未散席，队长、局长们一觉醒来，猛然发现自已本已臃肿的队伍一下又臃肿了几倍，一百万人的队伍，变成了一百三十万，一百五十万……

在以往数十年的传统字眼里，地质就是野外。因而，地质队的窝，理所当然地被安在了偏僻的山旮旯。可是，今天当成千上万的子女、家属来队后，已经臃肿的地质队想在队之外安排这些人的就业便成了大忌。城里搭不上边，乡下无工矿企业。无奈，一夜间地质队“内招”了几万、十几万人。以山西地质局为例，各野外地质队上，内招职工子女一下占了职工总数的三分之一。“内招”出现的另一个问题是队伍的“近亲现象”。以东北某队为例，一个844人的队伍，有亲属关系的达423人，其中有婚姻关系的竟达269人！

一位人类学家曾言：人类进化中最大的悲剧是瘟疫与近亲。地质队在社会处境上患的“瘟疫病”和内招的“近亲联姻”，两者皆备。

真是难死了地矿部门的头头脑脑们。然而最大的难处还是眼下“僧多粥少”的问题，国家拨款还是那么多，住房条件还是那么紧，物价又在飞快地涨。于是，原来是一个人勒紧裤腰带，变成了全家人、祖宗三代人勒紧裤腰带。

孩子哭，媳妇闹。最后，地质职工也逼得要跳楼——其实想跳楼也没楼跳。于是只好走出队部，走出山野，上街静坐，围劫部长……

好是无奈，好是凄凉。

夜色依然朦胧，部长办公室的灯光仍在闪烁。

基地大动迁——向城市进军！

一项宏伟而又卓有远见的工程在逼于无奈、迫于凄惨的背景下，轰轰烈烈地启动。百万地质队伍在这是好是坏是福是祸尚不能明了的大举措面前，表现出了前所未有的步调一致，紧跟在他们的决策者朱训、宋瑞祥、夏国治、张文驹、张宏仁、张文岳、蒋承菘……后面。

1949年3月23日，当毛泽东领着他的队伍离开西柏坡，踏上建立新中国的道路时，他向周恩来等同事说道：“我们这是进京赶考啊，我们决不能当李自成，考试一定要有个好成绩！退回来就是失败。”

40年后的这一天，当地矿部党组做出要从根本上改变地勘队伍生存困境，排除一切干扰优先解决基地大动迁的决定时，朱训（原地质部部长、现全国政协秘书长）、宋瑞祥部长也对助手这样说：“队伍能否在20世纪末出现柳暗花明又一村，在此一举！”

那天的党组会议，大有“背水一战”的悲壮气氛。

几十年来，地质队伍总是从城市走向山野，而迎接他们的是那吹拂的清风与荒凉的山谷。当清风吹过时，荒凉的山谷已经变成了一座座崛起的矿山和流金的油田。

今天，地质队伍第一次从荒凉的山野走回城市时，他们猛然发现，时代已经变得那么遥远，那么陌生，那么叫人无所适从。

7

宽宽的头，厚厚的底，黄黄的色——这是地质队员每人都有的一双“登山鞋”。

爬山、攀崖、蹚水、走沙。

御寒、挡风、防蛇、避击。

三斤二两的登山鞋，对出野外的地质队员来说，它犹如一道“护身符”。

然而，今天迈步奔向通往现代化文明城市的通道，它却显得异常沉重和累赘。

甩掉三斤二两的登山鞋，轻装上阵，背水一战——地质队伍在开拓生存的血路上，挨第一刀的竟是职工自已。

大规模的基地动迁，什么都不要，只要钱：选址圈地要钱；进城户口要钱；子女上学要钱；计划生育、灭鼠防瘟也要钱——动迁大军的人马未动，方方面面要钱的手已经从八方伸来。

给钱。请进。

没钱？请回。回你的山沟。

山沟是不能回了。进城——哪怕是刀山，哪怕是砸锅卖铁，我们认了！

认和忍，在拼音字母中仅差一个声调，但对人而言，却是两种完全不同的意志考验。

认，是一种豪情壮志，在勇气的支配下，容易做到。

忍，是一种耐心与坚韧，相反很难做到。

当时的部里、局里、队里，从上而下几乎是同一个心眼，几乎是同一种办法：从有限的政府拨款中“扣”出一块来用作“安居工程”。于是出现了到局里的钱今年比上年更少了，到队上的钱有些就干脆没了……

不管怎么说，在职工看来就是让大家喝西北风。

某西北地质队一名高级工程师，听说队长从局里开会回来，连队上职工过年的钱都没有拿回来，回到家从箱底取出当年参加大庆会战与铁人王进喜的合影和一串奖章、功勋章往脖子上一套，对家人说：“地质队没活干了，我要下海去了。”

门外，大雪纷飞，他出家门不远见了一条河，就从桥上跳下去，嘴里喊着：“我要下海啦！”

家人闻知大骇，连声呼救：“他可不会游泳呀！”

队长赶忙率众人将他救上来。此后，这位老工程师得了半身不遂，不久就离开了人世。

某东北地质队，当省局局长来队宣布“计划的任务不再有了，全队要自谋出路”之后，第二天就有二三十名中、青年技术人员与职工，买了南下广东、深圳的车票。

这中间，有位正在编写地质成果报告的项目负责人。临走时，他拿着未写完的报告，含着泪对队长说：“也许我永远不回来了，你把它交给别人吧。”

队长说什么也不愿接：“你们都走了，我去找谁？”

不久，队长向局里交了辞职报告。

正在野外施工的某工程勘探队，已经“断粮”数月，盼星星盼月亮，盼来的消息是：上面的拨款停了。

钻工们一甩手，全回家帮老婆割麦子去了。

“哈哈，‘泥鳅’们都走了，这些全归我们啦！”钻机附近的村民冲到机台，稀里哗啦一阵打砸抢，几十万元物资积成的机台仅剩一架光秃秃的钻塔在风中摇摇晃晃。

一箱箱珍贵的地质岩芯，也不无例外地被村民用去作房基填石或作猪圈石栏。

浙江某队，“皇粮”未断人心已散。从此数年滑坡，每况愈下。

省局将其视为“大包袱”，每每开会，队长看着局长抽冷气，局长看着队长叹长气：“这样的队伍留下何用？”

“撤！”局长们下此决心时，就像往自己的胸口捅刀。

从此在中华人民共和国的花名册上，这个县团级建制的地质队便不复存在。昔日并肩南征北战屡建奇功的几百号“难兄难弟”，无奈凄然分手，各奔东西。

临别那天，全队哭声一片，令苍天骤然下起大雨……

8

天庭起雾了

迷迷蒙蒙

模糊了天与地的区分

模糊了山鹰

模糊了旗帜

模糊了一座金光的丰碑

漫天是雾，模糊了高低
满眼是雾，掂不出重轻
哪里再去找地质队员们的身影
哪里还有祖国建设先行官的风帆？

一位“山野诗人”在为他的队员们悲歌问路！

“其实地上本没有路，走的人多了，也就成了路！”宋瑞祥部长用伟人的格言，鼓动他的部下。又用邓小平的理论，指挥他的队伍：“地勘经济发展的关键是地质队的改组、改造和建设，只有这样才能把队伍搞活。改组、改造就是要按照社会主义市场经济体制的要求，调整结构，优化发展……”

市场，就是战场。奋斗，就有牺牲。

百万地质大军此时真正理解到了这两句话的含义。

天上，是血红的晚霞；地上，是血红的泥泞。

地质队的职工曾一度把自己的命运比作天边的晚霞、地上的泥泞。有一首《我不知道，我不知道》的歌在山野的帐篷里流行了很长一段时间。

张艳，1984年武汉地质学院毕业，体态娇小加之父亲是“三八式”的老干部根正苗红，人称“单位一枝花”。

偏偏运气不佳，在她风华正茂、大展事业宏图时，“皇粮”断档的研究所陷入一片萧条。她整天寻思着出路，竟把99件碎石样品搞混了，惹出一件不大不小的事故。精简队伍调整结构时，她被降为所里扫地洗厕所烧开水的勤杂工。

“一枝花”变成了“一堆粪”。

姑娘痛不欲生，找到所长时脸都变了形：“你……你到底要我怎样？”她本想破口大骂，可觉得有损“一枝花”形象，所以气得翻来覆去只会说这句话。

所长到哪，她堵到哪。

“危难之时，我要的是一队责任心强的精兵强将！没有商量余地！”所长心如钢铁。

小张艳哭了两天一宿。末了，还是脱下了心爱的白大褂，换上了粗糙的再生布工作服。

两年后，张艳因工作表现突出，重返化验室，再度成为单位“一枝花”。有人问她感受时，她说：“当时给所长一逼还真逼出了点做人的道理。”

冶金地质局局长李茂才下午刚把合并水文队和50多名中层干部全部免职按普通职工身份重新安排工作的方案交局领导班子讨论完毕。下班时，他左手夹着文件，右手按住腰部（他的肝病又在发作了）疲乏地赶回家。

他的一只脚刚刚跨上楼梯，猛然有人从前面给了他一拳，随后是劈头盖脸的吼叫：

“好你个李茂才，当了几天局长就把我们这些师傅、师兄弟都给忘了呀！”

“真是知人知面不知心。想想看，当初是谁推举你当队长、当局长的！”

“你可看清了，咱这把老骨头可是干马钢、战首钢铸出来的。噢，说不用就给扔了？”

“不给饭吃，行，咱就吃您大局长了！”

这晚，李茂才的家刮了好一阵“共产风”，什么挂面、鸡蛋，全部被掏了出来，饱餐后的老哥们还不罢休，非要李茂才收回合并令和罢免令。

斜躺在床头的李茂才一手按在肝部，一手逐个点着与他并肩几十年战斗的老队友们，说：“现在是啥时？我看你们就甭再摆老资格了。要有能耐，明天我给你们一台钻机。要是你们用它找到饭吃，一年后，奖章、官职任意挑！”

“嘿，瞧你说的。不信咱豁出这把老骨头还没饭吃！”

“一言为定！”

“决不反悔！”

一年后，李茂才和这群老哥们重新聚会。这次是他们请客，酒菜特别丰盛，还加一个大红包要李茂才收下。李茂才自然不要，问这些老哥们：“一年下来感觉如何？”

老哥们说：“今非昔比。不按你说的那样做，地质队是没指望了。”

李问：“那么奖章、官职还要不要。”

老哥们连连摆手：“得得得，留着给年轻人吧，咱们这把年纪可扛不住了。再说现在是市场经济，腰包鼓就行了。”

李又问：“那你们鼓了没有？”

众人答：“鼓了。一年弄个万元户！”

这一“赌”，可谓皆大欢喜。

9

翻开厚厚的上中下三卷本《辞海》，我没找到“怪圈”这一词的解释。

大概这是一个新冒出来的词汇。

拨动地球，研究地层的地质学家可以慧眼点石成金，可是他们怎么也研究不明白这样一个社会生产力现象，即找矿越多，队伍越穷。

多少个在新中国大建设、大发展时期一直如朝阳般红火、为共和国创下奇功的地勘队伍，当他们用自己的青春、热血甚至生命奉献出一座又一座矿山，一个又一个油田后，他们除了得到几面锦旗、几块奖牌外，其他一无所有。

全国总工会曾对共和国成立以来获过省部级以上“荣誉称号”的二百多个冶金、煤炭、地质战线的功勋单位做过一次调查，结果发现：那些荣誉称号越多的，所在单位的生存状况越惨，惨得叫人不忍入目。

这就是中国现在工业战线的一大“怪圈”。

有人将全国85个工种的工资待遇作过一次对比：20世纪50年代，从事野外工作的地质职工的工资在所有行业中位居第五。到了80年代，降为第80位。加之常年跋山涉水，风餐露宿，60%以上的地质职工患有风湿性关节炎、胃病、心脏病、高原反应等疾病。物质生活的贫困，工作环境的恶劣，外部社会的歧视，构成了百万地质队伍在找矿中寸步难行的景象——

某地质队项目小组，12名工程技术人员好不容易从队长那儿领回了20万元的项目经费，令队上那些无事可做的同行很嫉妒。

项目小组成员像得了一份厚奖，未过年初三，就打起背包，告别妻儿老小，踩着雪路，来到野外的施工点。

不想他们的帐篷还未搭好，附近的两名村干部上门来要收一万元的“占地费”。

“不给也可以，那就别在俺的地盘上落脚。”

无奈，二十分之一被一刀砍掉。

开春，项目组争分夺秒开挖一条坑沟。突然，铁镐前躺下一位70多岁的老汉！“谁要动俺地里的一根苗，就得给俺交出3000元损苗费！”

十笔“损苗费”，一折又三万。

如此雁过拔毛数番，项目组的经费所剩无几。等野外工作做完，经费已超十余万元。当他们回队讨工资、奖金时，队长一跺脚：“你们把队上的医疗费都吃光了，我当初就不该让你们工作去！”

辛勤劳累一年的技术人员听后，心比冰还凉。

某找金地质队历经三年寒暑，投入百万余元工程勘察费用，探得一个富矿点。

队长和高工为庆贺成果报告获得通过，在队伍住宿的一座破庙内为部下们加了几个菜、添了几瓶酒。

“来，为我们的新发现，为来年采出金子干杯！”队长举杯刚至胸前，突然听到外面人声鼎沸，鼓声齐鸣。

出门一看，但见破庙四周已被里三层外三层的村民团团包围。

“这山是我们的，这金子也是祖宗留给我们的。外乡人，滚！滚！——”

可怜的地质队员们不仅酒菜未沾，当夜连个住处也没着落。

某日，蜿蜒曲折的叶梁山道上，山西215地质队的几辆大卡车满载物资正行驶至一个拐弯处。突然，一声“轰隆”巨响，前面的公路炸开一个大陷坑。

“冲啊！——”车队戛然而止间，四周的山头上顿时冲出百余名手持铁锨、镐头的不速之客。

“给我打、给我砸，老子把日本鬼子都打败了，小小地质队算个屁事！给我打！——”制高点上，几名干部模样的山民双手叉腰，威风凛凛地指挥着“战斗”。

215队的职工哪经得住“枪林弹雨”的袭击，只得弃车而逃。

1990年8月，西南石油地质局第二物探队远征楚雄盆地找矿。此地峰峦叠嶂，沟壑纵横，又是彝民聚集区，自然环境和社会情况极为复杂。

队员们克服重重困难，来到深山峻岭工作，一天劳累下来，想在彝胞家居一歇。

好一锅煮鸡蛋热腾腾地从水中取出。早已饿得慌了的队员们你争我抢，吃了个精光。可是不出一支烟工夫，食蛋者皆大呼肚疼，疼得直在地上打滚。

正在测试线上的队长闻讯大惊，忙找到彝寨的村干部问其究竟，并请求抢救。

村干部看后，淡淡一笑："这里的老百姓不欢迎你们来山寨，认为你们来了不吉利，就在煮鸡蛋的锅里悄悄放了药，所以……"说完，他从口袋里取出一些像小绿豆似的东西，让疼得直冒汗的地质队员们服下。

肚子果真不疼了，可队员们从地上爬起来说啥吵着也要回队部。

我们的地质队员们在挨打受辱时，多么怀念五六十年代与人民群众之间的鱼水情谊。"那时老乡们见了地质队，就像见了亲人解放军，把最好的吃食拿出来，把最好的房子腾出来，可现在……"他们感到委屈，感到懊丧，仿佛自己是干着当今最被人瞧不起的工作，仿佛自己是祖国母亲最失宠的儿子。

不被理解也好，不被赏识也罢，他们以自己职业的忠诚依然坚信："只要为国家多找矿，国家富裕了就会多想着我们地质队，多为我们解决难处。"

是的，他们这样想没有错。

是的，他们也只有这样想，因为他们是找矿的队伍。

只有找到矿，或许才能找到生存的出路。

没有矿的存在，也就没有地质队的存在。

地质队员们视矿为自己的理想、希望和生命。

1987 年 12 月 28 日下午 10 点 30 分，在一架经沙迦归国的中国民航客机上，58 岁的长春地质学院矿床研究所所长，著名地质矿床学家张秋生的心脏停止了跳动，他是为找矿感染非洲传染病而猝然辞世的。

这位闻名全球的矿床专家的突然死去，震惊了世界地学界。张秋生是累死的。临终时，他吃力地说了一句话："我太累了，我要休息……”

民航机组人员在清理他的遗物时，惊讶地发现他沉甸甸的行装里装的竟是三袋矿石标本。

有这样一个女人，为了找矿，她舍去京城的一切优厚条件，毕业分配表上所有志愿栏目中都赫然填了两个字：新疆。

她一去30年，有多少次机会可以返城、返京，她都不愿。她说自己的一生就在戈壁沙漠找矿。

吃奶酪，住帐篷，烧牛粪，跨马背，敲石头。与男人干一样的活，与队友走一样的路。与死神拥抱，与难兄难弟们一样痛饮自己的尿水……女人应该有的娇艳、爱情、浪漫、母性，她几乎全无。

而她有一个又一个自己找的矿和比矿更珍贵的人生。

人们称她孙巧璃是“昆仑山上一朵永不凋谢的花”。

另一个也是女人。

为了在“死亡地带”的南极刻上中国找矿人的名字，生来就那么瘦小的她，49岁丢下清闲的工作，丢下身边的三个爱女，坚决要求参加远航的考察队。

那是一个“生命禁区”。她在死亡线上孤军作战，不仅成为第一个登上“生命极地”的女性，同时，也为世界在南极文森峰发现了第一个大铁矿。

金庆民的名字，已同南极矿连在一起。

矿，使中国地质队员留下最闪光的名字，垒筑最辉煌的丰碑。

青年李四光等一大批学者冲破重重阻挠，千里迢迢回到了祖国也就为了一个“矿”字。

其实，不仅是李四光和地质队员们对矿有特殊感情，中国的历代传人，没有一个不对矿满怀痴恋之情的。

孙中山的治国大业中把开发矿藏列为“万事之先”。

据毛泽东身边的工作人员介绍：老人家一生除书以外没有收藏嗜好，可对李四光送的一块油质岩芯异常喜欢，保存至终。

1903 年，中国出版了现代地学史上第一部《中国地质略论》，作者竟是我们的文学先师鲁迅先生。

“能被矿所吸引的人是灵知者，能对矿有特殊感情的人是创造者，能在矿上建立业绩的人是无私者。”一位地学家如是说。

10

1989 年 4 月，新疆阿尔泰山脚下。

地矿部第一个被称为“地质市场”的项目——萨尔布拉克低品位金矿堆浸项目开工。因为是“第一个”，所以它引起了地矿部领导的高度重视。

“地质市场”——这对许多外行人来说是个绝对陌生的名词。

其实就是精通地质理论的地学专家和在山沟里与地质打了几十年交道的地质队员，对它也同样生疏。这是他们在新时期被逼上绝路后自己“十月怀胎”孕育下的一个“苦命儿”。它的基本含义是：在计划任务之外，可以运用地质勘查技术到社会上揽到工程项目与施工任务。

当然，它不再是国家大包大揽的“投资项目”，凭的是地质队的实力与技术。譬如：某某地缺水缺矿，你地质队说我能找得到。那么好，签合同，你找到矿，找出水，我就付你钱。另一种情况是，我找到了金寻到了银，你觉得有用，那么付钱，我交矿。百分之百的市场经济，百分之百的风险投资。

地矿部的决策者认为，自己的队伍有这个优势，要想走出地勘工作几十年形成的“怪圈”，这一招非用不可。

队长杨型强的背后是几百人的“编余人员”，他双手捏的是全队仅有的 4 万元自有资金。而萨尔布拉克金矿项目上马的经费投资为三百万元。金矿找到了，自然可以收回投资并能救济几百人一年的饭碗。可一旦失败，全队一千多人都得砸锅卖铁，卖儿卖女还账！

“谁接这个项目呀！”杨队长抖着声调，在全队职工大会上问大家。

会场一片寂静。

“那——没人接咱们是不是就别上了？”

“不。项目一定要上！我们接！”一个洪亮有力略带沙哑的声音打破全场的寂静。

众人抬头，是退休干部迟广超。站在他身边的还有刘霞、王栋仁、冯敏泽。“我们几个老哥商量好了，萨尔布拉克金矿的找矿项目我们接。金矿堆浸任务完成了，你队长发咱们些烟钱酒钱，找不到，不要队上一分钱！”

“对，我们吃退休金，不要队上一分钱！”

退休职工组成的一支“老头军”齐刷刷地站到队长面前，神态庄严地等待出征的命令。

“哗”——会场上顿时爆发出雷鸣般的掌声。

这是一支不寻常的出征队伍。几十名队员中最小的 56 岁，最大的 67 岁，他们是清一色的退休职工，又是清一色的有 30 年以上工龄的“老地质”。

队上特意为“老头军”举行了隆重的壮行仪式。队长杨型强和党委书记曲铭章手举酒盅为一个个行将出征的老队员们敬酒送行。

“在这危难之际，是你们这些老同志勇敢地站出来为全队 1000 多人分难解忧。我不会说啥好听的，请你们接受我一拜。”杨队长说着“扑通”双膝跪地，泪水已经挂满了他的两颊。

“别别队长。我们是一家人啊！”志愿军出身的迟广超忙扶起自己的队长，代表全体“老头军”庄重地举起右手，行了一个军礼。

“出发！”

哦，那吼声多么嘹亮，多么年轻。

哦，那队伍多么整齐，多么威武。

大漠边的红霞变得如血一般。

上帝被感动了。

“老头军”拼命奋战了三个月，一举拿下了2.4万吨级的堆浸任务。杨队长又带领一帮年轻人一鼓作气，再度出征，当年产得黄金66公斤。

绝路逢生，全队人甭提有多高兴。

萨尔布拉克低品位金矿堆浸项目成功，开辟了我国低品位金矿开发利用的成功先例，也为百万地质队伍走出困境摸索出一条经验，地矿部、中国地质科学院、新疆维吾尔自治区领导纷纷前来祝贺，并在全国推广。

“老头军”的名声也随之响彻阿尔泰山。

当年上级一纸命令，新墙地质一队800名将士来到素有“火焰山”之称的新疆吐鲁番戈壁时，是作为东疆富铁矿大会战的“尖刀兵”而来的。

他们的队伍原先是在一年四季如春的云南。早在60年代的攀枝花钢铁基地与大红山铁矿等会战中，他们就建立了卓越的功勋。

而今天在他们的新家园周围，没有村庄，没有绿色，只有一望无边的沙丘底下的宝藏。从1975年5月开始，新墙地质一队（当时还叫云南地质九队）的职工挺着挂满勋章的胸膛，不远万里，在这“无人区”上搭帐篷、竖钻机，大有一副“常胜将军”的气派。因为是“参战”而不是长期驻防，所以一切都为会战的临时需要服务。没有人，就地招兵买马。800人的队伍不几日扩至2242人，成为全国第一大地质勘察队。这等盛食厉兵、战而胜之的气概，当时令无数兄弟单位羡慕不已。可哪曾想到，几度春秋在“无人区”艰辛奋战，苦苦探求，画上的却是无可奈何的句号。航测勾勒出的三五十亿吨富铁矿，经勘探证明仅有 3 亿吨储量。这不是“常胜将军”的过错。

“常胜将军”用自己真诚的奉献，在“无人区”纠正了一个本是错误的“宏伟蓝图”，但不知是否因为这个，他们落得一个不明不白的“下场”：原番号撤销，就地归属新疆地矿局，驻扎火焰山继续工作！

真是闷雷轰顶，欲哭无泪。此时的一队人可谓进退无路。云南那美丽家园已失去，火焰山的新址不知在何处？2000 多名职工猛然发现，他们一下从受人宠爱的功勋队变成了无人照应的“弃婴”。

这是 1981 年的事。

那时的日子真难。不说 2000 多人的队伍安营扎寨无着落，就是十几台被一队人视为比生命更珍贵的钻机也只能搁置露天。冬天，自治区慰问团来队放电影，观众席上放烟火——一家一户提一个火炉。夏日，火焰山炽烈的热浪，使帐篷内的气温高达 60 摄氏度。想安稳睡一觉得像沙鼠筑窝，掘地三尺……

时光转至 1986 年——也是这支功勋队进疆的第十个年头。队领导第二次从北京领回第二面“功勋队”的锦旗时，他们万没想到队伍里竟多出了 600 多个人。按正统的说法这叫做编余人员。这自然还不算 200 多待业的职工子女。

功勋队在上无“俸禄”、下背重负的情况下，依然选定了“找矿求生存、求发展”之路。

第一仗打胜后，他们又听说当地的“八一”钢铁厂急需矿石，便当即组织精兵强将，踏金尖山开铁矿。这一仗又以胜利而告终。

一队人在火焰山四周就这样左冲右突。三年过去，已变得“家大业大”，先后建成自营、联营矿山 77 座和两个试验场，实现创收3000多万元。真是一业得胜，业业兴旺。随后，一队人在如火如荼找矿的同时，全面启动了一切可以启动的诸如帐篷厂、养殖园、驾驶培训中心等能发挥地质队优势的各种创收路子。

近日，读到《中国地质矿产报》的一则消息：进疆18年的一队职工告别“干打垒”，全部搬进新居。至1994年，该队人均年创收近2万元。基地各项建设全面完成，提前实现了地矿部提出的“安居工程”，近千名富余人员和待业子女也全部有了“饭碗”，并且是不错的“饭碗”。

真是老天有眼。

11

百色地区的广西地质二队，与新疆地质一队相距1.4万多公里，可谓一个是在西北角，一个是在最西南端，地域间有很大的差异，但两队却有一个共同点，那就是驻地的自然条件都很穷。

穷的地质队攀上穷的地盘，真可谓是穷途末路。

二队是在1958年大炼钢铁那阵进驻到中越边境的大新下雷工作区的。这里峰峦叠翠，草深林密，荆棘丛生。夏天，气温高达40余摄氏度；冬日，一场细雨可连下几个月。并且，此地区还是个山蚂蟥猖獗的地方。平常，只有火柴盒大小的山蚂蟥藏在草丛或树叶背后，当人或动物行走发出响声时，山蚂蟥闻声后会突然贴到你身上吸血，既不疼又不痒。可当你发觉时，它的那个绿肚子已经鼓鼓囊囊了。地质队员们只好用绳子捆紧裤脚和袖口，不让一处肉皮露在外面，然而仍防不胜防。傍晚收队回营，脱下衣裤一看，准有几十条蚂蟥在身上。有一次一名队员把雨鞋脱下一清点，竟有一百多条蚂蟥在里面，听了让人毛骨悚然。

二队就是在与蚂蟥窝的生死搏斗中，为国家找到了著名的下雷锰矿，1980年被地质部授予“找矿功勋队”荣誉称号。

进入80年代中叶，与所有地质队一样，二队也面临国家拨款所剩无几，当地的找矿优势逐渐减少的局面。1000多人的队伍竟有700名富余人员，日子比谁都难过。

难过的日子也得过。

随着对外开放的脚步加快，昔日紧张的中越边境也开始缓和，那些成片成片的雷区，变成了边民的贸易市场。眼看着别人的口袋一天比一天鼓，穷得饭都吃不饱的二队心急如焚，偏偏除了找矿他们又不会别的。可是茫茫4万多平方公里的桂西北，有70%是被传统找矿理论视为“无矿”的中生代三叠纪地层，其余的30%是古生代地层。二队用了17年时间已把该找到的矿全都奉献给了共和国。

现在，当他们断了“皇粮”时，土地爷又把宝藏的大门关得死死的。

或许是迫于无奈，有一名地质工程师对此不服气，提出向三叠纪“无矿论”宣战。他叫李正海，他的名字后来传遍全中国。广西壮族自治区为宣传他的事迹排了话剧在全自治区境内演出，后又拍成了电视、电影。

不过，十多年前的李正海，还仅仅像所有走投无路的百万地质队友们一样，只是窝了一肚子穷气想摆脱困境而已。还有就是他觉得对不起妻子和孩子，跟了他这个找矿人，全家都没有过过一天好日子。因家庭负担过负，妻子不足50岁就离开了人世。当时李正海痛不欲生。妻死后，他靠58元的工资养活一家四口，成绩优异的大儿子因此只好放弃报考重点高中升大学的念头。

“将就报地质学校吧，将来分配到地质队也有口饭吃。”儿子毕业后当了地质队员，可李正海仿佛觉得儿子受了他的骗——因为地质队也没有饭吃。

就在此时，大西洋彼岸的一位地学家发现一种肉眼看不见，需要在显微镜下放大 1250 倍才能辨识的微细粒型金矿（也称“卡林型”金矿）。它是一种新型金矿，生成在表地层与新地层之间。

李正海对此兴趣极大。不久，又传国内首次在与桂西北毗邻的贵州册亨三叠纪中也发现了“卡林型”金矿。

“我也要在桂西北三叠纪中找到金！”他在队领导面前指天发誓。绝境中的队领导自然巴不得。

填补桂西北“黄金空白区”的战斗序幕就这样拉开了。与其说李正海在找金，不如说他是在给二队找出路。

一天，李正海在小山一样的资料堆里发现，桂西北的大量锑矿地质特征与美国“卡林型”金矿的地质特征很相似。这一发现使他如获至宝，并随即在高龙等锑矿区取来数千个样品进行分析，结果真是发现了几个含量 1～3 克／吨的微粒金苗。

“有望！有望！”那天，李正海从实验室出来，直奔队长办公室。

可是队长听后仰天长叹：“我现在要的是‘金娃娃’，这大海捞针般的微粒金苗不救急啊！”

“金娃娃，是啊，队长要的是金娃娃！”打这后李正海走路、睡觉想的尽是抱“金娃娃”的事。1983 年，他和勘探小组为寻觅微粒型金矿踪迹，攀崖爬壁，涉水穿林，行程达 56000 公里，等于绕了地球一圈半。

一日清晨，踏勘小组的同伴醒来，发现李正海一头栽倒在床底下。众人忙将其扶起，一摸额头，烫如火炉。

“赶快送医院！”

医生一摸脉，说李正海已病入膏肓。

没容商量，手术室便进入紧急状态。最后确诊，他的左肺部有一块肿瘤。为此，李正海的身上少了一根肋骨和四分之一的左肺。

一天换药，护士不见李正海。电话打到了队部，队上人赶忙寻找，等找到时，他已在天娥、风山一带跑了两天野外。

1985 年元月，队上大部分职工已放假准备过节，李正海却请假到山里踏勘，队领导横竖劝说均无用。

寒春的桂西北野岭间，风雨交加。上山的路本来就难，对去掉了半片肺叶的李正海来说，就像攀登青天。从此他的生命里多了一根树枝作拐杖。

拐杖，成了一名找矿人的一部分生命。

为了采集老窿内的一段 20 米的刻线样，李正海整整用了 3 小时，他的胸脯像风箱一样起伏。

走出洞窿，他一阵头晕，滚落 7 米深的沟底。助手小郁撕下衣衫一边为皮开肉绽的师傅包扎着，一边心酸地流泪。李正海则坦然一笑，“还好，骨头没断，你陪我再走一段。”

采集的矿石样品往化验室一试：含金量达 3 ~ 4 克 / 吨，最好的达 52.5 克 / 吨。

李正海拿起矿样吻了又吻，“我找到‘金娃娃’了！找到‘金娃娃’了！”他兴奋地连声大喊，比疯子还疯。

二队人得知喜讯后奔走相告，比过年还喜庆。

1989 年 10 月，中国桂西北的“卡林型”金矿正式上马。

李正海被任命为会战的技术总负责兼一个重点施工分队队长。他的手中的拐杖，已变得异常光滑，杖头与手把处也短了长长的一截。

有人把李正海找矿的事介绍给了前来考察的美国专家劳斯先生，这位外国专家把那双绿眼珠瞪得好大：“你们中国人是牛，吃的是草，挤的是奶。”

劳斯执意要把李正海的拐杖拿去美国作“永久纪念”。这位美国学者不曾想到，当他拿走中国地质队员这“生命一部分”的拐杖后，那另一部分生命也在向上帝居住的天际飘然而去……

1990年4月——也是金矿大会战的关键时刻，李正海第一次大出血，他没有下火线。

同年11月4日，他第二次大出血。

同年同月18日，他第三次大出血。

1991年，他被调到队部，但依然经常出野外。6月，在去田林途中又一次吐血，不得不住院。

1992年，李正海被任命为对外地质技术开发部总工程师，他仍在为找金100吨的夙愿而拼搏。其间，又第五次大出血。此次医生给他输了4000毫升血，等于整个来了次“吐故纳新”。

1993年7月底，他在赴中缅边境找矿途中，第六次大出血。经全力抢救无效，于8月1日凌晨4点15分逝世，终年53岁。

一颗耀眼的金星英年坠落，百色群山呜咽。

医生剖开他的胸膛时惊呆了：他的肺、胃、肝、胆早已粘连得难以分解，并多处穿孔溃烂。

李正海用自己的生命，换来了百色红土上的座座金山，给广西壮族自治区的经济振兴带来希望。

当然，最受益的是他所在的地质二队。至1993年年底，全队除完成国家计划任务外，以开发金矿为主的对外创收1271.6万元，人均工作量达2.52万元，分别是1984年的8倍和16倍。职工的生活更让人羡慕不已，家属住新房，户户有存款，据说“万元户”“十万元户”不少。这在这穷惯了的地质部落可是不多见的。

最近，该队党委书记又从边陲报来喜讯，二队已在自治区首府划地安营，800余个户口迁入南宁市。

让退休职工和家属子女过上幸福、舒畅的生活——这一招，令全国所有地质队伍为之振奋与鼓舞。

第三章　告别帐篷部落

12

哲学家说，金钱是魔鬼，它可以使人的灵魂腐烂发臭。

经济学家说，金钱是《圣经》，它可以创造人类以及人类的繁荣与幸福。

金钱不是万能的。金钱可以创造万能。

无论哪一种说法更准确，但有一个客观事实是，在实行市场经济的今天，金钱的作用比任何时候更显得突出。它既可以给人们带来希望，同时又可以将人杀死。

某科研单位的一个课题组在川西北考察，因为租不起四轮车，便搭了辆农民开的拖拉机，结果车行半途翻至山崖深谷，三伤四亡，他们是清一色的高级技术人员。

单位领导痛心疾首，说早知道从煤火费中多挤出 300 元钱出来，也不至于发生这样的惨祸呀。

1988 年 8 月初的一天，中国科学院院士（那时候还叫学部委员）、著名地质学家李春昱的一名博士研究生来到导师的病榻前，懊悔地向导师讲了一件事：

这位学生一行五人到大别山采集了大量岩石标本，共计五大木箱。他们满心喜悦，可是归途乘长途汽车时作难了，每个包裹超出 20 斤需另付 10 元钱，五箱标本少说也得七八百斤。

托运费付不起，几个大知识分子想了一个“聪明”法子：木箱改皮包。上车时，几个人背着皮包佯装很轻松的样子。可上车后他们就傻了眼：满满登登的车子无插足之处，于是他们只好背着包站立在那一方小天地。

开始并不感觉很沉，时间一长，几个人先是额头上出汗，再是后背淌水，最后几个人摇摇晃晃差点要晕倒。

下车时，站上的检票员觉得这几个人不对劲，想帮着提一把手。可一提包就大惊："亏你们这些大知识分子还想逃票。罚，每人50元！"

苦了一路还要罚款，最后找了站领导好说歹说，罚了100元，又挨半小时训，才算完事。

李春昱听了直摇头。

8月6日，这位中国地质事业的开拓者，最早将板块构造学说引进中国的地质大师，与我们的世界告别了。弥留之际，他极其艰难地喘着微弱气息，吐出了最后一个心愿："国家的地质事业很艰难……我的存款……要、要用于促进地质事业和推动板块构造研究。"

这是个多么沉甸甸的寄托啊！

无独有偶。

1994年1月16日，中国的另一位地质大师，中科院院士、"何梁何利科学奖励基金"优秀奖获得者黄汲清先生，当他从李鹏总理手中接过一百万元港币的奖金后，即宣布用这笔钱设立"黄汲清地质科学奖励基金"，用于促进中国地质事业和中青年地质工作者科研工作，而他自己在90大寿时却掏空口袋请不起亲朋好友吃一顿烤鸭。

我如此敬佩大师们的义举，然而，我又不断地这样想：靠几个捐款，靠几项基金，对百万队伍来说，它所起的实际作用恐怕只能是杯水车薪（千万别误会我对老先生们的真诚）。

一进地质矿产部大院的正门口，有一座用上等大理石制成的塑像，上面立的是共和国第一任地质部长、当代中国地质事业的开拓者李四光。这尊由当时的国家主席李先念题写碑铭的塑像，曾经让人一见便肃然起敬。可是今天虽然在他面前每天走过的人很多，但似乎谁也没有注意到他的存在。人们匆匆忙忙地在他面前通过，极少有人驻足。我想，如果这位祖师在天有灵他会感到非常寂寞和惊异。

以找到大庆油田这样的大矿而深得毛泽东赏识的李四光是绝对不会明白的。因为在他谢世的20多年后的今天，中国发生了太大的变化。有几次我着意停下来，站在他的面前，默默地对着塑像说：老先生，您的部下现在忙于弄钱了，把您给冷落一边，实在怠慢先师了。我代大伙向您表示歉意。

老先生不回答我。我想他可能感到了愤怒。

其实愤怒的不是他一个人。

戴志，这位比我年轻好几岁的物探队队长，当他断然向全队宣布：功勋物探队从此告别普查、测量，改行搞冰砖、雪糕时，自然遭到了劈头盖脸的怒斥。

他想得太简单了：物探队工作范围就那么大，转了几十年，该做的工作都做了，该找的矿都找了。上级拨款越来越少，编余人员越来越多。吊在找矿一棵树上，功勋队非死不可。既然找矿活不了，干吗不另找出路？

他做得也太简单了：以前多干少干和不干的人拿一样的工资，干好干错干砸一样领奖金领补贴。不行！奖惩应当分明，功过必须清楚。你干得了就干，干不动就退、就辞、就开！

好你个戴志。物探队不搞地质物探搞冰砖雪糕；说不给饭吃就砸锅呀！呸，小子有你好看！

连续几年死气沉沉的物探队一下“火爆”起来，一份打印的由17人联名的“群众来信”，从“杨三姐告状”地——河北滦县飞至“地勘总局”、全国总工会、全国妇联以及中央各大新闻单位。这封“字字血泪”“声声凄凉”的“群众来信”谁看了都会拍案震怒。

“你是物探队队长戴志吗？限你48小时之内必须到我《光明日报》来。否则，我们将全文刊登控告你的‘群众来信’。”北京来的电话，口气比法庭传讯还严厉。

28岁的戴志当队长是头一回，引领功勋地质队的工作转向是头一回，听到如此“晴天霹雳”也是头一回。没用8小时他就老老实实赶到光明日报社。

这是一次比法庭审讯更严肃的对话：

报社：“你为什么可以随便把国家赋予一个地质队的工作职能给转化了？”

戴：“矿难找或找不着了，吃着国家的饭不干活，为什么不可以从事其他多种经营？一则可减轻国家负担，二则可改善队伍生存环境，三则等有了较多的资金可改善装备条件时再为国家找矿，这样难道不行吗？”

报社：“有编制的在职国家职工为什么一个月只44元工资？”

戴：“如果他连44元的价值都创造不出来，你说应该给多少？”

报社：“国家对从事野外工作的职工退休年龄规定为男55岁，女50岁，你为什么提前5年剥夺他们的劳动权利？”

戴：“到市场上闯荡的队伍要精兵强将。爬了几十年山的老职工可以优先享受晚年，我们给的是100%的工资。如果他们身体好，还可以从事第二职业……”

报社的同志笑了：“放心回去干，我们支持你！”

戴志却哭了：“谢谢关照。”

现在，这支在冀东铁矿会战中屡建业绩的功勋队已经被人淡忘，而人们却熟悉那个以生产“蓝精灵牌”冰砖、雪糕而鼎鼎大名的“唐山蓝精灵实业总公司”。

13

这是一个太奇怪的现象。

地质矿产部机关大院在北京繁华闹市西四已经几十年，那块可与穆铁柱比高矮的“中华人民共和国地质矿产部”大牌子也每时每刻冲着大马路亮相，然而我几次在城里“打的”，说是到西四地矿部，司机总要问：地矿部在西四什么地方？

我很愤怒：“西四一带就那么一个大部委机关你不知道？”

司机非常诚实地摇摇头：“不知道。”

“那么珠宝一条街你知道吗？”

“嗨，你不早说。不就是挨着小吃胡同么！”

我为挂了几十年牌子的地矿部悲哀。

我为宋瑞祥部长亲自策划、仅开业了一年多的“珠宝街”振奋。

由此我联想起了一个对百万地质大军来说是个“伟大战略转移”的英明决策。

这个决策共八个字，叫做：一业为主，多种经营。业，即为地质找矿，国家赋予地矿部的政府职能和百万地质队伍的基本工作。后面四个字不用解释谁都懂。

可是在十年前，当“多种经营”这个词，经扛枪出身的老部长孙大光敲定，由接任的新部长朱训宣布时，地质队伍着实震荡了一番。

有人说，我们总算拨开乌云见到了太阳。

有人说，我宁可饿死，也决不叫人捅后背脊梁骂“不务正业”。

某地质队试着办了个临街的食品店，结果生意很兴旺，年底，小店给队上职工每人发了一百元钱外加两瓶酱油。有位副总工程师十分生气地让孩子把钱和物退回去，说我不贪这种钱，拿了就会像酱油一样发霉的。

这位工程师的心态十分典型，几十年来，我们传统的教育与灌输，从来把服从祖国建设的需要，到最边远的地方，从事最艰苦的工作视为无上光荣，并且确确实实在几代人心中树起了为之奋斗、为之牺牲的崇高理想与信仰。

老一代的地质队员均把从事地质找矿视为比生命更重要的一种信仰，他们坚信即便眼下饿得一粒“皇粮”都吃不到，但国家还是会想到他们的，事实上也是应当想到的。那么等吧，等它十年八年不算长。

他们甚至坚信唯地质找矿为神圣，神圣的事业是不能动摇和侵犯的。所以凡是那些非地质找矿的种种花花点子，他们都视为是对神圣事业的玷污和强奸，坚决不能迁就。

有位高级工程师，因队上将他安排搞“三产”，为表示抗议，他每天拿一杆秤，胸前挂着一块写有“我是高级工程师”的大牌子，在菜市场上大声吆喝“找矿的卖豆腐，不要钱来不论斤”一类话，惹得满城风雨。最后队上只好又将他从“三产”请回到几年没有活干的“地质”岗位。

改革也是一场革命，这话没有一点错。中国的改革，最早是在农村，最有成就的是在深圳特区，而目前最难的是国有大中型企业和像地矿部这样的几十年来一直靠国家喂养着的国有传统工业部门。

在这些部门和行业中，过去一味地教诲广大职工以奉献为荣，以言利为耻，因而，一切艰苦和困扰全被理想主义的溶液所稀释。

宽容大度、逆来顺受、听天由命、安于现状的精神状态，被工人阶级最可靠的光环映照得不知东西南北，成了十分脆弱的信仰的支撑点。

他们念惯了计划分配的经，化熟了事业费的缘，脱不下“行业特殊”的袈裟。当来势凶猛的商品经济的狂涛巨澜对其冲击时，还躺在“昨天有功”的安乐椅上泰然处之。

当别人用新的观念、新的行为刺激阿Q式的“英雄主义”时，他们跳了起来，无比愤慨。

在我们的改革进程中曾经有一段令人难忘的惊心动魄的过程，那些过去对党的号召执行最坚决，为国家做出最大贡献的行业，在新的革命面前，他们表现出了最大的阻力，固守着最传统的堡垒。

地矿行业毫无例外，有一段时间内，在中共中央信访处接到的告状信和匿名信中，地矿行业是出了名的多。有人戏言道：一张八分钱（现在是两角钱）的邮票，可以扼杀一场革命。

但是，地矿部的历任党组的头脑是清醒的。他们认为，将国家给的一部分经费集中到为完成国家建设所需的找矿工作之外，地质队要出路，要保证不在新时期的历史进程中“全军覆没”，就必须开辟以多种经营为主要内容的“第二战场”。

谁说三道四都没有用，因为这同样是百万大军的生命得以继续延伸的希望所在。

痛苦在所难免，痛苦必须忍受。

14

百万大军开始拆了帐篷，换了西服，从深山的小路向市场经济的大海涌来。

有人在新的大海中学会了游泳；有人在大海中呛得直吐血，吐血后爬起来继续再游；有人则被汹涌的海浪卷入泥潭，难以动弹……

15

祁连山脚下，有一座美丽的城市。

城市繁华区有一座非常壮观的纪念碑。

纪念碑的碑文镌刻着这座城市诞生的一段经典历程。

某日，一对年轻情侣经过此地，觉得纪念碑很雄伟，于是靠近那儿准备留个影，当镜头里出现那段“经典”的碑文时，他们很懊丧地嘀咕起来：“蛮好看的一座碑，干吗写上地质队什么名字。”男的很主动，拿起一件衣服上前要盖住那段“经典”。女的乐了，认为这样不失为一种景观。

正在这时，一个穿着登山鞋的卖冰棍者愤怒地冲上去扒下那件衣服，纪念碑上的“经典”顿时重放异彩。

年轻情侣火了：“想干吗？我爱怎么照就怎么照！”

卖冰棍者：“自然有关系。没有地质队就没有金昌这座城市！这是专门为缔造这座城市的地质工作者而建的纪念碑！”

年轻情侣听罢，昂起了头：“就算是这样吧，可跟你一个卖冰棍的小贩有什么关系呀？”

卖冰棍者戛然语塞。他想说自己是地质队员，可他为手中拿的冰棍而心凉。年轻情侣走后，他把一箱冰棍扔了抱头痛哭起来。

丢下罗盘与锤子，告别山野，走向陌生的市场，这种巨大的变化所带来的心理冲击与创伤，有时比上高山、攀悬崖更为痛苦。

尤其是头一步。

在部党组的号召下，不管是主动的，还是被动的，或者是强制的，当找矿的地质队员跨出低矮的帐篷，摸出幽深的山崖，走到都市的柏油马路上时，他们蓦然发觉自己仿佛是从另一个星球上走出来似的。

驻某市地质队队长带着办公室主任、秘书、经营科长，登上全队唯一的一辆首长专车——“大屁股”北京吉普，到各有关单位找活。司机开惯了山路，在这柏油马路上走简直就是闭着眼睛也能摸到家。可是奇怪，“大屁股”一到哪儿，哪儿的门卫就是不让进。

队长觉得很怪，我堂堂七品，到你等小小一个乡镇企业，或者科级小局单位，不说夹道欢迎，也总不能拒之门外呀！

“为什么不让进去？”

“你们是哪来的呀？”门卫瞅瞅“大屁股”，看看清一色的“登山鞋”，说：“咱这儿是生产重地，你们是不是拍戏呀！到别处去吧！”“我们是地质队，不是……”还未等说完，人家已把大门关上。里面传来一句话：“什么敌工队，倒像一帮打败仗的小鬼子！”

我的天哪！一车人哭笑不得：人家把我们当“皇军”的干活！可不是：发黄的“大屁股”，发黄的登山鞋，发黄的地质包，还有一张发黄的脸……

某城市也流行过这样一则传闻：诸多单位凡是看到“大屁股”在门口一出现，就拒之门外或大门一关。过去，为了便于野外作业，国家为地质队配的一律是“大屁股”车辆。久而久之，“大屁股”在很多场合成了地质队的同义词。

“大屁股”难看，地质队被都市拒绝——严酷的现实，像一剂强效的清醒剂震慑着百万找矿人！

形态的陈旧，观念的落后，行为的迟钝，已使他们认识到，不改变这一切，不仅那些由自己一手托起的城市要淡忘他们，而且整个社会都会永远遗弃他们这些“帐篷部落人”。

不说“到了最后斗争的时刻”，却也可谓到了生存的边缘。

16

几十年笼罩在头顶的光环已经失色，一切不用再掩饰和顾忌了。

他们不再为卖蒜、卖豆腐感到耻辱。

他们说，我们本来就是搞地质的，凡是地球上别人能干的我们也能干，别人干不了的我们也能干。

革命是要乐观主义。乐观主义并不都是阿Q精神。

1986年2月上海宝钢工地。

一群胸佩“农民工”白色标牌的8人小分队在厂区走着，在他们的身边，是一辆又一辆飞驰而过的“奔驰”“林肯”和穿着整洁、漂亮的白领丽人。

“农民工”有些自卑地低着头，行色匆匆。

在一段污水下水沟前，“农民工”们停下了。他们的活非常简单：在已埋好的地下2米多深的输水管上挖口方井，然后下井截断水管，重新装上一只水表。如此简单的活却没人干，原因也简单：太脏太累。没人干就得耽误时间，负责工程的德国专家很是着急。就在这时，这队安徽来的“农民工”闯入了宝钢厂区。

“干好了给钱，干不好分文不取！”

宝钢有关负责人两眼放光：行。这活给你们了！

“农民工”干得麻利、熟练，像受过专业训练。其实这样的活，谁都会干，只是没人愿干。

早春的上海很冷，水表井刚挖成，那积水很快结了一层薄冰。“农民工”无所畏惧，赤着双脚在没膝的污水里掏呀掏呀，一小时又一小时地过去了，当他们完工行走在大马路上时，八个人只好相互搀扶着一步一步往前挪，像八位刚下上甘岭的伤兵，又像八尊顶天立地的铜像。

“中国人了不起！”德国专家直伸拇指。

宝钢负责人亲自前来慰问：“农民兄弟，你们的工作精神值得我们全厂职工学习。”

“农民工”这时才说：“其实，我们不是农民，是地质队的。”

“地质队？哪个地质队？”

“安徽322队。”

宝钢人大惊：“不会是那个找到马鞍山钢铁基地的功勋队吧！”

“就是我们队！”

“这这……这怎么成。我们现在用的原料还有你们当年找的矿呢！”宝钢人忙不迭地端来热水、热馄饨：“你们是功臣，说啥不能让你们干这类下脚活。”

“没关系。只要能给队上带回点效益，啥活我们都接！”

宝钢人动情地点点头，说：“以后有活首先给你们。”

17

有一句话在地质队非常流行，叫做“理解万岁”。来到市场经济这个五光十色的世界里，他们渴望理解，渴望人们理解他们的陌生，理解他们的甘苦，甚至理解他们的无知与笨拙。

可是，理解不是在所有地方都能轻易获得或者可以索取得到的。

理解需要代价，甚至它的初级阶段是互相沟通前的一种敌视。

1994年4月，我到湖南主持一次文学笔会。参会的作者中有三分之一是来自这个省地质队的同志，他们给我讲了许多队上的事，使我永远不能忘怀。

话题自然首先落到这几年地质队的生存状况——在一个行业工作，见面后几乎无一例外地要问这样一句话：“最近队上怎样？”

“不怎么样！”408队的那位同志很干脆地回答我。

他说，就在一个月前的3月25日晚7时，他们队上的“五四青年号”钻机在广东某重点建设工地被推倒在血泊之中。

早在18年前我在湖南部队当兵时就听说过“五四青年号”这

个英雄标杆机台，当年是周恩来总理亲自在人民大会堂给他们授的旗。关于408队和“五四青年号”机台的事迹，就是另写一部长篇报告文学也并不一定能写完。

我只粗略地知道，40年前的1954年4月，第一任队长王恩耀拉着20多人的队伍，在古称“长富坪”的桂阳县黄沙坪安营扎寨时，那里还只是个黄沙飞舞、杂草丛生、人迹罕见的荒山野岭。当时，这支英雄的队伍为了迅速找到国家急需的矿种，进行了艰苦卓绝的工作，有一位叫苏希球的志愿军老战士，带着尚未取出弹片的身躯来到这里没几天，就在一次施工中壮烈牺牲。那送葬的队伍从西排到东，足足一里多远。队友们埋好烈士的遗体，擦干眼泪又投入了战斗。仅用4年时间，打钻孔230个，为新中国的第一个五年计划提交了101万吨铅锌储量。在1959年的全国群英会上，毛泽东等领导人为该队授予“社会主义建设先进集体”荣誉称号。之后，该队又辗转湖南的南岭北缘，使这一穷乡僻壤变成闻名中外的“世界有色金属博物馆”。在408队走过的地方，仅钨矿一项储量就超过美国、加拿大和苏联同类矿种的总和。如今在这块土地上，中央直属的大中型矿山就有七个，成为湖南省乃至全国举足轻重的工业生产支柱企业。

就是这样一支连续三次获得过功勋队称号的地质队，40年后的1994年在执行广东某重点建设工地施工任务时却遭受到了不公正待遇。

或许是当地人有意欺负外乡人，或许是觉得地质队抢了他们的饭碗，当“五四青年号”机台正干得热火朝天时，当地一群人上门来无理提出要让机台接受他们送的碎石子。

“经理不在，这事不能随便定。”机台的副经理说。

“不好定？那就别在这儿干！”来人很猖獗。

“我们干的是国家重点工程，你说不干就不干啦？我们与业主是有合同的，不干不成。”一位机长站出来说。

“嘿嘿，你可看清楚了，这地盘是谁的？”对方蛮横地叫道：“今天要我们的料你就开工，不要就停你们的机！”

“凭什么？”

“凭我们是这儿的土地爷！”对方跷着二郎腿，大言不惭。

正在双方对峙时，只听远处“突突突”地开来七八十辆摩托车，“呼”地一下将英雄号机台人员住的工棚团团围住。车上的人纷纷跳下车，拿着土炮、猎枪、砍刀、铁棍等凶器，切断电线后，对着正在施工或休息的地质队员大打出手，机台上顿时鲜血飞溅，一片狼藉。在场的二十几名地质队员大部分被打伤，其中一名技术员的头上挨了八刀，背部挨了七刀，两个手指被砍下。另一名工人的头骨被砸陷，一只手臂被砍断后扔出几米……整个工地上，工棚被毁，车辆机械被砸，轮胎衣物被焚，机台四周，血流成河……

这是一个为共和国繁荣做出过重大贡献的英雄集体，竟在远涉千里之外的他乡寻找饭吃的工地上遭受如此残暴的打击！

山在哭，河在咽。

可是，我们英雄的“五四青年号”全体人员为了给远在河南的妻子和孩子寄回几笔奖金，为了让曾经为共和国立下汗马功劳的 408 队明天能过得更好一些，他们从血泊中站起来，包好伤口，修复机器，又重新开始为已签订好的施工合同而战斗……

听到这里，我的心像挂上了千斤铁锤，如此的沉重，如此的悲怆。当时我只有一个想法：总有一天，我要用笔向全社会呼吁，呼吁所有善良的和不善良的人，请你们不要再在心头流血的地质队头上加冰降霜了，他们已经活得好艰难好艰难。一切有正义感有良心的人们，我想都是可以做到的。或许虽然你们根本不知道地质队员曾经是给你带来今天如此富有如此幸福生活的功臣，但作为一个依然在为我们创造物质财富的群体，他们应当有再前进与发展的权利吧？再退一步，即使今天他们都成了社会的“富余人员”，然而作为人，他们是不是也还可以获得最基本的生存权和最基本的竞争权呢？

发发慈悲吧，我的善良和不善良的人们！

陪同我的湖南局小雷同志告诉我，像408队“五四青年号”遭暴行之类事情不是一两起，409队碰到的甚至比这更残忍。

他们一位职工在海南万市县橡胶厂施工地守班，被两名窃贼当场打死……

钻机班长桑显桐在广东海康县境内被一伙不法之徒打断三根肋骨，造成终身残疾……

真是海天当哭。功勋队在闯市场中付出的代价太沉重、太昂贵。

有人说市场就是战场，不是战场是什么？

对地质队员而言，他们遇到的这种“战场”有需要付出生命的，有需要付出屈辱的，有需要付出不公正的，甚至需要付出违背良心的交易。

世俗的偏见，地域的本位主义，行业间的隔阂封闭，利益上的你奸我诈，以及地质队自身观念的陈旧，传统承袭的影响，对市场经济的生疏，像大山、岩石一样质朴、刚烈的性格，都给他们走向市场铺设了一个又一个障碍和沼泽。

他们步履艰难，他们前途坎坷，但他们还需朝前迈进。

18

这是中国水文地质工程勘察院下属水文方法研究所的一份账单：

上级拨款140万元（注：水文方法研究所是国家重点科研单

位，其经费由国家科委直接拨出）。

全年基本支出：376名在职职工加52名离退休职工工资共150万元。

冬天取暖费——28万元。

医疗费——15万元。

水电费——17万元。

电话费——3万元。

房屋财产维修费——12万元。

各种摊派和杂费——5万元。

拨款与基本支出相抵后，该科研所全年缺口90万元。

在地矿行业，科研所是“独生子”，他们享受的是国家科委拨款。我专拣这样一个在地矿行业经费中享有“独生子”待遇的单位的账目列出来，是因为实在不敢把诸多“三孙子”“小媳妇”式的普通地质队的基本经费账目公布于众。如果那样一公布，将太影响我们地质院校每年的招生和毕业分配了！

好吧，暂且藏起“三孙子”“小媳妇”的贫涩吧。我们就来谈谈水文方法研究所这个“独生子”。

老所长孙德钦就坐在我面前。

“什么都不干，大门一开，每年全所就缺口90万元经费。社会上及我们行业内部，曾经有人对地质队搞‘多种经营’横加指责，真是不当家不知油盐酱醋柴米贵。我可是体会太深刻了。”孙所长对我说的时候一副苦相。

“每年元旦新年一过，我的日子就难过。科研人员找我要项目。他们对地质找矿执着了一辈子，事业心强，不找矿不搞科研就像断了他们的命；托儿所的阿姨找我说再不把暖气管道修起来，孩子给煤气毒死了谁负责——那几间旧房子已经20多年失修，报告打了不下五六次；退休老职工拿来一大堆看病的单子要报销，说再不报销就揭不开锅了——不怕你笑话，我也是快 60 的人了，可最怕的是哪个老哥老嫂生大病，一病住院费就是几千几万！平常我这抠那卡不等于零么！”

“唉，说来说去他们都要一个字：钱。可我哪来钱？啥都不干还缺 90 万元，你这东一茬西一茬，可就不是 90 万元、100 万元的事呀！没法，我只好躲。可躲得了初一，躲得了十五么？”

这是一位科研所所长多年来年年难念的经。

为了缺额的 90 万元，为了科研人员那颗赤诚之心、托儿所阿姨那份担忧之心、老职工那份痛楚之心，所长必须站起来率领大伙硬着头皮朝市场走。

可真要迈步时，所长你还得小心。

1993 年的春节又这样过去了，这一天，水文所的科研人员三三两两走进机关大院，准备新的一年在科研领域再显一番身手的时候，不知是谁大声惊呼道：

“啊呀，变天了！变天了！”

众人惊愕：“变什么天呀！”

“你们瞧瞧，咱水文所不叫水文所了，改成保定什么大盛塑料制品有限公司了！”有人往办公楼大门口上方指去。

没错，办公大楼上确确实实挂着一块无比醒目的新招牌，那招牌至少有一米高，十米长，而且正对着行人来来往往的大马路。

“我的天啊，这这这……我们的水文所还要不要了？”一向以身为科技人员为荣的众工程师、众高级工程师、众研究室主任们，仿佛一下被人当作一块无用的脏抹布扔进了垃圾堆一样，顿觉无地自容。

“走，找所长、书记去，问问他们水文所还要不要？科研还搞不搞？‘科技是第一生产力’的话还灵不灵？”

“对，找他们说个明白：到底是留我们这些‘老九’搞科研，还是要那些有几个臭钱就骑在我们脖子上拉屎的老板！”

“有老板就没有‘老九’，有‘老九’就没有老板！走，找所长、书记去！”

一向文质彬彬忍辱负重的众知识分子带着咆哮与愤怒冲向一楼的所长、书记办公室。

其实，关于办公楼上的那块大牌子，所长、书记也蒙在鼓里，当他们听说后，也不由得苦笑起来：“准是刘保安、张金成几个年轻人干的！”

大招牌确实是现已“下海”的原物探仪器研究室工程师刘保安他们挂的。

“我们要办个塑料厂！”还是在前年，一天，刘保安跑到所长办公室，说听了邓小平“南方谈话”，他们再不想指着连肚子也填不饱的科研经费挨饿，想跳出科研所到商海里游一游。

“好啊，我们全力支持！”所长痛快答应。

年轻人干事风风火火，几天就把项目、经营执照给办了下来。可是办厂得要钱，哪有呀？正当刘保安他们为无资金伤脑筋时，由所长、书记和工会主席带头参与和亲自跑下来的 10 万元集资款与 15 万元银行贷款送来了。

“我要是办不好厂，就是当龟孙子也要报答全所人的滴水之恩！”刘保安的心给烧滚了。

后来，厂子办得很红火，保定市政府的几个部门也看得眼红，纷纷入股加盟。不到半年时间，一个白手起家的股份公司——保定大盛塑料制品有限公司轰轰烈烈地宣告成立。

水文所办公大楼上的大牌子就是在这个时候挂出来的。

这样一块大牌子摘还是不摘，全所上上下下可全都看着所长、书记定夺。

孙所长问书记，书记回答：“我看可以不摘。”

“为什么？”

“道理简单：这是咱水文所由纯科研单位开始迈向市场经济与科研工作并进的第一步。这第一步要往后缩，以后就再不好迈步了。刘保安他们挂大牌子事先没跟所里汇报商量，这做法欠妥，但年轻人敢作敢为，大胆向公众亮出自己朝市场经济迈大步的勇气与精神很可贵，应当鼓励。”

孙所长乐陶陶地拍拍搭档的肩膀：“咱俩想到一块去了！”

大牌子没有被摘下来，而且永久性地挂在这个科研所的大楼上。后来，大家也慢慢看顺眼了。再后来，大伙说，有这个牌子咱水文所在社会上好像更合时、更有影响了。

这话不假，刘保安他们的塑料厂如今是名副其实的股份公司了，大公司下面已有十几个分厂，年产值达千万元，产品销往好几个省。这公司牌子响了，水文所当然也跟着沾光。

1993 年年底，我碰到孙所长，他很潇洒地告诉我：来年他不会再为 90 万空额发愁了，因为现在所里已有近一半人不要“人头费”了，反而要上缴利润，“锅里的还没动，大伙的碗里已经满了，我这个当家人的日子当然好过了。”

他的话真让人羡慕。

可惜，全国上千个地质队伍中，像水文所这样只有三四百人，每年尚有国家一定的经费做基本保证，且驻地又在城市，这样天时地利人和俱备的实在屈指可数。

那些上无依靠，下有几百号“老弱病残”，深居边远地区的地质队，他们在市场的大潮中犹如一叶无援的孤舟，忽而漂至浪尖，忽而坠入浪谷，摇摇晃晃，难见遥远的彼岸……

19

1989年，某困守在西北山区的地质队，在大举开办饭店、旅馆之后因“节节败退”，又动员各家各户以倒菜、倒蛋为业全线出击，不久又“全军覆灭”。队长挥泪一甩手，说：“咱在这鸟不垒窝、猫不拉屎的地方，啥都搞不成。把输剩下的钱凑一下，我们到海南去，听说那儿倒块屁股大的地皮，也能赚大钱。咱也去试一把，有命上梁山，没命下海南。”

“这……行吗？”有人疑问。

“什么行不行，世上就没明摆着的事。成不成我顶着！”队长借着几分酒意，拍着胸脯号召道，“就看这一回了，大家一起把钱凑一凑。”

一千来号人，翻箱刮肠三天，凑得20来万元，队上又拿出20万资金。队长带着这些钱和几位“精明”的助手，跨山越海来到了海口。

他们住在一个最低档的小旅馆，每天寻求当地热门的房地产信息。客户一个又一个洽谈，可又一个接一个地走了，他们不明白是怎么回事。

“瞧你们住的吃的，哪像是‘房虫’，倒像是屎壳郎——哪儿臭哪儿钻。”当他们去问时，别人斜着眼这样说。

“搬！搬到五星级！”队长来火了：“咱也算一个堂堂的县团级单位，有头有脸的国家功勋队，就这样被别人踩？搬，立马就搬！”

OK，那五星级宾馆的房间堂皇华丽，气派非凡。他们一租便是两个套间，门上特意还挂起一块闪闪发光的铜牌，上面写着“××省××队驻海南办事处”。下面还有一行红色的“国家功勋地质队”字样，格外醒目。

金色的牌子，金色的历史，加上金色的脸面——这是客户的恭维（他们不好意思说主人的皮肤如同沙漠复制品），顿时门庭若市。

“哪儿是‘房虫’，你们是西北来的‘大龙’！签，跟你们这样的名家合作我们一百个放心。”客户像是见了大老爷，毕恭毕敬地拿出一份合同，说只要上面一签字，再交上30万元定金，海口一块最好的地段就是他们的了。

队长好生高兴，说签。找会计拿钱时，他猛然多出一个心眼：他在一位助手耳边说了几句，助手会意地出了门。

“来来，为祝贺我们合作成功，合同签字应当有个隆重仪式，咱们到楼下大厅怎么样？”队长提议。

客人三呼“OK”，并夸队长有大家风度，日后必定风云海南，大发其财。

大厅内乐队齐鸣，礼仪小姐楚楚动人。“丁零零——”队长久等的电话来了。

“怎么样？”

“是真的，他们的公司在工商局有注册，办公地方我也看了，很像样。签吧！”

那是助手打来的电话。队长心里的一块石头总算落下了。

签！签！哈哈哈……

三天后，当队长他们正准备将那块“风水宝地”转让给别人时，天上的雷打响了：“什么，卖我们地的公司破产了，地也不是他们的？我的妈呀！”

队长一听就瘫倒在地。他还没醒来，宾馆的服务台又打来电话，说他们应该交房费了。

当一行人从“五星级”宾馆搬出来时，他们随身带来的40万元已经只剩了4元，平均每人8毛。

“我，我怎么回去向队上交代？那可是大伙的命根呀！”队长哭得死去活来。半夜他趁人熟睡时，独自溜到海边，想一死了之。

后来，遇上了巡警，才被救上岸。

五人无颜回队见江东父老，只好在海口以打工为生，好在他们都有一身工程技术，那时候，海口又到处大兴土木，在某建筑工地上，队长和一名技术员帮助施工单位解决了一个难题，为业主避免了100多万元的经济损失，主人慷慨地拿出20万元奖励他们。

谁也不敢再用这笔钱了。后来他们想方设法，拼死拼活又挣得20万元，便一溜烟离开了海南，回到队上原原本本将40万元还给了职工和单位，从此再也没有动窝。第二年，队长辞了职，离开了这个队，听人说半年后有人在浦东工地上见过他。

队上随他到海口的四个人达成一个协议：谁也不准对外人谈论在海南所发生过的事，就是亲娘老子也不例外。因为我是“特殊的外人”，又非在一个系统，同时答应了“保守秘密”之后，他们中的一个人便向我透露了这段经历。

其实，这也没有什么秘密可言。在通向市场的路上，大山里来的找矿人在外吃亏上当的绝非一两例。

商海呛人，得付一笔必须付的学费。但是找矿人付的这笔学费比别人更昂贵，更让人怜悯。

20

“要奋斗就会有牺牲”——这句话在许多人耳里听起来似乎很遥远了。

可是，在今天那些正在闯市场的地质队里，队长们还常把毛泽东的这话当作勉励队伍去勇敢地克服困难、迎接光明的动员令。在这并不时髦、但却震撼山河的动员令下，千千万万个地质队员背负着个人的荣辱，用其饱经风霜的瘦弱躯体，为民族、为时代分担着本不该属于他们的千斤忧愁。

在北国某地质队，有一位下岗的女工，迫于生活她到了市内一家舞厅作陪舞。每日夜晚，她由丈夫用自行车驮着到娱乐城“上班”，陪一位客人跳一曲挣五元钱。为了全家三口“待业”者，她每晚都要拼命地支撑到第二天凌晨两三点，而她的丈夫准在舞场外的冰天雪地里等她“下班”，再把她驮回家。每当此时，他们的女儿早已熟睡。后来孩子知道了妈妈的“工作”，哭着说什么也不让妈妈再去上那种“班”，宁愿自己辍学……

“咋办呀，队上有困难，我们当职工的总要担点个人牺牲吧，要不地质队不垮得更快么。我不忍心看着单位垮，那更没盼头……”女工用这话回答孩子，回答别人，也回答她自己。

我想，这位女工的行为，难道不是一种崇高的牺牲精神吗？回答应当是肯定的。

历史进入一个伟大的变革时代，总有一些人受益，总有一些人损失。从某种意义而言，实行市场经济，对地质队这类以往在计划经济中受益的国家事业型单位无疑是生死攸关的。然而，我们的地质队伍在这种命运的生与死的重新抉择中，尽管他们丧失了几乎包括饭碗在内的所有一切，然而，他们始终没有丧失支撑着自己继续顽强生存的民族精神。正是这种勇于自我牺牲的民族精神，才使这支英雄的队伍躲过了“全军覆灭”的厄运。

他们说，我们不但要活着，而且要活得潇洒，活得堂堂正正。

21

1991 年 4 月，在地矿部三楼部长会议室。

一个紧急会议正在召开，参加会议的有宋瑞祥、张文驹、张宏仁、张文岳等部长，气氛异常沉闷。

会议桌上放着一份新华社红头《内参》和副总理邹家华的批示。《内参》是根据新华社驻伊斯兰堡的一名记者向北京发回的一份急电而整理的，大意是：

……由地矿部直属的中国地质工程公司和巴基斯坦两个集团联合承担的巴 CRBC−62、63 号水利工程，由于投标经验不足、开工后的组织管理与指挥不善，原定的三年零十个月工期，现已时过二年多，完成工程量仅为项目工程总量的 20%，目前我方可走的路为两条：一是按国际惯例，向巴方赔偿巨额的毁约金；二是继续干下去。可按以往的施工进度，中方还需要 8 年时间方能完成其全部工程量。届时中方累计施工 11 年，不仅没有丝毫经济效益可言，而且同样要赔偿一笔延续工期的巨额资金。两笔赔偿均在千万美元以上。

此工程对中方来说，已是骑虎难下之势。然 CRBC 工程是巴基斯坦的一项特大型水利工程，对改变该国北部地区的干旱将起到举足轻重作用。巴方有关部门和当地人民对中方延误工期表示极为不满，屡次通过外交途径照会中国驻巴机构，影响极坏。为此，记者紧急呼吁国家领导人及早过问此事，并责成承揽该项目的地矿部有关单位迅速做出决断，采取行之有效的措施，以尽可能挽回中方在 CRBC 工程上的巨大经济损失，重新在巴国人民心中树起中国人的形象。

当时投标时是怎么搞的？

经营中出现了问题又为什么不及时采取措施？

邹家华副总理的批示极为严厉。如此巨大的经济损失和关涉中巴两国关系的项目，作为主管工业部门的副总理怎能不拍案动怒？

巨大的压力压在了地矿部部长们的肩上。

千万美元是什么概念？等于20万地质职工全年的工资额！看着国内地矿行业百万队伍流血流汗，受怨饮耻，为啥，不就为一个钱吗？因为贫穷，多少科技人员无奈只好放弃心爱的事业去摆摊卖菜，风餐露宿。可现在，国外一个工程，就要赔千万美元，让几十万人勒紧裤腰带！这滋味就差没让部长们哭一场。

“撤！这类无能之辈早该撤了！”主持会议的宋瑞祥部长重重地添了一句：“中国人对外开放起步时间不长，但丢人现眼的事不少，总不能让别人骂我们中国地质队是熊蛋吧！——事实上人家已经骂得够臭了。必须立即换个过硬的项目经理！”

“我同意！”

“我赞成！”

几位部长意见一致。

CRBC工程干到这个份上，换谁能去收拾那副大烂摊子呢？这是最关键和最棘手的问题。

派谁呢？咱地矿系统有谁能去扭转乾坤，挑此重担？

“孙金龙！我看孙金龙行！”宋瑞祥突然想起了一个人。

“对，此番咱地矿部在巴国成败非他莫属了！”几位部长异口同声。

孙金龙何许人？为何他能得到部长们的如此赏识。

孙金龙乃辽宁地矿局坑探大队人，此时的职务是该坑探大队的大队长、党委书记、总工程师。兼三职于一身的孙金龙，实际上是一个年方29岁的“小字辈”，可是此人不简单。

1986年，他走出中国地质大学研究生院大门，完全可以留在京城教书，可他坚持要求到条件十分艰苦的辽宁地矿局坑探大队。何谓坑探？就是专司“挖山掘洞”之职。一个名牌大学的研究生，去这样的单位，足见其非一般的志向。

那“挖山掘洞”是没有半点玩虚的脏活、累活、危险活。坑探队的职工一个个粗壮无比，大碗肉大碗酒，性格粗犷口无遮拦。大伙儿瞅着孙金龙，心里想：京城里来的大知识分子，又是个小个儿，能干啥呀！可他们发现，孙金龙与大家毫无二致，那几十斤的凿岩机，他抱在怀里一干就是半天；爆破点爆破，胆子小的人往后退，他背着导火线第一个上去点火；他面不改色，聚精会神地蹲在前沿观察琢磨，直到想出点子把险情排除……

“哥们儿真是一条龙！”工人师傅们把孙金龙称为自己的哥们儿。

毕业下队不足两年，25岁的孙金龙便成了一名“县团级干部”——坑探大队技术负责人兼副队长。

此间他带领队伍承揽了东北第一公路大隧洞的掘进任务。那隧洞全长1627米，断面60多平方米，是地矿系统第一次对外承接的那么大截面和长度的隧道工程，好多人为此捏汗。可孙金龙挂帅此阵干得利利索索，提前大功告成。这一仗不仅为地矿队对外创收打出了名声，处于困境中的坑探大队更是“柳暗花明又一村”，在工程界被誉为“东北虎”。

1989年，27岁的孙金龙成为坑探大队“最高司令官”，又是全国劳模。他在参加团中央、国家教委组织的“奋斗者足迹报告团”时，得到江泽民总书记等中央领导的赏识。

“马上把孙金龙调到北京来，迅速让其做好赴巴准备。”宋部长指示道。

“我马上去办！”宏仁部长站起身来，说：“现在孙金龙还在秦皇岛引青济秦工地。”

“引青济秦工地？那里情况怎么样？”宋部长十分关切地问。

“打得漂亮。尤其是孙金龙那个队。”

宋部长露出了满意的笑容。

秦皇岛，热火朝天的引青济秦工地。

这是一项经万里委员长亲自批准的国家重点项目。它的任务是把秦皇岛市郊外的青龙河水引入市内，以解秦皇岛市日益缺水的燃眉之急，总投资达数亿元人民币。如此一项重点工程，原本没有业务外行、装备差的地矿队伍的份，可偏偏给孙金龙插上了一刀。

市长兼引青济秦工程总指挥丁文斌开始并没有把孙金龙放在眼里，只是当时他觉得这个小伙子有股犟劲，便留下200米“硬骨头”让他啃着试试看。

“二百米？行，二百米我们也干！”孙金龙走出市长办公室，当日回到辽宁朝阳的队部驻地。

“同志们，这次跨省远征，如果说不是为了挣钱，那是假的。可我要让大伙明白，揽这项工程对我们辽宁坑探大队来说，意义重大深远。”腊月寒风中，金龙对即将出征的一百多名年轻力壮的勇士们和前来送行的全队职工家属们动员道：“说它意义重大深远，是因为我们这些搞地质的人在山沟里窝得太久，现在该出去闯海了！我们一定要打出水平，打出威风来！大伙有没有信心？”

“有——”全队勇士和家属们齐声高呼。

“好，出发！”孙金龙一声令下，顿时，由十几辆汽车组成的远征队伍在锣鼓鞭炮声中，雄赳赳地出发了。

队伍初到工地，连个安身之处都没有。全体人员只好在一座破窑洞里和衣过夜。工地上，如此“小兄弟”没人看得起，坑探工人们早憋了一股劲。一条倾斜35度、长65米的斜巷，处在火成岩堆积层，地下水发育旺盛，尽是破碎带，早有几个“王牌”工程队惨败收兵。孙金龙把导师教的和自己在实践中成功应用的国际先进技术“新奥法”用上，结果18天一举完成斜巷，创全国地勘行业巷道掘进最快速度。“引青济秦”工地上下震动，前线指挥部负责人亲自到队上宣读嘉奖令。

至此，这支“小兄弟”被人刮目相看，丁市长心里更是乐滋滋：当时留下小孙这着棋下得妙！

两个月后，孙金龙的队伍完成任务，准备班师回队，他们撤离工地的热闹程度不比离开朝阳时差。丁市长闻讯后，半夜来电话："小孙，你们不能走啊！还有任务要给你呢！"孙金龙一听乐了：丁市长啊丁市长，我压根儿就没想撤。工程这么大，我的队伍还饿着肚子呢！

此时恰逢新年元旦之夜，丁市长专程赶到孙金龙队上，一边与大家包着饺子一边念苦经道："小孙啊，从今天算起，离我向全市人民立下的3月15日东线通水的军令状时间，只有25天了，可一号洞打了几十天至今仍无进展，请你再帮我一把，行不行？"

望着两眼熬红的老市长，孙金龙动情地点点头："一个星期之内我给你拿下一号洞！"

丁市长没有说话，把剩下的大半碗饺子倒进了孙金龙的碗里。

元月3日，孙金龙率精干分队，开拔到一号洞工地。别人干了几十天没能拿下的大断面开凿，他们在当晚居然一次成功！

孙金龙和队友大喜。深夜11时许，电话铃又响起。

原来是市长打来的。"市长，你怎么不说话了？市长——"孙金龙发觉对方没了声音。

"……5号洞又受挫，我刚从那儿回来，他们干不了。老孙，我代表全市人民想、想拜托你再调人马，火速援助5号洞。老孙啊，你一定要答应啊，老孙！"

孙金龙清清楚楚地听出对方是在哽咽着说话，这位年轻人心头一颤：一个满头银发的老者，一个管辖百万人口的"父母官"，连连几声屈尊称比自己年少一半的晚辈为"老孙"。

"市长，没说的，就凭你这深更半夜打电话到前线工地的劲头，我和辽宁坑探队的同志啥苦没吃过，只要您和秦皇岛市人民看得起咱，我们啥都可以干！"

5号洞的难题又被解除。孙金龙和他的“东北虎”队再次成为百万秦皇岛人心目中的英雄。

可是，巴基斯坦的CRBC工程却怎么也无法与捷报频传的“引青济秦”工程相提并论。

孙金龙的面前是一座难以逾越的高山。

一架银燕飞越世界屋脊，抵达巴基斯坦。然而，这个中国的友好邻邦此次却一反常态：他们拒绝接受“中国英雄”的到来。CRBC工程使巴基斯坦人对“中地公司”的人完全失去了信心。

尽管颇有外交经验的中国翻译把新上任的总经理孙金龙的年龄由29岁改成了36岁，但巴方国家水利开发署（WAPDA）对一个“小个子的年轻人”仍不抱信心。

“贵国承担CRBC-62工程过去用了三支队伍，花去了三年时间才完成了20%的施工量，我们不相信有一个魔术师会在10个月中干出三倍于以往的工作量总和的奇迹来。除非孙是个超级魔术师。”巴方官员用嘲讽的口气对孙金龙说。

会议气氛十分紧张。

“那么好吧，我们用事实说话！”孙金龙站起身，离开巴国首都伊斯兰堡，直奔工地现场。

孙金龙举目远眺那浩大却又瘫痪着的CRBC中方工地，再看看二十几个可怜巴巴的残兵与几件扔在泥里的破旧的设备，他的眉头皱了起来：实际困难比想象的要严重得多。

一切的一切，人心涣散是最可怕的天敌！

当晚，留在工地的二十几名“中地公司”残兵败将被叫到了一起。

“从今天开始，大伙谁都别想抱了‘三大件’就回国了事！看看眼下我们的工程这个熊样，谁回去了，即使能带上几大件，可那是打了败仗当逃兵回去的，有什么值得光彩的？我——孙金龙从现在开始，愿同大伙一起，把小命搁在这儿，干不好CRBC工程就不回祖国见亲人！有愿在工地上真正干出个中国人样来的，就留下来。谁要是有脸有皮当逃兵回国的，现在举手，我绝不拦。明天就可以走！”

大伙愣了，没想到新经理果真不一般，“人家是响当当的全国劳模啊！”有人伸出拇指。

“只要能干出个样来，为中国人露脸，我们就留下来！”众人异口同声，情绪被调动了起来。

“好！”孙金龙不愧是屡次带队伍南征北战的骁将，他重新对人员进行了调整和部署，并订出上任第一个月的指标，全月完成货币工作量不少于800万卢比（巴基斯坦货币），争取1000万卢比。

“我的妈，这可是以往五倍的工作量呀！”

不少人吓出了一身冷汗，“他想扒我们的皮吧！”

“不脱几层皮，就不是咱中国地质队员！”孙金龙斩钉截铁地说：“指标不能动摇，必须坚决完成！”

狗急了要跳墙，这人逼急了还真会登天。

中国人这下可玩真格的了！巴方民工和官员们看着工地上一改往日那半死不活的情景，好生惊诧。

那是CRBC工地上从未有过的战斗场景：

没有了白天。

没有了夜晚。

只有此起彼伏的“嘿……哟”的劳动号子和隆隆轰鸣的机器声。

月末，统计员将工地各项目上交来的报表一汇总：全月施工货币工作量超过1000万卢比。

消息传出，工地沸腾，巴方民工纷纷从地上跳跃起来，万众高呼：“真主保佑！真主保佑！”

“密斯特孙，你是了不起的魔术师。”所有受感动的人中，最兴奋的要算巴方 WAPDA 的官员们，他们因 CRBC 工程受到的辛酸与冤屈并不比中国人少。

指标在成倍地增加，施工速度呈直线上升之势。工地上的中国人从来没有如此扬眉吐气过。“咱是中国地质队出来的，啥时差过。”有人开始牛气起来。

正当孙金龙他们干得更欢时，一场突如其来的大洪水像脱缰的烈马，向正在施工的渠区咆哮而来。刚刚筑好的 1 号导拱出现紧急险情，漩涡挟着泥沙在水渠底下呼啸奔涌，一旦崩裂，几个月的拼死会战将化为泡影。

此时，唯一的办法是下水探明拱孔是否被冲垮，方可尽快采取对策。然而那是一次赌命——险情太重。

“谁下去，给一百卢比！”

巴基斯坦民工们探探舌头，没人敢应战。

“二百卢比！……三百卢比！”

还是没人应战。险情刻不容缓！

“别嚷了！”孙金龙赶来了，他把衣服一脱，令一名助手拿来一瓶“二锅头”，然后，“咕咚”几下，将空瓶一扔，腰间系上一根绳子，让几个队友拉住一端，自己便纵身跳进呼啸的漩涡中。

“孙经理，小心啊！”

“真主，保佑密斯特孙吧！”岸上，中国队友、巴基斯坦民工们的心此刻全部悬在嗓子眼儿。

一分钟、两分钟、十分钟、二十分钟……等孙金龙摸清情况，被人用绳子吊起来时，他的脸上、身上铁青铁青……

“中国人了不起！了不起！”成百上千的巴基斯坦人情不自禁地将孙金龙等中国朋友簇拥起来，一双双溢着热泪的眼睛充满了敬意。什么是友谊？这就是！什么是朋友？这就是！什么是英雄、壮士？这就是！

热火朝天的 CRBC 工地上，中国的形象重新树立起来！

1992 年 6 月的日历最后 10 页尚未被撕下，在孙金龙统帅下的中地公司承包的 CRBC 工程施工任务已全部完成。喜讯通过电文传到巴 WAPDA 官员那里，他们简直不敢相信。第二天，大小官员亲临工地一看，可不是，全完工了！

巴基斯坦的“水王”来了，中国驻卡拉奇总领事来了，“亚行”的官员来了。“请问密斯特孙，你为什么能在短短的十个月完成了以往三年间所完成工作量总和的三倍？为什么明明白白要赔几百万、几千万美元的工程，在你孙金龙手里不仅没赔钱，反而还盈利了 20 多万美元？”

“孙，你是中国的大魔术师！”

不，我只是一个普通的中国人。孙金龙这样自豪地回答道。那脸上，充满了一名中国地质队员在艰难旅途中少有的微笑。

他甩下额上的一把汗珠，仰望蓝天。他感到空气是新鲜的，还带有几丝苦涩的味儿。

第四章　期待回归

1957年5月17日，这一天对许多人来说并没有什么特别。

那是个黄昏的时分。

……我们有火焰般的热情，

战胜了一切疲劳和寒冷，

我们满怀无限的希望，

为祖国寻找出丰富的矿藏……

春风下的长安街上一阵嘹亮的歌声，随着一辆大轿车飞进中南海。在一个朴素幽静的会客室里，50多位即将奔赴祖国建设第一线的北京地质学院毕业生代表，围拢在人大常委会委员长的身边。

“少奇同志好！”

“好，你们好吗？”

“好！”

“你们当然好啰。三个臭皮匠，才能合成一个诸葛亮。你们是‘地质匠’，恐怕三个诸葛亮也未必合成得了！”

一句亲切的开场白，将一切紧张、拘束抛至云霄，换来阵阵欢笑和拉家常似的有趣问答：

“地质勘探工作是个什么工作啊！”委员长站了起来，那只拿烟的手，习惯性地随身转了180度，然后朝空中一扬——

“我打个比喻：从1927年起我们党的同志打了20多年的游击，从没离开过枪。打游击很苦，过着野外生活，吃饭、穿衣……都有很大困难。今天的地质勘探工作和这差不多，可以说，我们这些人在革命初期是游击队，而今天的地质勘探工作者是建设时期的游击队！

“过去大批党内外的同志打游击打出了中华人民共和国。今天，要建设就要搞地质勘探，这就是说还要去打游击！”

委员长坐下来，拍拍身边的何长工说：“他是你们的副部长，还有千千万万的同志打了几十年游击，何老的腿就是打游击打残的么！”

烟熄了，那手在空中更有力地挥动起来：

“现在轮到你们打游击了。你们是建设时期的游击队、侦察兵和先锋队！”

“打游击是很苦的。不过，你们受些苦，是为了六亿人的幸福啊！你们说，值得吗？”

“值得——”

委员长和年轻的地质队员们像水一样交融着，像火一样燃烧着，像海一样汹涌着。

那是一个难忘的日子。

那是一个难忘的年代。

就像领袖谆谆叮咛反反复复提到的那么多“苦”字一样，他们的人生命运，从一开始就注定了与苦字为伴，与苦字为旅。

那时，轰轰烈烈的大工业革命浪潮，激励他们把苦当作一种荣誉，一种幸福。然而，同样的一个苦字，在40年后的今天，留给地质队员的却是另一种滋味。

当年，一位志愿军战士，当他与整列火车的战友一起从朝鲜战场回到祖国西北边城时，随着一声“就地转业，安家落户”的命令，他来到了省地质局报到——他光荣地感到自己找了一个“最艰苦的行业”；到局里后他向领导申请并得到批准，到了一个中蒙边境的地质队——他光荣地感到自己找了一个“最边远的地区”。到队上后他要求并得到同意当上了一名钻探工——他光荣地感到自己找了一个“最艰苦的工作”。

当这位英雄战士第一次站在高高耸立的钻塔面前，看着隆隆飞旋的钻杆，他激动得热泪盈眶。当晚，他在给远在西子湖畔的未婚妻的信中这样写道：“亲爱的，你知道吗，昨天，我是世界上最幸福的人！”

35年后的今天，这位“最可爱的人”和“最幸福的人”，因为队上不再有钻孔可打，搞多种经营需要脑子灵活的能人，只会开钻机的他一夜之间被“优化”下来，全家几口人指望着他拿的60%工资无法支撑，于是他无奈地干起了前几年我们在街头常看到的那种倒鸡蛋买卖。一次，局里干部见他后关切地问他有什么感想。他瓮声瓮气地说：“优化我是应该的，是上面的政策，我拥护。我是老兵，是党员，我不会给队上找麻烦，我不会捣乱的，再说，我现在已经学会了倒鸡蛋……”说完，他竟双手捂住脸，号啕大哭起来。

我打听到，他所在的那个地质队，曾经在祁连山为共和国托起了两座被邓小平誉为“难得的金娃娃”的矿山城市，一座是我国西北地区的第一个钢铁基地——酒泉钢城，一座是闻名世界的“镍都”金昌市。

这是一个非常让人感到沉重的故事。

其实，在投入这篇报告文学的写作时，我的情感世界同样经历了一场前所未有的苦旅，它比我当年第一次失恋更能震慑和颤动我的心境与灵魂。然而我清楚地知道这样一个事实：作为一名舞文弄墨者，我对这种“苦旅”的体验，仅仅是关在斗室里的一种心灵历程。它比起为国家建树功勋的百万地质队员，实在算不了什么。

我之所以愿意冒着一种有可能被某人某部门某领导视为“着意贬低功勋队”和“给改革开放抹黑”的大逆不道的危险，来批露这些详情，是因为我在采访、了解和写作中发现我们的祖国建设先行官、“游击队员”们，虽然他们的昨天或者目前的境遇暂时是那样令人叹惜和艰难，有些甚至还可以说很严峻、凄惨，然而，他们在为祖国建设奉献终身的崇高使命驱使下，忍辱负重、锐意进取的美德和精神，倘若不去褒扬与歌颂，我简直怀疑自己是否有能力再去从事别的什么！

改革是一场革命，一场关系到每一行业、每一部门、每个角落、每个人的利益和命运的深刻革命。它如汹涌澎湃的浪潮，冲击和涤荡着所有在这一历史进程中继续存在的旧阁楼与刚刚崛起的新庄园。或许有人在这种冲击与涤荡中升腾起大放异彩的海市蜃楼，或许有人坠入暗无天日的海底深谷。今日的海市蜃楼，并不排斥变为明天的一团泡沫；暗无天日的海底深谷同样可以升腾出五光十色的异彩。

革命有情，革命无情。革命带来阵痛，阵痛之后是新生。

写到这里，我心头蓦然蹿出一个奇想：倘若世上的生灵没有了那种新生之前的阵痛，是否就没有了生命的延伸、历史的延伸和时空的延伸。这是一个有趣的问题。

于是我请教了接生的大夫和生物学专家。

大夫说：就母体而言，在新生儿出生前的那种阵痛，是一种升华的感觉，既有恐惧又有快感。

生物学专家说：作为生命的新陈代谢的过程，阵痛的本身就是生命的一部分。

真是富有哲理的阐述。他们的话使我陷入“苦旅”许久的沉重的心，仿佛得到一种释然。它让我从国家功勋队伍昨天和眼前历经的一个又一个艰难与阵痛中，看到了希望与辉煌的延续。

其实，这种希望与辉煌的延续，已经在中国的地质行业开始呈现。

从 20 世纪 80 年代初开始，特别是近年间，作为这个行业的首脑领导机构的地质矿产部党组，没有一天停止过改革与自救工作。第一任部主要领导总是一方面利用各种场面、各种会议，到处为提高地矿工作的社会地位游说，千方百计地从“财神爷”那儿争取到哪怕是多一点点的经费，并且不断直言相谏向国家权力机构要采矿权，要地质成果有偿使用权；另一方面又深挖自身的潜力，从优化队伍到调整产业结构，从抓“安居工程”到“一业为主，多种经营”，从“一队一矿”到“先脱贫，后小康”等一系列措施，在地质找矿与脱贫自救方面取得了举世瞩目的巨大成就。新时期的 16 年中，尽管百万地质大军自身的生存环境与外部的工作环境，都陷入严重困境，但仍每年照常超额完成地质勘探任务，为国家建设提供了急需的矿产资源，发现了诸如胶东半岛、小秦岭等储量丰富的黄金基地，以及塔里木油气田，东海、黄海和南海油田等跨世纪的重要资源区。在实现找矿重大突破的同时，队伍的生产能力与自救能力也有了可喜的进步和提高。仅以 1994 年为例，全国地勘单位的人均货币总量达到了 31084 元，比 1984 年增加 4 倍多。地勘费资金来源也由以往单一的国家拨款一个渠道，变成了多渠道。1994 年全行业的地质市场与多种经营总收入达到 64 亿元，超出国家计划内经费的一倍。一大批地质队开始走出困境，并且涌现出了相当数量的不再以找矿谋生而是在市场经济建设中具备强有力竞争优势的新型队伍。

我们绝对不能用学生和会计式的眼光来看待这些数据。透过如此几串阿拉伯数字，它使我们明白在一座座新崛起的金山和一个个新发现的油田背后，是一支拓荒和造福的队伍，他们用生命的全部，竭尽所能，在为我们的饭碗与餐桌上多添几块肉，为我们的城市与乡村多增些色彩，为我们的时代列车多加速而流血、流汗、流泪……

流血，释其生命；

流汗，释其体力；

流泪，释其心之酸、情之哀、境之窘。

古人曰：释血、释汗、释泪者，为天下之大悲大彻也。

今天百万地质队伍的处境不正是这样吗？他们一边要为国家建设不断寻找新的矿产资源，一边又要面对因为找矿而使自己陷入的穷途末路。这种力和情、心和思的双倍消耗，正是融于天地间的大悲大彻。

尽管上面所列的一串阿拉伯数字令人振奋，但它丝毫没有改变中国地质队伍今天和明天依然存在着的出路问题。

从毛泽东指示李四光“把地质部办起来”至今，新中国的地矿业整整走过了40年。40年来，虽然“地质部”的牌子挂挂摘摘换了好几茬，但它自上而下实行的体制与适应机制却几乎是原封不动的“老大哥”模式和计划经济的产物。像与国民党反动军队最后的大决战那样，我们党和政府在建国初期，因为大工业建设急需矿产资源，于是地矿行业在统一步调下的“人海战术”得到了毛泽东等第一代领导人的高度赞赏。

“在革命时期有几十万人打过游击，打了几十年。现在为建设搞地质勘探也要几十万人，干几十年！”——在这样的游击思想指导下的“人海战术”被迅速地推波助澜不断汹涌起来，新中国的地质大军果真从解放时的不足600人，到80年代初就发展到了100余万兵马。如此庞大的队伍，在第一、第二个五年计划时期，它体现的是优势，从第三个五年计划开始，原有的优势已不复存在。从1985年之后，随着社会整体的现代化发展进程，国家的资金投向已不再是一些基础工业。长期以来一直依靠政府灌饱肚子的地质队伍，此时一方面碗里的饭越来越少，另一方面队伍的膨胀呈恶性势头，加之外部的经济结构调整，僧多粥少、无米之炊的现象普遍出现，队伍从此一蹶不振，陷入泥泞。

由于长期实行事业单位机制，以地质成果为主的生产力形成不了商品交换，地矿行业的日子较之步履维艰的国有大企业更加难过，并且到了无法维持基本生存的地步。

计划内的任务，得不到足够的投入，造成地质找矿规模的萎缩。物价的飞速上涨和政策性增资等因素，使本来并没有增加的国家拨款日趋贬值。如1987年国家下拨90元地勘费，到1994年只能办30元的事。1987年钻探一米的单位成本为150元，到1994年达到了1500元！每年国家给的还是那么多钱，可地质队还能干什么呢！抱着“皇粮”这口大锅，其结果只能是王小二过年，一年不如一年。

反之，地质队的另一大块的支出却从“七五”计划起居高不下。尤其是离退休人员的迅速增加——50年代的老地质队员在90年代几乎是一夜之间全都退休了。

老同志该退了，退之前照顾性地晋升一级——队长的支出单据上猛增了一笔。

老同志不爬山了，毛病却从周身骨缝里钻出来——医疗费一项吓得会计直喊妈。

账上没钱，矿可以不找，但老同志的工资、医疗费不能不发、不报。于是，在岗的职工便开始无米之炊……

或是去浪迹天涯，或是去面壁发呆。

出路在何处？

——出路在改革。改革自身的机制，调整内部的结构，练内功，求发展之路。

“小发展大困难，大发展小困难，不发展难上难。”宋瑞祥部长如是说。在20世纪末和21世纪初的相当长一个时期，地质勘查工作依然是整个国民经济建设的基础和先行，倘若谁忘记或者错误地认为“找矿工作不再重要”，那么历史将会无情地惩罚他！那时，有困难和危机的将不再是一个地质队伍，而是整个国家，整个时代进程。

好一席振聋发聩的警世之言！

是的，尽管地质队伍目前的生存环境并不理想，队伍也有待精干，但作为国民经济建设的基础与先行，地质找矿仍是一项关系到我国的现代化进程能否顺利地进入21世纪的重要工作。

联合国的人类与发展调查机构指出，未来的世界性社会发展集中体现在人口、资源、环境三大问题上。其受制约的程度越深、越大，国家的发展就越缓慢。

中国面对“雄鸡”形的巨幅地图，已经在世人面前夸耀了近半个世纪的“人口众多，地大物博”这八个字，在五六十年代，它确实使一穷二白的中国人通过顽强的拼搏奋斗，一次又一次挫败了外来的重重压力，使中华民族成为屹立于东方的巨人。

然而进入70年代以来，中国人突然发现人多并不再是什么好事，相反，接踵而来的人满为患，使政府不得不采取强硬的手段大搞举国上下的计划生育。尽管如此，当日历翻至1995年2月4日时，中国人口依然突破了历史性的12亿。

或许是改革开放使现代文明很快靠近了我们的生活，创造一个美化、整洁、干净的环境，人们普遍乐意。

可是唯独资源问题，就像人们对地质队那种陌生一样，很少有人关注，有人为之焦虑。那么，我们有必要听听专家的介绍吧。

不错，中国的矿业自共和国成立以来发展迅猛，全国共发现各类矿产163种，已探明储量的矿产149种，建立了15000多处矿区，其矿产资源潜在价值位居世界第三，成为举世瞩目的矿业大国。然而，衡量一个国家的资源实力，国际惯用的科学标准是以人均拥有量来论述的。由于人口众多，我国的人均拥有矿产资源量仅排在世界第 80 位。要在这样的资源基础上使我们的经济发展水平达到中等发达国家，找矿的任务便显得相当艰巨。而另一方面，目前和未来的十多年间，国家的矿产资源供需形势将进入全面的严峻阶段。

严峻到什么程度？一般人大多是想象不到的。在这里我们可以公开一下矿产资源部门的那本难念的经：至目前，全国近三分之二的骨干金属、有色金属统配矿山，已到生产的中晚期，有的在 90 年代初期就已枯竭。我们曾经而且仍在引以为豪的大庆、胜利、华北等油田开采进入稳产末期，产量自然递减已超过 15%，原油含水率在 70%之上。1989 年，大庆油田第一次出现亏损，引起国际原油市场的巨大波动。煤、稀土、锡、石墨、锑、钨是我国在世界上可以称霸的矿产。可近七八年来，各地有关缺燃料的呼救声、外贸部门有关矿产的外汇收入急剧下降的惊恐声，时有耳闻。从 50 年代至 70 年代，我国一直是重要的矿产品出口国，但如今早已成了进口大国。据 1988 年国际矿产进出口组织提供的材料表明，世界 161 个国家和地区中，矿产品进口额占出口额 15%以上的只有两个国家，一个是非洲的莫桑比克，一个是亚洲的中国。中国真的成为“第三世界”了！

中国缺矿、缺资源已成为严重事实。

西方有一部叫作《熵》的学术著作，曾创下了再版 4000 万册的记录。熵作为理论，它宣称牛顿的机械论世界观即将被取代，支配人类各方面的将是熵的定律，即热力学第二定律。与热力学第一定律“宇宙中的物质与能量是守恒的，即不能创造也不能被消灭”的理论相反，《熵》向人类大声疾呼：“我们不能创造能量，万物最终归于死亡。因为物质与能量是沿着一个方向利用，从有效到无效，从有秩序到无秩序。”“物质世界的万物都是有限的。……人类要发展，唯一的可能就是去挖掘上帝给地球留下的资源。而同样，人类要生存，唯一的希望就是人们放弃对地球的掠夺……”

就是这位《熵》的作者，他在访华时毫不客气地告诫中国领导人：“你们用不着对美国的经济发展如此羡慕不已，急于想赶上。你们知道吗，美国人口仅占世界人口总数的6%，可这6%的人口目前所拥有的生活水平与发展速度每年所耗费的矿物资源量要占世界总矿物资源年产量的三分之一，你们中国行吗？12亿人，你们现在人均所占有的矿物资源量不到美国人的百分之一。当那剩下的百分之九十九赶上时，那你们的现代化程度就会比美国强一百倍！”

是啊，我们什么时候才能赶上美国人的人均矿物资源占有量呢？

那些埋在地里、藏在山里、躲在海里的矿产资源靠谁去把它发现、探明和挖出来呢？

无疑，还得靠我们的地下侦察兵——地质队去完成。

然而，我们的地质队今天因为自身生存遇到了严重的困难，他们的主要精力不得不去用在队伍的自救上。他们中已经有很多技术过硬、装备精良的队伍告别山野，投入到了与地质找矿毫不相干的行业，并且全都是一去不复返的行动。而更多的则是徘徊在溃退的半途。他们渴望回归到心爱的矿区、普查点、机台上，可为了填饱肚子又无奈地将双腿迈向本已拥挤又无矿可探的城市……

尽管如此，我们的找矿人，他们始终不甘心这种失落，这种溃退，这种无奈，他们相信国家的现代化建设离不开地质事业，离不开矿产资源；他们相信，总有一天自己为社会创造的物质财富会有相应的回报。为了民族利益，他们甚至一边抹泪一边这样说，现在，或者这一辈子我们依然可以做“发现亿万财富的穷汉”，但只有一点小小的乞求，让社会多给予一些理解，让我们早一天回到找矿的岗位——

40 年前，一位风华正茂的青年从机关楼里走出，吻别了美丽的西子湖，只身进京考入了中国地质工程师摇篮——北京地质学院（即现在的中国地质大学）。四年后毕业，他要求到内蒙古工作。与同学临别时，他写下了这样的诗句：

男儿远征志凌云，始见精忠报国心。

80 年代末，他所在单位陷入困境，这位名叫朱以武的高级工程师挥泪离别地质工作，做起了生意。天性的聪明和平时的努力，使他当上了省级大公司的一名高级管理人员，回报他的是在地质队做梦都想不到的高级住宅、万元年薪和五大洲四大洋随时可去的优厚条件。可就在这时，朱以武突然离开公司，回到了地矿系统。他的行为成了一个人们无法理解的谜。

朱以武对此淡淡一笑，说：什么都不为，只因我太爱地质事业。过去、现在、将来都永远地爱。当公司老板，口袋鼓了，可我并不觉得富。回到地质队，生活很贫穷，而我觉得很富有。每当回首往事，一座座由我们亲手创建的矿山就会浮现在眼前，那种幸福感、自豪感和主人翁感是任何人都体会不到的。因为我们历尽了艰难，最终实现了自己的崇高理想。当如今两鬓出现了缕缕白发时，我猛然感到应该把握后半生的有限时间，再在我们国家的找矿舞台上顽强地施展一番。这样，在我生命的最后一刻，才可以心中充实而欢快地再唱一次：

是那山谷的风，
吹动了我们的红旗……

啊，《勘探队员之歌》，你那火焰般的激情，无时无刻不在召唤着苦旅中的百万地质队员。每当他们高高地唱起你的时候，便不再有苦与累，不再有怨与屈，只有那飘动的红旗，飞旋的钻机和那闪烁的生命。

20 世纪告别愚昧

引言 “神”与“鬼”的对话

他和他，在同一片土地上生息。

他比他年长一倍。后者一直到生命画句号时才 23 岁。他俩一个姓周，一个姓肖，本是井水不犯河水的陌路人，便是在《百家姓》里也隔得远远的。

可如今，他和他却为同一事件死去了。只是后者在前者死后又活了 115 天。

他俩死得都很惨。一个倒在砂子碴牙的公路上，血流似染河；一个俯伏在乱石山岗边，脑袋开花。同是死，两人在上帝面前却截然两副面孔。后者是杀害前者的凶手，遭万人唾骂；而前者，则因为抵抗后者的恶行而一举成为英雄，受万人称颂。

周庆梓是作为共和国矿产资源的捍卫者而英勇死去的。他死得壮烈，死得从容，肖唐山是作为凶手被枪毙的，老百姓说他死得活该！

他和他进行了一场惊心动魄的搏斗。

……

当一辆车号为 36−20347 的新式解放牌大卡车，满载着从矿山那里偷来的“乌金”，自江西境内，横冲直撞，连闯三关，逃至湖北境内时，周庆梓连给同事留一句话的时间都顾不上就只身跨上越野车，旋风般地追了上去。

“停车！快把车停在路边接受检查！”他带着神圣使命，威严地吆喝着。

“去你的，给我闪开！”肖唐山虽然才 20 多岁，却在 47 岁的他面前如同训斥孙子般地吼着。

决不能再让这个小子逃掉了。昨天，他在一个叫泉口的农机站发现一辆满载“乌金”的卡车在加油，车上的人形迹可疑，当即请负责拦截走私货物的检查站的同志严密监视。果然不出所料，半夜间，这辆神秘的“乌金”卡车突然发动，亮起车灯，直向检查站冲来……早有准备的检查站官员当即下杆阻拦。不料，车上跳下两个年轻人，一个抱住值班人员，一个托起栏杆，卡车载着“乌金”呼地冲出关卡。好一伙胆大妄为的窃贼！就这样，他死追活赶地从江西武宁的泉口乡，一直追到了眼前这个湖北省境内的通山县贾家源关卡。

“你们违法走私，不仅不接受检查，反而越卡闯关，罪加一等！快快下车听候处理！”他双手叉腰，挺立在大路中央。

“处理个屁！再不滚，老子用车轧死你！”车窗内，一张本是青春的脸却如丑八怪，两眼喷着血光。

面对如此凶残的暴徒，他巍然屹立，如同泰山之松。

“咔嚓——！”

“老周！老周——”

他先是被大卡车的车头顶出去 15 米，然后，驾驶室内的肖唐山又狠踩了一脚油门……

他被人送回武宁县人民医院时，全身血肉模糊，昏迷不醒。县长指挥，院长亲自上手术台，但却没有一只手有回天之力能从上帝那儿夺回他的生命。

离去得太快，火速赶来的妻子也未能与他说上一句话。然而，他那张鲜血染红的脸，镇静得如同睡去。

一个共和国的矿产资源管理者就这样走了。

大山恸哭，蓝天如洗。

“……他忠于职守，秉公执法，全心全意为人民服务的事迹和崇高精神，永远是我们学习的榜样和楷模，他的死比泰山还重！”国务院副总理邹家华在北京代表政府对全国人民这样说。他被追认为“革命烈士”，国务院、中宣部、最高人民检察院、最高人民法院、公安部、民政部、地矿部、江西省……20多个国家部委、省级主要领导出席了他的授勋大会。

在他的名字不断升华时，另一个人的生命也画上了句号。

他死在刑场上，与其说是被正义的子弹击毙的，倒不如说是被万人唾骂死的。他死了，幽灵却久久没有消失……

“天堂”一直是他头脑中的最高理想追求。为了“天堂”，他敢于去尝试冒险的人生。

“人不能像狗那样靠别人的一些恩赐而活着，我要拥有世界上的一切，世界上所有能享用的一切！”小小的心灵中，他早已确定了自己的人生奋斗目标。

“江南穷山沟，我们过的是啥日子，我要发财！我要富，发大财，当富翁！你们不是提倡发家致富嘛！”他居然振振有词。

他的脑袋活了，心高了，跟着手也伸长了。1989年5月的一天，他的手伸得太长了，一下被法院判了一年半的徒刑，定为盗窃罪。高墙内的生活使得他心慌意乱了好一阵。“×的，天堂未进，倒来了地狱！”他发誓出狱后要好好补偿这段“辛酸”的日子。

他的信心因此更加坚定：人生一世，唯有发大财，才能过顶好的天堂生活！

穷乡僻壤，何来发财之道，靠务农耕作，一年还不够填饱肚皮。去偷！坐牢的滋味再也不想重温。咋啦！难道老天就这样绝人生路呀！趁着旁人不在时，他跪在后山的一块石头上，面对着苍天又是号哭又是磕头，那情那景，真让老天悲悯。

“我说你蠢，就是蠢么！”有一天，一位外地来的“大哥”，用尖头皮鞋踢着他的屁股，说：“坐在金炕上，却愁没有富日子，瞅你还是个七尺身躯的小伙子！嘿嘿，让人害臊！”

“× 的！在你们广州，发不了财，也能摸几把油。咱这儿你试试看，闻闻屁都没臭味！你晓得咋啦？还不是骨子里没油水呗！”他涨红着脸，满腹委屈地冲着这个外乡人嚷。

“嘿嘿，这小子。”外乡人没生他的气，却从夹层的口袋里摸出一沓“大团结”，往他胸口一扔，道：“到你后村的那个矿上弄几车‘黑疙瘩’来，这一千元全归你！”

一千元！他着实吃惊了。弄几担“黑疙瘩”还不容易！咱这儿漫山遍野都是，最多钻一道老牛都能过得去的铁丝网！他做梦也不敢相信，这财发的竟如此容易、省力！

一回一千，两回四千，三回便是个“万元户”……哈哈，老天有眼，我这样干上三年五载的不就成了百万富翁吗？不就可以过天堂的好日子了吗？他乐得在被窝里直打滚。

这一回，“那边”让他走一车煤炭，又是唾手可得的便宜事，可偏偏事情不巧，汽车刚出乡，即见公路上竖着一块油漆未干的“矿管检查站”的牌牌，旁边站着几位警不像警、民不像民的汉子。“什么检查站，还不是一帮‘刮民财’的家伙！”

他摸了摸衣袋里的那沓钞票，心头一阵得意：有这，不怕过不了天下的关！

这是咋啦？居然在这里没人信这一套！他晕了，瞅着车前双手搓着、像个凶煞神的那个“他”，站在马路中央死活不让车走。

他来火了，这哪是检查我的车，这是在挡我的财路，拦我上天堂的去处！

他的头脑在发热，膨胀，全身的血液在涌流，将双眼冲得血红血红……谁不让我上天堂，我就先让谁见阎王！他瞪大眼珠子，那脚猛地一踩油门，只见车头前的那个他，像没有半点力气似的溜入车轮底下……

“啊！血！血！你把他轧死了！你把他轧死了！”坐在同一个驾驶室里的帮手柯昌国吓得直叫。

“轧死就轧死！我们得赶路，赶不到就失信，失信就永远不会有人买我们的货，永远发不了财啦！”他愤怒地吼着，轧死一个矿管科级干部倒像轧死一只自投罗网的小鸡崽似的。

“天哪！”没几天之后，他被手持钢枪的公安人员逮住时，悲恸地长号一声，正义的力量无边无际，妖魔难逃。

不过，他开始不信自己会判重刑。我老子还在县府当办公室主任呢！他以为他老子能救他出去。他老子确实做了一个共产党干部不该做的事，但换来的只是革职免官。

那天足有 3000 人的公判大会上，他彻底绝望了。他只听到审判长宣读了这样一段判词：

肖犯唐山，男，23 岁，江西武宁泉口乡人。肖犯于 1990 年 6 月 5 日与同案犯柯昌国，驾驶一辆满载走私物品的卡车，在途经县矿管检查站时，不仅不接受国家工作人员的检查，而且驾车将执行公务的县矿产管理局干部周庆梓残害致死。情节十分恶劣，后果严重，民愤极大，按照刑法有关条款，判处肖犯死刑……

“嗡——”他的脑袋一下炸开了，以后的什么事，他都不知道了。只是记得那天早晨，监狱长进来问：“你最喜欢吃什么东西，我们马上给你送来。”他当时神经质地回应了一声：“我要吃香菇肉片。”后来还真很快端来一碗香菇肉片。不过，他根本没有吃出什么味，他突然“哈哈”大笑起来，且笑个不止，一直到了法场……

他和他都死了。但是，在阴府，我们的这两个幽灵却大为争执和吵闹了一番。

被活着的人称为英雄的他变成了“神”，另一个死于法场的他自然是受唾骂的“鬼”了。

“神”说：四十五六岁，对一个男人来说，正是年富力强的黄金时代，然而，由于你的粗暴、残忍，竟使我一瞬间失去了一切，甚至连向妻子和孩子道一声别都没有顾上。你罪该万死！

“鬼”怒道：放屁。相比之下，你比我多活了20几年，你看我才刚刚20出头，好日子才过了几天，你就让我吃枪子。如果阴府允许我继续开车，或者给我一把刀，我还会杀死你！

“神”义愤填膺：你这种人永远改不了罪恶之心，即使枪毙100次。

“鬼”：算你说对了。

一阵沉默。

过了一会儿，“神”摸摸自己那件补了补丁的衣衫，像自言自语，又像责问“鬼”道：我弄不明白，像我这样一个月100来元工资的人，加上老婆那么点工资，养几个孩子安安稳稳地过日子就感觉不错了。而有的人偏偏不是，口袋里存了1万就想10万，甚至更多，有了电视，想洋房，有了媳妇，还想找个“野货”，这到底什么时候才能满足呀！

“鬼”嘿嘿一笑，讥讽道：连这点道理你都不懂，难怪你傻到非用生命去阻止我发财的机会。自古道：水往低处流，人往高处走，连你们的祖师爷卡尔·马克思不是也说过：人对物质和精神的追求是永无止境的，扼杀这种追求就是扼杀人性。

“神”抢过话：少诡辩，别忘了后面还有话，如果一个正常和正直的人，其对物质和精神的追求，应当充分注重客观实际，离开了社会的实际情况，这种追求就不是合理的人性，故而会最终走向自我毁灭。

“鬼”恶狠狠地瞪了“神”一眼，嘀咕道：我不信那一套，我只想别人能挣大钱，为什么我不能！再说，有几个挣大钱的人在天堂般的生活中是规规矩矩的？你去管呀！你管得过来吗！

“神”：在权力赋予我的范围之内，我照样去管！

“鬼”：老子挖“乌金”，贩“乌金”，都是在祖传的脚底下的黄土里掏出来的，哼，哪个法给你这个权力，非要来管我？

“神”：国家矿产资源法。

“鬼”：没听说过。

“神”：所以你挨枪子。

“鬼”气得脸铁青：你……你不也没好死吗！

“神”：我死得其所。

“鬼”长叹一声：唉，什么其所不其所，人死了一切皆空，受难的是后人。

“神”十分自豪地：我儿子小江、小波现在已经接了我的班，也当上了一名矿管干部。老三上完学，他也会走我没有走完的路的。

“鬼”摇摇头：我弄不明白你们这些搞矿管的人不知是用什么捏出来的。

……这段“神”与“鬼”的对话似乎会被文学评论家批评为荒诞，但它却是真实的荒诞。是的，正如“鬼”永远不会明白那样，在现实的许许多多活着的人中，其实同样有很多人也弄不明白，他们不仅不明白，甚至有的根本没有听说过在这个大千世界里还有这样一群为维护共和国矿产资源的尊严而流血流汗的人们，他们甚至也根本不明白这些矿管工作者为什么要这样做。

啊，越是文明的今天，我们中的很多人的视线越狭窄、短距。

请允许我带着对我国第一代矿管工作者的崇高敬意和对共和国矿产资源现状的一片忧虑，去告诉读者那惊心动魄、骇人听闻的世界——

第一章　野火燃焦的山谷

郭振西是共和国第一任矿产资源管理局局长。虽然他现在已卸任当了中国矿业协会的秘书长，但笔者请他谈起20世纪80年代以来，我国矿区和资源领域曾经出现的严重混乱局面时，这位15岁就被村干部从地里叫出，扛起汉阳造，走进解放战争支前洪流的老革命，便压抑不住心中的激动道：“中国人身上的劣根性，有时让你确实感到羞愧，特别是由于愚昧而表现出的种种野蛮行为，简直无法让现代文明有一丝半毫的容忍。但是，要我说，我们某些政策指导上的错误，有时则更要命，它会助长这种愚昧的野蛮行为，并使它达到疯狂的程度……”

老局长不减当年雷厉风行的作风，说话办事直截了当，毫不含糊。到目前为止，我们还没有一个人能比他更清楚和更了解治理中国矿产资源领域十多年来所经历的艰难历程。那一幕幕触目惊心的情景，他有太多的感受。

其实，凡接触这一领域的人那种对民族的忧患之心、之情都是那样的强烈。

1989年至1990年，我为完成落实《国家矿产资源法》的报道，走遍了一个又一个矿区，耳闻目睹了疯狂掠夺矿产资源的现象，那感受靠几篇报道、几个“内参”一直令我觉得仍未尽一个记者、一个作家的职责……

20世纪80年代的中国矿区，经历了一场史无前例的、旷日持久的大抢袭、大掠夺。这股风，从盛产水晶的东海之滨的东海县到遍地是金的新疆阿尔泰山；从万人踩踏的南国个旧锡矿山到工农商学兵倾城出动倒戈的北国煤城七台河，越刮越飓，越刮越烈。无论是固若金汤的老矿山，还是刚刚发现的新矿地，几乎毫无例外地都被这股无法抑压的野火，燃了个通体，烧了个焦黑。

你没听说，在广东与湖南交界的汝城钨矿区，屁股大的一片矿山上涌进了8000名采民，他们对国营矿山实行“抢光”“炸光”“夺光”的三光政策，使这座国家重点钨矿基地缩短了15年寿命！

你没听说，在“金三角”小秦岭的百里大川中，每年冬天到来时，淘金的队伍将每一条金沟统统把住，烽烟四起。当地的学校再见不到学生，商店也关了门，机关干部也不再去办公室，他们拥有一个共同的九头牛拉不回的事业——淘金。

你没听说，每年从四川、河南到青海、新疆的淘金者多达几万人！那年不是有万名采民一夜间被困在冰天雪地的荒野上，差点全部命归西天。

……

其实，你所听说的仅仅是点滴而已。那些没有听说的却比听说的更要疯狂得多。

——江西的一处钨矿区，当地山民把找矿的地质队员赶走后划归己有，一块不足40平方米的钨矿地，几经转手，竟被人以72万元的高价买下。

——海南东方县的淘金者雇用保安人员为自己服务，白天在山沟里抱“金娃娃”，夜幕降临，开着汽车到包下的旅店去抱到海南找工作的女娃娃，那中间还有不少是女大学生。

——1980年6月，地处鄂西山区的远安盐地河磷矿因被山民采挖导致整个山体崩塌，造成所有矿山设施全部被毁埋，一次死亡人数达284人，直接经济损失达一亿元之巨。

——四川境内的一铁矿由于山民在露天采矿将数百万吨废矿石

倾入盐井沟，致使发生大规模泥石流，104 名修路职工无一幸存。

——湖南恩口煤矿的矿区自采民们非法闯入后，他们采用“蚂蚁”战术，把整个煤田的地下世界挖个一空。一日，矿山四周的 5800 个坑口突然像接到命令似的全部塌陷……此次有多少人畜死去没有公布数据，但据千里之外的南京天文台的观察员介绍，他们的地震仪在此期间整整晃了 10 分钟……

地球在颤抖！中国更在颤抖。

高唱了几十年“地大物博”的中国人终于开始清醒地认识到：这种富了一时，贫了一世，荣了一方，毁了江山的掠夺性群采矿产资源风其害千秋，非刹不可！

一个个好端端的国营矿山，被糟蹋成这个样，我们心疼呀！想想办法，能不能有个“孙悟空”来救一救！在中南海，总书记和总理的案头，摆着一份份来自国营矿山的矿长们那滴满泪水的告急公文和呼救信。

“我国人均拥有的矿产资源仅仅排在世界的第 80 位，而且根据正在开采利用的矿产资源情况看，要适应刚刚进入工业化进程的社会需要及党制定的现代化三步宏伟远景规划，形势极其严峻……说它严峻，是因为目前全国近 2/3 的骨干金属、有色金属矿山已到生产的中晚期，有的已濒于枯竭。也就是说，到 2000 年以后，这些国家资源的顶梁柱将全部或基本进入无开采的衰老期……”作为共和国矿产资源开采和管理职能部门的地矿部部长朱训，曾不止一次在全国人民代表大会、全国人民政治协商会议上提醒我们党和国家的决策者。

“有水快流，国家、集体、个体一起上的指导方针在我国矿产资源开采领域看来不宜。”

“矿产资源是国家的财富，人民的财富，特别是后代的财富，我们有权采用它，但绝不能滥用和浪费它。用愚昧的野蛮的手段去破坏应当留给后代的资源是犯罪行为，应当坚决制止！”

——中南海传出一个又一个明确、果断的声音。

中国在现代化进程中不断调整自己。

中国的矿业秩序真的有了希望！

全世界都在观望中国治理愚昧与野蛮的一场特殊而深刻、艰巨的革命！

第二章　向野蛮宣战

有人传言，说中国的领导人对两件事最头疼：一件是抓计划生育，一件便是刹抢矿窃宝风。可见，整治矿业秩序的难度。

据国家有关部门统计：全国6000多个国营矿山，被抢、被占领、被吞没的占总数的85%以上。这中间除了无组织的游民散匪外，打着“乡镇集体矿”名义的拥有绝对势力。至1986年，全国一下冒出了12万个乡镇、个体矿。从本地利益看，这些小矿对农民致富确实起到了一定促进作用，但就整体利益而言，显然他们是抢了而且是严重地糟蹋了社会主义国营矿业的大饭碗。

20世纪80年代的中国，在继1949年向世界庄严宣告“中国人民从此站起来了”之后，又一次最壮观、最空前地崛起。当东方地平线上一夜之间拔起一幢幢摩天大厦，托起一座座象征现代化文明的立交桥时，70%的中国山区百姓们眼前突然闪出一道金光：老天爷，俺脚底下的石头全是能换鸡蛋与媳妇的宝贝疙瘩呀！那瞬间的发现，唤醒了几千年封建社会遗留下来的人的贪欲的爆发。于是，他们不顾一切地向饥饿透了的胃填塞着，为了满足物欲，忘记了国家，忘记了文明，也忘记了自己是谁，拼命地、不分你死我活地掠夺和霸占着所有可能掠夺和霸占的宝贝疙瘩。

于是乎，政府的权威消失了。

于是乎，公安警察的枪口失灵了。

于是乎，现代的文明见鬼去了。

流血、争斗、暴尸……一切变得凶残和野蛮，只要挖到宝，抢到宝，夺到宝，什么理智，什么骨肉，什么生命，统统埋进了十八层地狱。

谁痛心！政府自然痛心，人民自然痛心。但最痛心的莫过于共和国的找矿人。

俗话说：癞子的儿子自己好。更何况，他们为共和国抱来的都是些“又好看又好吃”的“金娃娃”。世上最痛的，莫过于割心头之肉。

竟是让一群手中既无枪杆子、又无印把子的“地质郎”们办这件最难办的事，擎起捍卫共和国矿产资源尊严的大旗。

一块牌子和一个人物

“这事我们管，而且要想法管好！”当抢矿窃宝的野火燃遍全国，各地政府、公安部门纷纷退却，整个矿业机器处于瘫痪的时刻，北京西四阜内大街64号大院走出一位身材魁梧、两鬓斑白的老革命，他坐车直奔中南海，向当时的中央书记处这样明确表示。

他便是共和国地质部的第二任部长孙大光，他的前任是李四光。不知是巧合还是其他原因，他们俩的名字里都有一个“光”字。“矿种大都带铁字旁，是矿便会闪光呗！”人们的戏言虽说有些勉强，不过似乎隐约印证了一个事实：那就是二位共和国的部长都为祖国的繁荣肩负着多找矿的特殊使命。

然而，此刻的大光部长却多了一份新的使命。“地质部既然要把矿管抓起来，这个职能很重要嘛，地质部的名字是否单一了点，没有很好地把矿产管理这一职能体现出来。”一位中央领导同志这样琢磨道。

这可是大题目，大动作。“中华人民共和国地质部”这块牌子自从1962年何长工从毛泽东手中接过来挂在西四阜内大街64号大门口已近30年没怎么变过（虽在“文革”中有段时间地质部改为国家计委地质局），五六十年代以来到哪儿人们一提地质部都是如雷贯耳。“这是个为国家找矿的部”！说这话的人都仿佛自己就是地质部的人一样自豪。

历史赋予“地质部”新的使命：找矿人同时还要当管矿人。

挂了30年的“地质部”牌子就这样一笔改成了“地质矿产部”。大光部长宣布时，台下有不少人的眼里溢满了泪水——他们太眷恋地质了，而这“地质矿产部”的名字多少让他们感觉仿佛是自己的情人一下将感情分了别人一半。那种难受劲谁都能理解。

既然叫“地质矿产部”就应该有个管理矿产资源的部门，于是，新组成的地矿部党组在给中央书记处上报的部编制报告中多了一个“矿产资源保护局”。

“‘保护’是否太消极了些，我们的资源工作应当有保护和开发两方面的问题嘛。”当时的总书记胡耀邦在书记处会议上拿着地矿部的报告推敲着“矿产资源保护局”这个名称。

“是不是叫矿产开发管理局更贴切些?！”中共大才子、书记处书记邓力群脑子一转，便有了新词。

“好，叫这个矿产开发管理局好！”总书记和其他几位书记都表示赞同。

大光部长接到中央书记处的批复后，着手考虑的一件重要的事情就是怎样把“矿产开发管理局”这个架子搭起来，矿产资源管理是地质部成立几十年来头一回接的“额外”任务，而且这是件“大得无边”的工作，得选个有能耐的人来挑这副担子！

谁呢！温家宝、朱训……这两位强将已经上报审批副部长了。那么还有谁呢？大光部长心里盘算着，突然他想起了一个人。

对，就他能行！不几日，地矿部党组的一份调令从北京传到了中国西域重镇乌鲁木齐。

“怎么，您又要挪位了？”秘书对孙大光部长签发的调令很有些意见，他悄悄走到局长郭振西身边，轻轻地问道。

“是啊，刚来两年，新疆局刚刚有些起色，又得走了。”郭振西长叹一声。此刻他向自治区地质大院深情地凝视着，许久，他转过身，朝一直默不作声的秘书微微一笑，“共产党人所要遵守的第一条纪律便是服从组织安排，你给我安排一下，下星期我就走。”他这样吩咐秘书，更像叮咛自己。

“说走就走？”秘书惊疑地问。

“可不说走就走！”郭振西淡淡一笑，右手下意识地插进了发丛之中。嗯？白发！又是一撮白发。

郭振西对着太阳光端详手中的一缕白发，他双眼微微眯起：也许这是革命生涯在正式岗位上的最后一程了。但愿，或许不。

后来，被他言中了。回京后，郭振西坐镇共和国“矿产开发管理局”第一任局长那把交椅，一坐便是十年，直到按他的年岁不得不从岗位上退下来。

谁让你爱上地质这一行的呢？几番理起两鬓斑白的银丝时，他总是这样自问。嘿，那真是个有趣的开头，也真是部有味的书卷……

他是山东临邑人。他生不逢时，十岁那年本来书读得好好的，偏偏日本鬼子进村来了个“三光”政策，后来天上又飞来“头也不敢抬”的蝗虫……无奈他辍学了。从此，鲁北的黄土地上一个不足犁把高的男娃每天牵着黄牛在长不出几粒粮食的土地里艰难地耕作着。再后来，他当上了联防通讯员，区财政助理，北海银行职员，并且穿上军装，进了济南城。

1957年，省委机关抽调一批干部充实基层，本来他已办完手续准备到青岛第六棉纺厂去了，恰巧听办公室的几位同志在聊天，说国家有个华北石油普查大队在济南住。“嘿，那大队管得可宽呢，鲁北450平方公里，天上地下都归他们！真带劲！”这一带劲，可把热血男儿郭振西带进了地质队伍整整30余年直至今日。

他的经历富有传奇，跳跃而动荡不定。

开始，他在华北石油普查大队地震三队当党委书记，后来又上大队当宣传部长、政治处主任、大队书记。你一定听说过胜利、大港、华北、江汉、南阳油田吧！这一个个为共和国输送血液的“能源库”，都与两支名声显赫的功勋队伍——华北石油普查大队、中原石油物探大队的名字相连着。郭振西就是这两支队伍的领头雁。他和他的战友吃着玉米棒子，住着帐篷、草席，硬是在渤海滩的盐碱地和胶州湾的黄沙地里找到了一个又一个大油田。

后来他进京了。“文革”那些年，别人忙着“文攻武卫”，他则受命于周总理和李四光、何长工的委托，与战友一起将热血洒向中国资源的处女地——海洋。蔚蓝色的诱惑，使得他再一次投入。跑欧洲，奔美国，购井台，选靶区，直到太平洋的东岸燃起一团团红霞。

他记得非常清楚，那是1980年10月6日上午，副部长塞风叫他一起到外交部走一趟，找韩念龙副部长就海洋地质的一些敏感的外交问题讨教一下。这天下午，他回到西四部机关，部党组通知他：做些准备，马上到乌鲁木齐报到，你被调任到新疆地质局当局长。他的命运似乎注定要与海打交道：不过，那蔚蓝色的海洋，与黄澄澄、火炎炎的沙漠之海相比，反差实在太大了。他没有打一下盹，革命者时刻听从党安排，15岁那年从村干部口里他就明白了这句话的含义。

仅仅几个月时间，他居然又爱上了那一望无际的黄澄澄的沙海。不干则已，干则要干出个名堂。别人恋京城恋得八抬大轿也休想抬出，他恋戈壁的胡杨双腿不停地跨越西域南北的浩瀚沙海。中国地域最大的新墙地质局在他手中又红红火火、面貌一新。他真的爱上了新疆，爱上了未来世界最有希望的土地。

这次回京，他一反往常。

在见过部长问过好后，他问：“不干行不行？”

大光部长肯定地回答：“不行。”

“那么，有什么条件干什么，行不行？”

“也不行！”

“克服困难，创造条件，开拓干行不行？”

“行。就这一条我赞同！

大光部长有些压抑不住内心的激动，从椅子上站起来，亲自为郭振西端水倒茶。“我没选错人！”几年后，大光部长退职后提起此事仍感到非常欣慰。

他就这么干了起来。

十年后的今天，当笔者采访他时，他开口的第一句话便戏称自己是“三无干部”，无文凭、无后台、无自由，这最后一个无，说的是革命几十年都是组织决定让干啥就干啥，自己却没有一点想挪动屁股的“自由”。听完他的自我剖解，我反赠他为“三有”干部：有经验、有党性、有贡献。

当时大光部长把他从新疆召回京城除了给他一个“矿管局长”的位子外，再没有什么留给他。

“此事谁也没有干过，中国开天辟地头一回。你放手大胆干，干好了或许我还给你换个苦差事干干，干不好那就得挨罚。”老部长说完爽朗大笑，像当年指挥最信任的部下去攻敌人的碉堡那样得意。

这种幽默只有在老共产党人之间才有，才能深切感受其中无限的温暖与实在。

因为干不好工作而挨罚的事，他一辈子没碰到过。干好了，换个更艰苦、更扎手的岗位给你干，这种事他差不多一辈子就是这么过来的。

郭振西此次重返京城部里工作，时年已过半百。摸摸两鬓斑白的发须，对着空荡的办公室，他内心感慨道：此一程挨罚难免，但愿领导高抬贵手，不再给新的苦差事。年岁不饶人啊！

感慨归感慨，感慨完后他把椅子往后一推，坐直身子，从此开始了共和国第一任矿管局长的不平凡生涯。

干好一项工作不易，干好一项开创性的工作更不易。他的性格里仿佛就专爱挑别人没干过或者别人干不来的开创性工作。毛泽东爱挑战，开创了一个新中国；邓小平爱挑战，开创了一个有中国特色的社会主义。当然他不会把自己与两位伟人相提并论，但两位伟人的这种精神却是值得学习的。

没有人，他一个一个去选拔、考察。

没有前人现成的经验，他亲自下江南、走塞北，甚至冒着土匪和“金把头”的白刀子风险，下到抢矿窃宝的黑窝里摸情况……或许没有这些血淋淋、凄惨惨的第一手材料，他那颗发誓要为国家治理整顿好矿业秩序的心就没有那般灼热、滚烫。

法！法！！无法无天呀！！！

——那是矿山的疾呼声。

——那是那些葬身于荒野的鬼魂的号哭声。

——那是养育13亿生灵的中华民族的怒吼声。

立法！刻不容缓！

一幕幕、一件件触目惊心、闻所未闻的事，强烈地震撼着这位老共产党人的心。

他奋笔疾书，学会了如何与新闻记者和报刊编辑们打交道；

他四处呼喊，冶金、煤炭……一个一个行业去协调、游说；

他上下呼吁，从中央、全国人大，到各省、市、区、县，方方面面求得支持。

功夫不负有心人。由地矿部牵头，在冶金部、煤炭部等十几个部委和二十多个省市自治区政府的共同努力下，由他一手主持起草的中华人民共和国第一份《矿产资源法（草案）》终于送到了国家最高立法机构——全国人大常委会。

1986年3月，春风仿佛比往年提前吹荡在古都北京街头。此时，庄严的人民大会堂内正召开着由彭真委员长亲自主持的第六届全国人大常委会第15次会议。此次会议的议程是听取新任地矿部部长朱训代表政府向委员们做《中华人民共和国矿产资源法（草案）》的说明。

“好，我们这么大的一个国家，早该有部矿法了！我建议尽快颁布！”老将军耿飙第一个站起来发言。

著名学者许涤新拉着几位德高望重的委员一起到委员长面前陈述道：“矿法草案修改得好，我们举双手拥护！”

3月19日，在庄严的国徽下，彭真委员长神情严肃地向全世界宣布：中华人民共和国第一部《矿产资源法》经过多方审议修改，正式通过。

“有法了！我们有法了！”这一天，郭振西逢人便说这句话，光在地矿部大院，至少就说了30遍。

对他、对全国所有矿管工作者来说，这是个值得纪念的日子。

一颗生命与一种尊严

本文“引子”中我们提到的周庆梓，他倒在两个偷矿的歹徒闯关卡的汽车车轮下。整整几百米，鲜血染红了砂石子路……

都说这个时代是文明的时代，但因为金钱的驱使，其实野蛮与血腥有时更多些。在矿管干部的工作中，这种说法并不夸张。

周庆梓的死是矿管人员与非法采矿者斗争的一个典型事件，又是中国矿业秩序治理中一件极普遍的事件。

许多人不理解我们的矿管干部为什么那样‘死心眼”。如今有一句流行的话叫“理解万岁”，其实生活中谁理解谁呀！

高建民，毛泽东家乡湘潭地区的矿管办主任，两鬓已是斑白的人了。

湘潭出伟人，也出自然宝藏。湘潭的锰矿世界闻名，号称“中国锰都”，是个具有70多年开采历史、年产30万吨锰矿石的国有大型企业。这块“肥肉”对那些做梦也想发大财的非法抢矿者而言自然是个好去处。一时间，十里矿区竟涌进了300余家私营矿。他们又抢又盗，肆无忌惮，仅手掌般大的地方竟有73个人为抢夺宝藏而丧命。

以高建民为首的矿管办协同市政府组成清理班子，开赴矿区几番交战，依法取缔小锰矿266个，查处洞主7000余人，2000多名外地民工被遣回老家。

别以为老高这一仗就打赢了。他们下山不多时，竟碰到了难题。原来，那些个体小矿摇身一变全部成了“集体矿”。有了“金色”的招牌，非法采矿者更加疯狂地掠夺国营矿山的财富。

“不信共产党挖不掉内部的蛀虫。”高建民连夜登了市检察长的家门，如此这般地一通汇报。

“走，明天我跟你们一起上山。”检察长一腔怒火难平。

正义之神终于战胜了邪恶之魔。原谭家山镇党委书记张树林等4人被捕入狱，那些打“集体”招牌的矿主们目瞪口呆，浑身冒凉气，终于纷纷卷起铺盖，道了一声“撤”。

可是，有那么一个“钉子”就是不好拔。

他叫唐运泉，本是个普普通通的农民，后来靠非法采矿赚了大钱，他自夸“我的名字就叫运泉——钱都得要靠汽车运嘛！”

有钱能使鬼推磨。唐运泉靠钱开路，于是几年间，他的那个矿谁也扒不动。为什么？原来从村到县上许多部门的头头都是他的“关系”，甚至连公安局刑侦队也成了他的“股东”。

“凭你们几个管矿的人想弄倒我唐运泉？没门！”唐某气焰嚣

张，自称十里矿区的“不倒翁”。

高建民心想，你是“不倒翁”也罢，有刑侦队的“股东”也罢，我给你来个釜底抽薪，以毒攻毒。他给唐运泉来了个突然袭击，把对方的“西洋镜”亮在光天化日之下。老高他们的这一招也真捅了“马蜂窝”。那几日，他的办公室、家里接二连三地有人打电话来，有说情的、有恐吓的，甚至还有骂娘的。

老高说，我活了半百，还真没受过如此抬举呢！不过你们说啥也没用，对破坏矿山、违反矿法的事我是要管到底的！

最后，对方搬出市人大来压老高，说你高建民不也是市政府任命的处级干部么，市长我们都可以罢了，你一个小萝卜头更不在话下。

“那是你们的事。”老高毫不含糊，“据查实，唐运泉近年非法所得21万余元，他给国家造成的经济损失达450万元，这两笔账你们可以掂量一下，哪一头重。如果不会掂量，我可以请报社、电台的记者公开，让全市百姓都来评评理，到底是你们护的那个非法采矿者对，还是我护的这个矿法对。”

话说到这里，老高是做好了一切准备，甚至让老婆孩子收拾行李，随时准备重返地质队。

后来，唐运泉的“股东”们没敢再公开较量，自然一下就垮了，给检察部门逮捕入了狱。

第三章　文明的历程

中国所迈出的每一步文明的步履，都付出了巨大的代价。这个过程中，伴随着严酷的倒退与流泪的进步。

表现在矿产资源领域的文明步履前进的艰辛程度，不是所有的人都能理解和感受得到的。

老矿管、县长与公安局长如此说

西南，一片翠绿，处处百灵啼鸣……凡是到过地处亚热带南国的人，都会被那儿的风光所吸引。美的自然，本身就是一种文明。

然而在小龙潭矿区却看不到一丝天然的文明，举目可见的则是一幅幅人为的野蛮图：焦黑的树根、荒秃的土地和满身创伤的山体……

“十年前可不是这样的呀！”作为基建工程兵水文地质部队的一员，过去我曾经来过这里，当时我和同事们曾为小龙潭气势磅礴、壁垒森严的大矿山而激动和骄傲过。弹指一挥间，人类向文明迈出了巨大的一步，可这里恰似倒退了一个世纪。

“确切地说，这种掠夺式的窃宝风像是纯粹的中世纪杰作。”站在我面前的，是小龙潭所在地区的矿管办主任老许，一位曾经指挥过几千人部队的团长。

他耸耸肩，苦笑道：“中国是个农业大国，农民在总人数中占了 80%。毛泽东在领导中国共产党推翻三座大山时用的是人民战争的法宝。可他老人家不会想到在他去世后，有人竟运用他的这一‘法宝’使我们的国营矿山一下陷入了绝境，我是着实尝足了‘人民战争’的威力。”

面对我的惊愕和疑惑，他塞过一本印有“八一”字样的旧军事作战日记本算作回报。“里面有你想弄明白的事。”他说。

我认真地打开了它——

3月2日　晴

根据省长的指示，今天我们对小龙潭煤矿开始进行整顿。这已经是第三次了，今天是初步了解一下民采的情况。据煤矿负责人和所在地的县委领导介绍：目前在小龙潭的个体、集体采煤人数达15000余人，共有400多个煤窑（发展的速度简直惊人，难怪省府、国务院都重视了）。听完介绍后，由省经委主任兼矿管会副主任李旺德同志传达了国务院李鹏总理和几位省长关于“一定要整顿好小龙潭煤矿秩序”的指示。随即，成立了由省矿管会、小龙潭煤矿、所在地县政府、公安局、武警支队领导成员组成的小龙潭整顿领导小组。

下午，整顿领导小组成员现场观看了矿上的群采情况。简直令人触目惊心。矿山从上到下，到处挖满了窑穴，一个连一个，就像蜂窝一般。当年，我们在上甘岭挖的坑道与山洞也没有这么多。中国人打地道战坑道战的经验应该作为第五大发明而载入人类史册。

经委李主任是第一次来小龙潭，与我们这些看惯了的人相比，自然不能相提并论。他激动地对我们说：这哪是挖矿，简直是一群饿狼啃一块猪骨头。我说怎么下了那么多文件就没起过作用！“老许，我们的行动计划要改变一下，不能等动员教育以后再干，现在就得干！”他对我说完，又朝公安局张局长说：“明天我们就开始，公安武警战士先把非法上山挖煤的人全部赶走，一个不剩！”

按照李主任的意见，大家分头行动，一直忙到深夜还没完。最忙的是张局长，他的任务是调10000人的兵力！

3月3日　多云

今天大家都起得很早。根据昨晚的战略部署，我们必须在九点钟之前清山。这是因为大部分采民在加夜班后，这段时间山上人最少，便于我们行动。这个方案是我提出的，李主任和张局长冲我说："不愧是团长出身。"

但是，清山的情况并不像想象的那么顺利。不知是谁漏了消息，当千名公安、武警战士和民兵们手持警棍，排成长长的横队，像张网似的裹向矿山时，山上依然留有万余名采民。他们不相信我们能赶跑他们，有的甚至扬言：小龙潭是农民军的天地，就是来一个团、一个师的正规军也不怕！针对这一情况，为防止流血冲突，我和张局长商量，抽调一个武警中队用喇叭作一下清山宣传。就这样，整个清山战役开始了。

宣传攻势使一些人感到惧怕，纷纷从山上、坑道里撤出。但大部分人依然留在山上。尤其是那些外省来的采民，他们在小龙潭安营扎寨已非一日。我们清到了一个坑道口，这个坑口紧挨着国营307坑口。民坑的"主人"说什么也不愿离开，看样子他们是祖孙三代，那个四川口音的老汉干脆躺在地上不动，想赖着不走。这一招可难住了年轻的干警们。"抬！"张局长下令道。于是，六七名干警上前将老汉从地上抬起。"你们想怎么着？哎哟，我有病，我有病呀——"老汉号了起来。"有病送县医院！"张局长又断然下令。这老汉一听，腾地挣脱了抬他的干警，连连说："我不去医院！不去医院！"这老哥，他知道真送他上医院不仅少采几天煤，而且还得付医疗费，精着呢！这时，只见老汉冲着他的儿子、孙子及三四个同乡一挥手，于是全都撤出了坑道。我和张局长相视一笑。

当清到那个被称为“笔楼街”的地方，上百名干警“呼”的一下像发现重要敌情似的往回跑。“怎么回事？”我和张局长赶忙过去。“不，不能去！”干警们朝我们直摇手。我和张局长迷惑不解。最后，还是一位上了点年纪的科长气呼呼地说：“这帮狗崽子！竟然玩出这一招来，找了十几个娘儿们，脱光了衣服守着坑口。咱这些小伙子哪见过这个！”

一帮要钱不要脸的家伙！

“女的是哪儿来的？”李主任闻讯赶到，问道。

“都是矿主们从外地雇来的，还有些是他们的家属！”国营矿长介绍说：“他们把这些女人招到矿上，一方面供他们淫乐，一方面用来对付国营矿的工人。矿主看中了我们的坑道，他们就选派几个女人来腐蚀拉拢我们的工人、干部，然后达到他们霸占国营坑道的目的。”

“卑鄙无耻！”李主任怒发冲冠地对张局长说：“一定要把这帮害群之马清除出去，并且永远不许进山！”

张局长思忖片刻，然后对那位上了年纪的科长说：“你带八名同志抬两台扬尘器来！”

我们几个都不知道他要干什么。扬尘器很快抬来了，张局长命令搬到坑口，并将风口对准坑内，然后插上电源：“给我开足马力！”

好招！不一会儿，只听坑道内传来女人“哎呀哦哟”的喊叫声。

“冻死啦！”“别开了，我们都出来！都出来……”七个女人与三个矿主嗖嗖发抖地走出坑口，张局长立即命令干警将他们全部押上停在山下的警车。

清场一直到下午三时。紧接着，干警和民兵们组成了几十个爆破小组，对所有民采煤井实行爆破埋坑。这是省委的决心，不彻底清除民采坑口看来是永远刹不住这股风的。但愿这一次能有所成效。

夜晚，我们到外面观看，只见整个山峦响声隆隆，烟火冲天。我不由联想起当年朝鲜战场的情景。可是，现在我们是在干什么呢？一座好端端的大型国营煤矿，到处都迷漫着硝烟。据专家说，像如此规模的人工爆炸，将给今后的采煤带来至少数百万元的“难采费”。可是不这样做，拥有20年开采储量的小龙潭矿也许不到五年时间就得彻底枯竭……夜里11点30分，负责爆破的同志报告说：共计爆炸各类小煤井233个。几名干警和3位民兵在操作时受伤，其中2人送县医院……

3月5日　小雨

昨天以来，除派出少数民兵和公安干警在山口执勤外，劳累了几天的同志都足足休息了一天一夜。今天李主任要回省城，整顿领导小组的成员开会研究下一步有关维护矿山秩序的工作安排。会议安排在我们所住的煤矿招待所。可是过了一个多小时，国营矿长还没有来。

“丁零零……”电话响了。我上前去接，一听是矿长的声音：“老许啊，我这个会是参加不了啦。全矿六个矿区32条坑道昨晚多处被人破坏，机器设备被砸得稀巴烂……整个矿都瘫痪了。”听到这里，我赶忙报告给李主任。

“怎么回事？谁干的？”李主任接过话筒，嗓门很高地问。

“还有谁！都是那些被我们赶下山的民工们干的呗！”矿长回答。

“简直是一群土匪！”李主任破口大骂，然后对着话筒说“会不开了，我们都到你那儿去！”

李主任骂得一点都不重。那些想填满自己腰包的采民，其所作所为比土匪还土匪。他们出于报复，将小龙潭煤矿的几条主干坑口通通炸毁了。据一位工程师讲，一条中型坑口的基建费就高达一百至三百万元。仅一夜间，这些吃了豹子胆的山民就把近千万元的国营矿山设施毁于一旦！他们犯下了多大的罪啊！一个被矿山派出所抓住的山民还振振有词地说，“谁叫你们把我的那口井炸掉的，那井我是花了两头猪的钱从别人手里买来的！”他为两头猪的钱，竟丧尽天良地炸坏了二条主干国营坑道，造成井下三名工人重伤，一名工人埋在地下。死者是个刚结婚的大龄青年，他的新婚妻子一听这消息就昏死过去了。好惨哪，煤矿工人本来找对象就难，而他才新婚不到两个月，就这么不明不白地去了……唉！

这一天，整个国营矿山死一般沉闷，招待所的食堂根本没有开门，而我们也吃不下任何东西。

“我请求上级不要再管他们了（指采矿山民），要不，我们不仅三年之内翻不了身，而且整个矿上的职工都要打调动报告了……”晚上，李主任临走时，矿长含着泪水，这样乞求省领导。

李主任许久没有说话。他默默地拍拍矿长的肩膀，半是安慰，半是理解。“我要走了，下一步你们……看着情况办吧！”他对我们交代了一句，摇摇头，乘车走了。

我们默默地看着车子在黑暗中消失，谁也没再说一句话。

……

“老矿管”的日记突然出现了空白页。

“不能再记了，再记就尽是牢骚话了。”他朝我诡秘地一笑，那一笑，令我一下明白了一个战斗在第一线的“老矿管”的辛酸与苦衷。

小秦岭——十度“围剿”十度烽烟

稍对中国矿业了解一些的人，无不知小秦岭这个中国第一大“金库”的，自然知道小秦岭的人又无不知那儿疯得发癫的抢金潮的。

虽然古书上有过对这块连接黄土高原与盐碱的穷乡僻壤的土地曾辉煌一时的记载，但直到1964年新中国的地质队员真正在此采到第一块黄金标本时，谁也不会想到这秦岭山脉竟能同“富有”两个字连在一起。

然而，它确实是富有，富有得使人不敢相信，那“连峰去天不盈尺”的山川之腹竟隐伏了数千条金矿脉！

世上再难有比金子更给人以诱惑的物质了，因为金子几乎可以取代一切。有金子就可以有权力、有女人，有无尽的欲望和随心所欲的能力……金子几乎可以代替整个世界，最伟大的伟人、最卑鄙的小人和最平庸的庶民都有这方面的共识。

20世纪80年代始，小秦岭的万千条金矿脉在一夜之间如同万千个妖女，一下勾走了人们的神魂。灵宝、嵩县、栾川、丰宝、洛阳、淅川、伊河、晋城、萍城、潼关、三门峡……附近几十个县的乡村与城镇的农民、工人、教师、学生甚至是部队、公安局、劳教所、计生办、医院的人，能动的和不能动的一齐扑向那黄澄澄的“金妖女”的怀抱。他们使出了“闯王”的闯劲、少林的功夫，使国家已经建成的金矿和尚未开发的矿区全部挟在了个人和小集体的两腋之间。“小秦岭吃紧”“金三角将毁于一旦”的救急电文差不多每周都飞往中南海最高领导人手中。随即，总书记、总理、副总理、全国人大、最高人民法院、公安部、地矿部、冶金部、有色金属总公司……的指示、电文又雪片似的返向河南、陕西省厅局。

省长早已火了：“动员一切力量，坚决刹住乱采乱抢黄金风！

决不留情！”

于是，大军压境，山川里鬼哭狼嚎，哭爹喊娘。地矿厅仅就宝灵一县统计得：赶走无证采金民148336人，捣毁小采矿场379个，没收各种窃矿工具5684件。

厅长连夜写汇报，省长看完“战报”后露出几分笑容。

“什么，不是刚去‘围剿’，不是已把采民赶下山了吗，怎么又报紧呢？”省长到南阳出巡仅一个星期回省府，冶金、地矿、有色、公安部门的厅长们又来为小秦岭“报丧”，他能不火吗？

疯了，看来是疯了。从公安厅长送来的《内参》上，省长看到一串串更加令人惊心动魄的数字：入冬以来，小秦岭地区的十几个采金矿区已有非法采民7万余人，20多个国家大中型金矿被占领，大批黄金流入走私者囊中。几乎每天都有几名非法采民因打架斗殴致残伤亡……

“你们谁能管得了？”省长把目光转向公安厅长和省军区参谋长，他要点将了。

“我们已经尽全力了，可地方的治安警力也很吃紧，不能光顾矿区呀！”公安厅长说。

“调正规军出面，恐怕国际上反应不太好吧！”军区参谋长板了板身子。

“这么说，就任其无法无天下去没人去治了？”省长有些窝火了，不过当他听完地矿厅厅长的话后又转愁为喜。

“依我所见，小秦岭之所以有禁而不止、无法无天的混乱局面，问题要害就在无法上。没有了法就是天王老子都不怕了。你说在这种情况下单靠公安、民兵们去‘围剿’，十有八九会被采民们反围剿了。”

“哎哟我的地质郎，你什么时候偷看了我的兵书？要不咋出口尽是兵法呢！”军区参谋长拿地矿厅厅长打趣，沉闷了半天的省长办公会议这才出现了欢声笑语。

“好了。”省长站了起来，对地矿厅厅长说：“你们送来的关于设立省、地、县矿管局的报告我马上敦促编制委批复。不过现在中央有精神要精简机构，所以在具体实施时不宜一哄而上，重点地区可以先建。”

“除了省局以外，你们准备先建哪个地方局？”地矿厅厅长想了想，说灵宝吧！

“好，小秦岭的矿管工作就从灵宝开始！”

1986年年初，灵宝矿管局在全国人大颁布的《中华人民共和国矿产资源法》的春风吹拂下，正式挂牌建立，短时间内灵宝成了拥有矿管工作人员达百名的“中国矿管第一县”。说它为“第一县”，是因为这个县矿管局管辖的是全国第一乱的黄金采地，县矿管局的人员之多、机械之大、设备之全是全国其他县级矿管局所不能比拟的。

“第一县”并不好当，因为这里矿业秩序糟糕透顶的情况在中央那里也是挂着号的，是中央“要重点整顿”的第一号县级地区。

矿管局一改过去“大兵压境”的扫荡式治理，而是先来了个攻心攻势：灵宝县的百姓一夜之间发现无论是在县府大门前，还是在山沟谷壑里的石岩上，到处都贴满了《矿产资源法》及“保护国家矿产资源，造福子孙，人人有责”之类的标语、宣传画。那结队的广播宣传车走街串巷、上山下乡，没日没夜地响着高音喇叭……

人这个生灵，不怕泰山压顶，就怕心窝窝上那么一捅。在矿管局组织的强大攻势面前，一些跟着糊里糊涂上山下沟淘金的百姓们开始醒悟起来：“以前以为金子生在我们脚下就是我们的，想咋干就咋干，如今才知道这么干是违法的！”

在淘金大军中一批知错者主动回到了工厂、机关、学校和责任田。他们尊重法律，同样法律也尊重他们。

然而，金子的诱惑并不是所有懂法、知法的人都能抵挡得了的，宁可在法律的枪子下掉脑袋也要把口袋填满的大有人在。

喇叭和标语对善良的人或许有用，但对那些枕着被子就做黄金梦的人来说，等于一阵耳边风。

县长李建顺曾对笔者讲过一件事，说有个乡的几名非法采矿者刚听完“矿法宣传员”的几句话就不耐烦了，说你们再在我耳边瞎嚷嚷就别怪我不客气了。矿法宣传员生气地责问对方是什么态度。那几个采矿者把手里的家伙往地上一扔，冲过来就把矿法宣传员打得鼻青脸肿，这还不罢休，当晚把这位宣传员家的门窗玻璃全砸了。

全县第二次出动宣传车进驻矿区，有 14 人次被打得下不了床。

矿管局的干部没有后退，他们在县委、县政府的支持下，联合公安、工商、税务等部门，出动了 400 余人的整治队伍，像梳头一样对所辖境内的非法采矿点进行逐个清理。他们风餐露宿，夜以继日一个月，拔掉“钉子户”269 处，捣毁 46 个走私矿贩点，取缔小选厂 110 家。

这一仗算是彻底吧！不料，“土八路”刚下山，“洋鬼子”后脚又跟着上山了。那些“洋鬼子”乃是些灵宝的七品县官们管不着的主。什么省 ×× 公司、×× 局、×× 厅、×× 部的，不知从哪儿钻出来，一齐扑到灵宝这块金质“蛋糕”上，大有“道高一尺，魔高一丈”之势。

矿管局长问李县长咋办。“我也没辙！”县长的笑比哭还难看。“你看看，从 1985 年到 1988 年，仅以县政府名义发布的整治黄金矿管的文件就有 30 几份。我的秘书是黄金秘书，我的文件是黄金文件，我的工作是黄金工作，我们的人都快成黄金人了！这不，下一步只好请省长大人出面了。”一向办事铁面无私的李县长硬是被逼出了几分幽默。

省长出面了，省府“整治灵宝黄金生产秩序”的大旗出现了。

野性山谷得到了几日的宁静，但工作组不可能永久驻扎，非法采矿者、走私者、窃金者比谁都精。

野性山谷里的烽烟重新燃起，而且比往日更烈。他们明白：既然上面一次又一次来“围剿”，说不定哪一天“黄金梦”就被捣碎了。与其这样，不如趁眼下财路未断时狠捞他一把。

中南海终于震怒了。总理与人大常委会委员长一个电话，“小秦岭的问题不能再如此下去了，中央派个整治工作组下去。”

“从中央到省、县……于是灵宝，还有同样灾难深重的嵩县、丰宝、蒲城、潼关、伊河等县又开始了规模空前的整治。1985 年至 1990 年，小秦岭经历了 13 次如此大规模的几乎动用了所有可以动用的社会力量的“围剿”。

后来，像灵宝、潼关等这样的重灾区终于变成了基本按照矿法采黄金的全国先进矿管地区。

这一程走得好累。

被告席上，邪恶与正义出现错位

1988 年 5 月 26 日，香港《明报》在显著位置刊文：

长江三峡的自然景观近年来连遭破坏，沿江已难见一片茂密的森林，而采石场、煤矿、冶炼厂、石灰场等却沿江到处可见，昔日“两岸猿声啼不住”的诗情画意至今早已消失，好不煞风景！

根据宜昌环保部门指出，仅采石场一项，西陵山头江段就有十几处，年开山炸石约 200 万吨，其中有 100 万吨远销外地，其中碎石矿末均全部倾入江中。雄伟壮观的“兵书宝剑”山头两岸尽是可悲的采石场……隆隆的炸山炮声不时令游客猛吃一惊……

《明报》虽是港台之声，却无半点虚词。千古三峡名胜的悲剧，早已被中外人士所知。

三年前的1985年6月10日凌晨4时15分，就是在这里发生了震惊世界的一幕：3000多立方米土石组成的巨大滑坡从几百米高处向大江中流倾泻而下……顿时，天地间阵阵闷雷震耳欲聋，山体滑坡所产生的强大磁场使得几里外的居民区的电灯变得像萤火虫一般昏暗。巨石向大江倾泻，江面激起的巨浪高达80多米，犹如一条条窜向苍穹的白龙。继而，三峡下流蓦然见底，三峡上流蓦起逆浪如同海啸一般，逆程八里，正在沿江航行的机船、木船、木筏全被卷入江心……

这就是伟大而悍勇的长江生命史上耻辱的一天。这一天它断流了，并留下了三个月断航的纪录，造成直接经济损失1.3亿元。中国政府仅在此后又支付的疏通整治费就高达8000万元。巨龙失色，谁不为之扼腕长叹！可是又有谁能料到，这蚁穴毁厦之举竟与一群散漫地举着铁铲与钢钎的采民的一铲一凿相关。

许多为自己私囊拼命捞财的采民们根本没有意识到由于自己的野蛮掠夺而摧毁了多少祖国江山的基石与垒壁。

中国的矿管官员们用自己纤弱的双肩与脚板日夜劳作，在那些碎裂的大山江川上，他们甚至是在用胸脯抵抗所有发生在资源领域的野蛮行径。然而，就像人类从猿猴时代的树上生活走向坚实的大地经历了几百、几千年历史一样，一个文明的产生常常要经历长久的斗争。

在我们的这块大地上，依法治理总难迈出步履，即使迈出一步，也常常很痛苦。

习铁良，这位湖南桃江的“七品官”，任县长几年内曾无数次批阅过县法院送审的裁决报告。1988 年 12 月 8 日这一天，他正在办公室与几位副县长商量一次农业改革的新方案，因为前些日子下乡太累了，席间他几次有些支持不住。

“老习，你先去休息一会儿吧！”几位副手关切地说。

习县长捏捏眉心，抱歉地笑笑：“没事。待全县人民都过上好日子，都给我们几位唱赞歌时，再好好睡上几天！”

“丁零零……”一位公务员走过来，说：“县长，您的电话。”

“喂，谁呀？什么事？”习县长拿起电话问。

“你还蒙在鼓里呢！你到城里去听听，整个桃江、整个益阳都在议论你的大名呢！”电话是他爱人打来的。

习铁良像丈二和尚摸不着头脑，有些着急了：“你说，议论我什么事？”

“你去问问中级人民法院的判决书吧！”对方说完“啪”的挂上了电话。

问问中级人民法院的判决书？习县长愣在那里。

不知什么时候，秘书走到他跟前，并且送来一份省报和一份益阳地区中级人民法院的判决书。

习县长接过报纸，只见在显赫的位置写着：

县长成被告　百姓胜县府

益阳中级人民法院受理桃江县村民任大雷、魏守旺“请求撤销桃江县人民政府（1988）第 26 号文件——《关于对任大雷、魏守旺联办矿非法采矿的处理决定》”一案，并经公开审理做出如下判决：桃江县村民任大雷、魏守旺承包组承包开采本村锑矿具有合理权益，该县人民政府应撤销对此做出的错误决定……

刁铁良再拿过印有国徽的“湖南省益阳地区中级人民法院判决书”，从头到尾一扫，上面说的与报上讲的完全一样，当下气得半天说不出一句话。岂有此理！我这个县长没法当了！

县长确实没法当了。堂堂县府的红头文件成了废纸，堂堂一县之长一夜间成了失败的被告！

反之，这一天顺水村农民任大雷、魏守旺为庆贺自己开山挖矿这一伟大胜利，专门买了几十元钱的鞭炮，一走出法院就放了起来。

“感谢法庭给我们撑腰！你们全院的奖金我们包啦！”——在法庭门前，他们这样说。

“我们要致富！我们要发财！”在桃江县的政府门前，他们振臂高呼。

“天是我们的，地是我们的，上帝创造的一切都是我们的！”——在满目疮疤的矿山上，他们狂欢大叫……

70年代，我国地质工作者在桃江县发现了一个大型锑矿。其丰富的储量和易开采的优越条件，使其很快成了我国第二大产锑基地。为了建设一个采、选、冶配套的重点国营锑矿企业，多少辈子生息在这块土地上的农民积极配合政府的要求，搬迁、出力。尽管他们有的还没摆脱贫困，但对于国家成车成车地挖走他们祖辈留下的土地下的宝藏，没人说一个“不”字。

但进入80年代后情况就变了。贫了多少辈的农民知道上面让自己“富起来”的真正意义，便开始不甘寂寞，扔下锄头，扛起铁锹与麻袋，蜂拥而上矿山。就是在这种情况下，仅几个月时间，来自四面八方的3000多名充满贪欲的采矿者像饿狼一般抢夺着国营桃江板溪锑矿矿山。顺水村的任大雷、魏守旺是这支窃矿大军中的急先锋。

1987年年初，湖南省在国家矿产资源法颁布不久后，根据本省情况，颁发了《湖南省乡镇采矿和个体采矿管理办法》。桃江县矿管办公室的干部在县政府的大力支持下，以县府名义很快出台了一个为配合国营板溪锑矿整顿的文件，明确规定："乡场（林场）、村企业采矿，必须依法具有矿产资料、开采地点范围界线的图件，具备办矿的技术、安全条件和环境保护措施，必须依法申请取得采矿权"等，这些规定其实是对矿产资源法和省"采矿管理办法"的重申。

"什么规定不规定，老子采的矿是天生的。上面让我们致富，我们采矿致富是贯彻上面政策的表现，理当表扬！"任大雷、魏守旺等人觉得省、县发的文件和那些矿管干部简直"可笑"，于是便采取"不屑一顾"的态度，照干不误。

1988年9月，县矿管办经过检查，发现任、魏的联办矿一直没办采矿许可证，于是按照矿法规定与有关处罚条款，以县政府名义下文做出了对任、魏联办矿立即停业开采的决定。不料，此文发出一星期，任、魏即向益阳地区中级人民法院起诉，指责政府的决定"违反合法承包权益"。中级人民法院为维护"承包人合法权利"并根据起诉方提供的"证据"，一锤定音宣布被告桃江县政府违反法律条款，其所发（1988）第26号文件为"错误决定"，应予"撤销"。此法院的判决依据有两点：一是维护群众的利益，二是任、魏联办矿在1987年6月25日领取过一张县乡镇企业局一位副局长签发的"采矿许可证"。判决的理由是：桃江县政府身为人民政府却"不为人民群众走致富道路开绿灯"，反而"采取强硬的行政手段予以干涉"。更重要的是"出尔反尔"，县政府同级的不同部门在处事中各行其是，任、魏在一年前就领有采矿许可证，而一年后同级部门又发文指责其"非法采矿"，显然责任不在采矿人，而在县政府。

"这这这……简直乱弹琴了！"刁县长把县矿管办主任和乡镇

企业局领导一起叫到办公室，他真有点不知指责批评谁为好。

“国家矿产资源法明确规定，集体和个体采矿者必须到矿产资源管理部门领取许可证方能合法开采，否则视为非法。”矿管办主任义正词严。

“我抓的就是怎样贯彻党的号召让群众富起来！”乡镇企业局局长理直气壮。

“好吧，我们在省高级人民法院见！”

“我奉陪！”

习县长掌击木椅，气喘不止。

这场官司打到长沙，惊动了北京。湖南省矿管局接到桃江县矿管办和县政府在地区中级人民法院作为被告而败诉的电话后，即与代表国家矿管最高权力机构的北京地矿部矿管局联系，郭振西局长此时正在东北检查工作，得知此事后提前返回北京。他深知桃江县政府被告之事是关涉《矿产资源法》是否具备国家矿产资源领域最高权威的大问题，必须严肃和慎重对待。

差不多也在同一阶段，郭局长亲自关注与过问了山东沂水县的“民告县长”事件。这是国内第一起关于矿产开采纠纷群众告县官的案件。作为国家矿管“第一长官”，郭振西在一方面告知局机关工作人员积极组织有关法律依据，为代表矿管部门说话的被告——山东沂水县县长的律师准备辩护证词，另一方面告知山东矿管局组织本省矿管干部前往山东沂水县，听取山东临沂地区中级人民法院在此举行的审理过程，进行现场观摩。此次公开审理活动影响极大，只能容纳200人的法庭听众席上，挤进了300多人。山东省高级人民法院行政审判庭副庭长、临沂地区各县（市）法院的行政审判庭干部和山东省重点区县（市）的矿管局长全都去旁听。这是一场权与法的较量，正义与邪恶的较量。被告的辩护律师准备充足，且又擎着法律的正义旗帜，以《矿产资源法》逐一驳斥了原告非法采矿的行为与实质，获得了震荡法庭的大胜。沂蒙山区数百万人民通过电话、报纸，深切地上了一次矿法教育课。

“不要慌，你们如此如此……”北京—长沙，长沙—北京，那段时间里，湖南省矿管局与北京地矿部矿管局之间的电话频频传音，经验丰富的郭振西不时向部属官员传授机宜。果不然，后来，湖南省高级人民法院开庭审理，否决了益阳地区中级人民法院的判决，重新判决桃江县政府的决定正确，而非法采矿者任大雷、魏守旺则最终受到了法律制裁。

“在贯彻执行《矿产资源法》的具体过程中，当国家利益与地方利益、集体利益与个人利益发生冲突时，一些地方的政府与单位常常站在自己的本地利益之上，致使矿管工作难度更大，我们的矿管干部就是在这种逆境下，坚韧不拔地工作着……”笔者在采访郭振西时，这位十年坚守矿管沙场的老战士多次这样感慨道。

我听说过，有一名县矿管办主任因为坚持依据矿法关闭了一座煤窑，不几日，县政府一道命令将他莫名其妙地免了职。原因很简单，他的做法使当地的财政收入“损失不轻”。

我见过，两个均为本省先进县的“县太爷”，为了争抢一座金矿，竟大打出手，官司一直打到京城，直到中央插手各打几“大板”才算罢休。可是，刚出京城，两人便在火车上又“干”了起来。

更有甚者，两个睦邻几十年的富裕县，为了一江之底的砂矿开采问题竟反目为仇，各自出动数千人马，在江上摆开战场，血流如染。

谁来主持公道？谁来执掌法印？是我们的书生，我们一介身穿地质装的矿管书生们！

靠他们不计烦琐的解释、劝架、说服，苦口婆心的话语如涓涓溪流……总之，不达目的，决不罢休。依着这种精神，青山能不动？顽石能不化？

野火不熄，春风常吹

那些祖辈出生在大山里的人从矿山上找到了满足与快感。于是，他们不顾一切地撕去大山的绿外衣，揉捏母亲丰满的乳房，肆无忌惮地掠取、吸吮着。

——1983年，湖北某地的一个湖里，渔民撒下大网，苦苦干了一天，两年前种下的16万条鱼苗却没捞起一条。

——个旧矿区，一位从都市新去的女大学生肚子老是胀胀的，她以为自己怀孕了，欣喜地告诉丈夫这个“秘密”，结果到医院一检查，原来根本无“喜”，而是肝炎！

——湘西某土家族村寨的人们每天清晨走出家门，便可隐隐约约听到山上有位女人在凄惨地叫喊着：“宝宝，我的宝宝进山了。”她是20世纪90年代的新“祥林嫂”。她儿子上山割草，掉在一个附近村民留下的煤窑子里再没有出来。

……

这些地球的“病历”，还可以列出百条、千条，它们的病源均来自乱采滥挖矿山，破坏生态环境。

1989年1月9日，地矿部部长朱训公布：我国目前的水土流失已达130万平方公里，黄土高原的沙化面积达803万亩，崩塌、滑坡、泥石流等所致的灾害为国家造成的损失每年约100亿元，而造成严重破坏生态平衡的现象，其中又以群采风带来的后果最为严重。

中国大陆上每年都遭受着这种瘟疫式的灾难。

中国的矿管工作者无时不在为我们的人民尽可能地减少这种瘟疫式的侵袭而艰辛地履行着自己的责任。

自矿山群采风吹起的那天起，或者说自《矿产资源法》颁布之日起，在中国大地从南到北、从东到西的广袤原野上，抢窃与反抢窃，偷宝与反偷宝的斗争几乎从来没有停止过。那些手持“大哥大”、对讲机的新式“山寨王”“金把头”“女酋长”们，其胃口之大，手段之先进，靠山之坚挺，常常足以使我们那些正义的使者们喘大气。

你不是搞“游击战”吗？我就来各个击破的“持久战”。

你不是“野火烧不尽”吗？我就来个春风吹常在。

“群众是真正的英雄”。毛泽东的许多战略与战术的军事思想被当代山盗们窃用，然而，我们的矿管工作者用起这位伟人的思想旗帜更得心应手。

在我接触的这支执法大军的将帅中，无论是名震祖国大川江河的老将郭振西，还是如今的新将帅毛德荣，他们都是这方面的行家里手。

“广泛地发动群众，使矿法深入民心”，这几乎是中国第一代矿管者开辟自己天地时始终遵循的信条。

无论多野蛮、多凶残的土匪盗贼，他们可以无视官府、无视军队，却不能无视身边四周的民众百姓，因为那将是他们葬身的汪洋。

地处伏牛山腹地的栾川，素有“河南西藏”之称，是个八山一水一分田的贫困县。但此地四面环山，重岭叠嶂，是我国少有的多金属成矿地带，已发现的贵重矿种有 30 多种，特别是这里有丰富的钼钨资源。据悉，此地钼金属储量、白钨储量丰富，是世界三大钼矿之一。早在汉代，栾川就有开矿的记载，其“所产水晶的质量坚如玉，凝如冰，沁心凉目，昼观星迹”。

进入 20 世纪 80 年代，栾川的钼业开发速度空前。可由于多种原因，此地全民性的乱采滥挖现象猖獗，一个小小的县竟有各类石选厂 1300 家，蓄毒极高的氰化池 700 多个。从这些厂、池中排出的剧毒污水到处溢涌，栾川 7 条河道条条污染，其有害物质高出国家标准五六十倍，人畜中毒死亡屡见不鲜。

负责该地区矿业治理的县矿管办干部曾几次动议县人大、县政府，并联合公安、工商、税务等部门几次清查整顿，每一次都花费大量人力物力，可这头刚收兵那边山头的野火便又燃了起来。

矿管干部不信此邪，仅二三十人的队伍竟担起了全县乡乡村村的矿法宣传大会战活动的重任。矿管干部明白：要扼住采钼这场野火，光靠几个干警、几位工商税务是办不成的。群众是英雄，让亲身受害的百姓身传言教，喇叭宣传，那些丧尽天良的作孽者就没了栖身之地。果不其然，全县37万受害的百姓顿如大梦初醒，他们明白了再也不能干只顾发财不顾环境危害的事。一件件、一桩桩血泪凝结的事实使得广大群众从发财梦中省悟，他们恨透了那些只顾自己不管别人的“矿霸”“矿贩子”“矿窝客”。

“赶走挖矿人，还我绿水青山！”

“致富要讲良心，贪财必是黑心！”

一日从栾川的赤土店、陶湾、庙子等地涌出一队群众，他们一边呼着自编的口号，一边向大山走去。开始是十几人，后来是几十人、几百人……那中间，有教师，有小镇居民，有附近农民，有学校学生，为了国家矿法的尊严，为了自己生存的尊严，他们在无任何人组织和导演的情况下，秩序井然地开展了一场规模巨大的游行。

“给几个钱，回家待着吧！”

“哼，老子要致富，谁也管不着！”

路边，几个氰化池旁的“老板”对着游行队伍讥讽、嘲笑着。

“就是他们害的！砸呀，砸烂他们的窑子、池子！”不知谁吼了一声，于是游行的人们纷纷拾起砖头、棍棒，以排山倒海之势，将积聚在心中的所有愤怒，一齐砸向那些非法经营的采矿厂和烧冶池，见啥砸啥，人声鼎沸，声震十里之外。

好一场“暴乱”！好一场使非法采矿者闻风丧胆的“暴乱”！

我们聪明机智的矿管干部抓住时机，适时再次组织政府各路兵马，全线出击，一举取缔了钼选厂1073个，氰化池675个，滚汞碾178个，封停矿口988处……栾川乱采钼矿的野火从此再也无力复燃。

有一种力量是不可战胜的，那就是民众的力量。

有一种意识是不可抗拒的，那就是民众的意识。

法律作为文明规范，它需要依靠强硬的手段要求人们的行为符合其准则。然而，再严酷的锁链也束缚不了人的精神意识。我国十年矿管历程，之所以取得了今天如此辉煌的战绩，在很大程度上取决于广大矿管工作者细微、耐心、诚挚、透彻的教育、宣传，或者可以视为是向民众灌输“保护资源人人有责，造福子孙”意识的结果。

文明是相较原始与粗暴的野蛮而言的。中国20世纪七八十年代出现的矿业开发领域的群采群挖风，带着浓烈的铜臭味越吹越烈。而与其针锋相对的矿产资源管理开发工作则利用法律武器，一步一步地对这种野蛮行为进行扼制与斗争。问一声我们的矿管干部是怎样走过来的，他们无不这样感叹：文明的历程太艰难，太艰难。

但他们凭着纤弱的身躯和与大山打惯交道的双脚，毫无愧颜地告诉世人，他们胜利地走了过来。

第四章　世纪丰碑

我们的脚下踩的是地球。

地球是母亲，人类则是地球的儿女。人类靠地球上的空气、水、资源而赖以生存到今天。

石头是一种资源，一种可以开凿出石油、煤炭、黄金、宝石……几乎应有尽有的宝贝的资源。从远古石器时代开始，希腊神话中，《圣经》中，有关人类苛求和寻觅“石头”宝贝的轶事与传说太多太多了。而生活中有关争夺、占有和吞霸“石头”而引发的一场场惊心动魄的厮杀、格斗，有谁能诉说得尽！

几乎可以这样说，当今世界的每一场流血的战争，无不与资源有关。第一次、第二次世界大战，还有后来的中东战争，不都是因为资源供给与财富的短缺而发生的吗？

在现代化高度发展的当今世界，资源依然主宰着一个国家与民族的强盛和衰落。

资源——越来越成为阻碍人类未来发展的大难题。

发达的西方国家早已出现了资源危机，并因此而到处伸手掠夺，惹得这个世界永不平静。

中国是个发展中国家，几十年来，我们一直在自豪地向世人高唱“地大物博”的赞美歌。在80年代末期的一次全国矿产工作会议上，当地矿部部长朱训向全世界宣布中国的矿产形势相当严峻，我们应当对“地大物博”的概念重新理解时，举国上下一片喧嚣。

“这不可能！我们是世界公认的地大物博之国，难道连地球留下的遗产都会贬值和消失吗？”

当《人民日报》以醒目位置刊出朱训部长的话后，中国经济界、工业界、金融界、社会学界……掀起了一场轩然大波。有人甚至公开冲着地矿部的人骂道：“见鬼，你们是不是存心想阻挡和牵制正在飞速发展的改革大好形势？或者想拖四化的后腿！”

帽子大得吓人。其实吓人的帽子应该戴给这些嚷嚷的人，因为他们太不了解我国的矿情，或者说他们太无知。

还是请我们的共和国部长来给他们上一堂课吧。

从矿产资源总量而言，我们是名副其实的资源大国，除俄罗斯、美国外，我们是“老三”。但世界的资源拥有量是按人均水平计算的，这样我们就一下降到了第80位，不及世界平均水平的一半。

朱训部长在国人面前说此番话的语气加重了。

根据正在开采利用和已查明但尚未开采利用的矿产资源情况看，要适应刚刚进入工业化进程的社会需求及党制定的现代化三步宏伟远景规划，形势不是一般的严峻。严峻到什么程度？一般人想象不到。目前全国近2/3的骨干金属、有色金属矿山，已到生产的中晚期，有的已濒于枯竭。我们曾经而且仍在为之自豪的大庆、胜利、华化等油田已进入稳产末期，产量自然递减已超过15%，原油含水率在70%以上。1988年，大庆油田第一次出现亏损。一直为我国拳头产品的煤、稀土、锡、石墨、锑、钨等矿产，近年来也不断告急。50年代至70年代以来，我国一直是重要的矿产出口国，但进入80年代后已不尽如人意。20世纪末中国由出口国变成进口国已成定局。据1988年国际矿产进口组织提供的材料表明，世界161个国家和地区中，矿产品进口额占总进口额15%以上的只有两个国家，一个是非洲的莫桑比克，一个是亚洲的中国。

部长的这段话告诉我们什么？他告诉我们中国仍是真正的第三世界国家。

未来又是什么样的状况呢？十年前，地质矿产部在向国务院提交的一份报告中就指出：到2000年，我国主要矿产品的需求为：能源（指煤）16亿吨，粗钢1亿～1.2亿吨，铝250万吨，铜125万～150万吨，钼4万吨。上述矿产中，除标煤能保证外，其他矿产品均短缺或严重短缺。以人们预测甚为乐观的王牌资源煤为例，1987年，资源勘查部门提供的我国煤炭保有储量达8000多亿吨，其中可供中期规划利用的储量为5000多亿吨，但能达到矿设计之用的储量只有400多亿吨，仅占可供规划利用储量的1/12，总保有储量的1/20。

这数字和比例说明了什么？说明我们过去向世人高歌的中国地下资源储量中，有百分之几十是水分！去掉了水分，取其精华，再与13亿中国人已经膨胀了的生活需求和我们制定的宏伟发展计划所需的资源消耗量相比，这之间有个巨大差额，而这个差额地球母亲是绝不会再痛痛快快地恩赐我们啦！道理简单得很，矿产资源不会像庄稼那样再生。

善有善报，恶有恶报。人类太多的索取和掠夺，太过分地依赖“母亲”的乳汁来维持自己的生存，当突然有一天发现全体“断奶”时，也许就太晚了。

中国一方面正大声疾呼着资源的紧缺，另一方面又有那么多人在矿山燃起通天的野火在毁掉宝藏，怎不让大地“母亲”感到颤抖！

有人说，人性本恶，本贪婪，本野蛮。因此，当许多人看到“石头”可以变成白花花的钞票，变成光宗耀祖的洋房，变成水灵灵的美人时，他们就拼命地发泄贪婪与野蛮，不顾一切地掠夺，甚至可以不惜自己的生命。

有人说，从黄土地上长出的人有一种天生的“匪”性，不管是在原始社会还是在文明社会，只要不挖掉穷，就永远扑不灭野火。

有人说，毛病出在上面的号召上，你不每天在喇叭里嚷着让大伙“致富”，咱咋想到上山找矿石呀！基层干部对此点头称是：上面开会让咱“培养”冒尖户，咱这不毛之地，自然想到靠山吃山呗！不这样，哪来“万元户”？

有人说：中国人不懂法也不读法，共和国的宪法中明明写着自然矿产资源属于国有，可他们根本无视这些，好像整个地球都是他们自家的。

有人说……

也许，在这涉及各种因素的乱采滥挖矿产资源问题面前，我们可以摆出十条、百条的原因来解释。也许，中国人身上具有天生的贪婪心，还有新患的“致富病”……但是，笔者认为，中国之所以有如此疯狂的抢矿窃宝风，除了我们民族固有的劣根性，除了我们政策上的某些失误，除了我们法律条款的不健全，除了各级政府部门缺乏相应的有力措施，或者还有其他什么原因，然而最根本和最重要的原因是众多的人头脑里没有资源危机意识。

没有科学知识和科学思想的人，没有道德规范与基本准则的人，必然是又愚昧、又贪婪、又盲目、又野蛮的。

向文明的现代化迈进是20世纪人类最大的长征，中国是世界大舞台中的一员，高呼向“四个现代化”进军的口号。那么是谁在遏制矿业领域的非文明的狂澜？主力军自然是我们的矿管工作者。

1987年6月，日本《读卖新闻》等海外报刊曾这样断言：邓小平制定的中国现代化计划将在90年代中后期受资源短缺影响而放慢步伐。问题的重点是当局难有办法遏制占全人类总人口近十分之一的中国山区农民组成的抢矿毁资源的大军。这个问题解决不了，这头“东方睡狮”难以在20世纪末醒于世人面前。

西方的预言家对中国的评估总是出现大偏差。在短短几年间，中国的现代化进程不仅没有丝毫减速，相反一日千里。这中间，当然有一个不可抹杀的事实：中国的资源一直充满后劲地支持着飞速前进中的时代列车。这中间，当然有一个更不可忽视的事实：中国的矿业秩序今非昔比，越来越好。

1992年3月，全国人大照例举行一年一度的代表大会。此次会议对中国矿管工作者来说是一个前所未有的鼓舞。因为在会上，人大常委会委员长庄严地号召所有国人：应当把保护和开发矿产资源当作一项国策。

一个泱泱大国，把单项工作列为国策的并不很多，有计划生育，有环境保护……还有就是资源管理。

弹指一挥六年后，同一个会场，同一个主席台，朱训部长向代表们介绍的却是与六年前完全不同的中国矿业秩序新情况，他听到和看到台下的参会者自然也是两种不同的声音与表情。

当年举着双臂呼喊“抢矿不刹，现代化难实现”的王淦昌常务委员此时露出了满意的笑容。

那年小组发言时拍案而立的老将军耿飙，此次热烈地鼓掌和称赞道：可喜！可喜！

满头银丝的荣高棠说：矿法宣传还得抓，越抓越好呦！

再没有比人民代表脸上的笑容更高的褒奖了！

从南疆椰子林中的金台子，到北国黑河边的煤窑洞，还有那东海畔的水路上，西域阿尔泰山脚下……对那些数年如一日坚守的矿管工作者来说，还能有比这更值得欣慰和高兴的事吗？

该为十年历程画个句号了——也就是在此时此刻，郭振西这位老战士理理两鬓银丝，才决定向部长办公室走去——他要主动向组织交上离休前的最后一份“答卷”：

——十年前，中国无一部完整的矿法。如今，已出台了以《矿产资源法》为核心的几十个法规条例，形成了较完备的体系；

——十年前，中国无一个矿业管理机构。如今从中央到地方已建立了监督管理专门部门，省（直辖市）级矿管机构31个，市（地区）级矿管机构320个，县级矿管机构2100个；

——十年前，中国无一例矿产开发勘察登记，如今探矿活动纳入法规，登记工作全部完成；

——十年前，国营、地方、个体矿山开采无法可循，冲突迭起，层出不穷。如今8600余个国营矿山已有98%的单位获得合法采矿权，242000余个集体矿山与个体办矿中已有80%以上有了合法采矿权。

——矿法颁布6年间，矿管部门调处采矿纠纷5000余件，查处严重违法案件17800起，关停非法矿山（点）3万处。矿业秩序明显好转，国家矿业产值连年以两位数增长……

振西同志在矿管方面做了许多有益的开拓性工作，做出了重要贡献。我代表党组表示感谢……

一位部长为下属的一位行将离职的干部亲笔写评语的恐怕并不多，郭振西获得了如此殊荣。

这位老战士当之无愧。中国的第一代矿管工作者都当之无愧。他和他们有许许多多可歌可泣的动人故事来为我这篇报告文学嵌金搭架。遗憾的是我没能赶在此文付梓前再多些时间抓住和找到他们与他们再多聊聊。

是与老局长约好再“好好聊聊”的。可等我转头找他时，他已起程飞往河内——虽然退休了，但老战士是永远不会放弃革命工作的。

我甚至还没有来得及找到新局长毛德荣。他继承着老局长的作风，960 万平方公里的战场上多处已开始留下他的足迹与身影。

那些在深山老涧、戈壁瀚海、丛林深处的千万个周庆梓式的英雄——最普通、最默默无闻的矿管工作者们，更是手擎矿法大旗，脚踏绿水青山，日夜在为捍卫共和国矿产资源的尊严，为四个现代化的建设，为我们的子孙后代勤奋战斗着。

21 世纪应当不再有愚昧。

21 世纪我们共同走向文明。

出版说明

何建明先生是中国文坛著名作家，长年坚守在报告文学一线。“非典”、汶川地震、天津大爆炸、利比亚撤侨等重大事件发生时，何建明先生都尽可能出现在第一时间、第一现场，将第一手材料及时地呈现给读者，将中国故事讲深、讲透、讲生动、讲精彩。他强烈的责任感和使命感让人感动，其直面真相、忠于现实的精神令人钦佩，是中国当代报告文学界极有影响力的领军人物。

有感于斯，我社特收录何建明先生近40年创作的报告文学作品，结集为《何建明文集》三十卷出版。这些作品是对时代、社会、自然和人文的记录、呈现与见证，是作者响应时代的召唤，置小我于大我之中，循着时代背景和社会需求而创作的，完整、真实地表现了社会各个层面人物的喜怒哀乐，代表了当代中国纪实文学、非虚构创作的高峰水平，大气磅礴、激情豪迈，极具胸怀和气量。其中多部作品获得鲁迅文学奖、国家图书奖、“五个一工程”奖、徐迟报告文学奖等。

每个时代都有自己的特征，每部作品都有自己的特点。为了全面展示何建明先生历时40年创作内容、使用语言和文学风格的变化，本文集对何先生已发表的所有作品原则上不做修饰和润色，除特殊情况外也不做大的删节和修改，以保证今天的结集出版，仍不失当年作品的激情和味道。